英語
字根、字首、字尾
分類字典

笛藤出版

序　言

　　英文單字數量龐大，難學難記，盡人皆知，學習者常感苦惱，嘆無良策。

　　字根、字首、字尾是構成英文單字的元素，瞭解和記住這些元素，即可牢固地記住單字的意義，免除死記硬背之苦，而且一次記住，不會忘記。

　　　所以，學習和掌握字根、字首、字尾是記憶大量英文單字的有效方法。

　　英文單字數量雖然龐大，但字根、字首、字尾的數量卻很有限，因而掌握它們，並非難事。

　　本書共收入字根近四百個，字首字尾共二百多個。為便於學習本書在體例編排上不採用按字母順序編排的慣例，而採用按意義分類編排方式。其方法如下：

　　1.字根的分類

　　　㈠按字根意義分類。將屬於同一意義範疇的字根歸併在一起，如"手、足、頭、眼、耳、牙…等"均屬於人體部分的範疇而被歸納為一類。按此方法，將全書字根歸併為二十大類。

　　　㈡按字根深淺程度分類。將字根分為四大類：①適合高中學生的，②適合大專學生的，③適合托福應試者（包括研究生）的，④適合理工科技人員的。在每個字根條目後面，分別用高、大、托、科符號作標示。學習者可根據自己的程度，各取所需，選用適合的字根學習。

　　2.字首、字尾的分類

　　　將意義相同的字首、字尾歸併右一起。這種按意義分類的方式使全書"字以類聚"，讀者開卷之後，一目瞭然，便於集中、成批學習，有利於聯想，有助於記憶，更有助於快速掌握。

　　　作者謹將此書奉獻給廣大讀者，並希望此書對讀者有所裨益。

作者

本書所用符號說明

　　書中字根條目後面標有⑨、⑩、⑪、⑫四種符號。⑨表示高中學生，⑩表示大專學生，⑪表示托福應試者（包括研究生），⑫表示理工科技人員，說明該條字根適用於後面符號所表示的人學習。

目　錄

第一章——字根

1.　人

1. 人，人類	anthrop(o)	托
2. 人民	(1) popul	高
	(2) dem(o)	大
3. 男	(1) andr(o)	托
	(2) vir	托
4. 女	(1) gyn, gynec(o)	科
	(2) fem, femin	大
5. 父，祖	patr(i), pater	托
6. 母	matr(i), mater, metro	托
7. 子女	fil	托
8. 兄弟	frater	大
9. 兒童	ped	科
10. 人種	ethn(o)	托

2.　人體各部

11. 體	(1) corp(or)	大
	(2) somat, some	科
12. 手	(1) manu	高
	(2) chiro	托
13. 足	(1) ped	托

		(2) pod	科
14.	指，趾	dactyl(o)	科
15.	頭	(1) cephal	科
		(2) capit	大
16.	腦	(1) encephal	科
		(2) cerebr	科
17.	眼	(1)(2) ophthalm	科
		(2) ocul	科
18.	耳	(1) ot(o)	科
		(2) aur(i)	科
19.	鼻	(1) rhin(o)	科
		(2) nas	科
20.	咽喉	(1) laryng(o)	科
		(2) pharyng(o)	科
21.	口	stom, stomat(o)	科
22.	牙	(1) dent(i)	科
		(2) odont(o)	科
23.	舌	(1) gloss	科
		(2) lingu	科
24.	唇	labi	科
25.	鬍鬚	barb	大
26.	毛髮	trich(o)	科
27.	皮	(1) derm, dermat	科
		(2) cut	科
28.	骨	(1) oss(e)	科
		(2) oste(o)	科
29.	肉	(1) carn(i)	托
		(2) sarc(o)	科

30. 肌	my(o)	科
31. 血	(1) sangui	托
	(2) aem, em, haem(o), hem(o)	
	haemat(o), hemat(o)	科
32. 乳	lact, galact	科
33. 淚	(1) dacry	科
	(2) lachrym, lacrim	科
34. 尿	ur	科
35. 汗	(1) hidr(o)	科
	(2) sudat, sudor	科
36. 神經	neur(o)	科
37. 心	(1) cord	大
	(2) cardi	科
38. 肺	(1) pneum(o), pneumon	科
	(2) pulmo, pulmon	科
39. 肝	hepat(o)	科
40. 胃	gastr(o)	科
41. 腎	(1) nephr(o)	科
	(2) ren	科
42. 腸	enter	科
43. 關節	arthr(o)	科
44. 動脈	arter(i)	科
45. 乳房	mamm	大

3. 生老病死

46. 生	(1) nat	高
	(2) par	大
	(3) gen	托

47. 老	sen		大
48. 年輕	juven		大
49. 病	(1) path (o), pathy		科
	(2) morb		托
50. 死	mort		大
51. 活	viv		大
52. 生命	vit		托

4. 五官動作

53. 看	(1) vis, vid		高
	(2) spect		大
54. 聽	audi		高
55. 言，說	(1) dict		高
	(2) parl		大
	(3) log		大
	(4) loqu		大
	(5) fabl, fabul		托
	(6) lingu		大
	(7) or		托
56. 喊叫	(1) claim, clam		大
	(2) vok, voc		托
57. 告誡	mon		高
58. 笑	rid, ris		托
59. 吹	flat		大
60. 呼吸	(1) spir		大
	(2) hal		托
61. 吃	(1) ed		大
	(2) phag		托

		(3) vor	托
62.	喝，飲	pot	大

5． 心理活動，感覺

63.	愛	(1) phil(o)	托
		(2) am	大
64.	恨，厭惡	mis(o)	托
65.	怕	(1) terr	高
		(2) tim	高
		(3) horr	高
		(4) phob	托
66.	悲	dol	大
67.	驚奇	mir	高
68.	希望	sper	大
69.	相信，信任	(1) cred	大
		(2) fid	大
70.	知	(1) sci	高
		(2) cogn	大
71.	感覺	sent, sens	托
72.	關心，掛念	cur	高大
73.	記憶	(1) memor	高
		(2) mne, mnemon	大托
74.	痛	alg	科
75.	崇拜	latr(y)	大托
76.	心理，精神	psych(o)	科
77.	感情，情感	path(y), pass	大托
78.	夢	oneir(o)	托
79.	意志，意願	vol, volunt	高大

6. 手的動作

80. 拿	(1) port	高 大
	(2) fer	高 大
	✓ (3) cept	高 大
	(4) hibit	高 大
	(5) lat	大
	(6) em, am	高 大
81. 推	(1) pel	大
	(2) trud, trus	托
82. 拉，抽，引	(1) tract	大
	(2) tir	托
83. 扭	tort	托
84. 投，送	(1) miss, mit	托
	(2) ject	大
85. 放置	(1) pon	大 托
	(2) pos	高 大
86. 編織	text	大
87. 舉，升	lev	大
88. 握，持	✓ tain, ten, tin	大
89. 攀，爬	scend, scens	托
90. 寫	scrib, script	高 大
91. 畫，描繪	pict	高
92. 擦，刮	(1) ras, rad	大
	(2) terg, ters	托
93. 給	(1) dit	大
	(2) don, do	大 托
94. 觸，接觸	tact, tag	大

95. 抓　　　　　　　　capt, cup　　　　　　　　　高

96. 包, 裹, 捲　　　　velop　　　　　　　　　　高

7.　腳的動作

97. 行走　　　　　　(1) gress　　　　　　　　　高 大

　　　　　　　　　　(2) vad, vas　　　　　　　　大

　　　　　　　　　　(3) ambul　　　　　　　　　托

　　　　　　　　　　(4) it　　　　　　　　　　大 托

　　　　　　　　　　(5) vag　　　　　　　　　　托

　　　　　　　　　　(6) ced, ceed, cess　　　　大 托

98. 漫遊, 漫步　　　err　　　　　　　　　　　托

99. 跑　　　　　　　(1) cur, curs, cour, cours　大

　　　　　　　　　　(2) drom　　　　　　　　　托

100. 跳　　　　　　　salt, sult, sail　　　　　托

101. 站立　　　　　　(1) st, sta　　　　　　　高 大

　　　　　　　　　　(2) sist　　　　　　　　　高

102. 來　　　　　　　ven　　　　　　　　　　　大

8.　其他行為動作

103. 坐　　　　　　　(1) sid　　　　　　　　　大

　　　　　　　　　　(2) sed, sess　　　　　　　大

104. 躺, 臥　　　　　cub　　　　　　　　　　　托

105. 睡眠　　　　　　(1) somn (i)　　　　　　　托

　　　　　　　　　　(2) hypn (o)　　　　　　　科

　　　　　　　　　　(3) dorm　　　　　　　　　大

106. 居住　　　　　　habit　　　　　　　　　大 托

107. 遷移　　　　　　migr　　　　　　　　　　大

108. 切, 割　　　　　(1) tom (y)　　　　　　　科

	(2) sect		科
	(3) tail		高
	(4) cid, cis		高
109. 伸	tend, tens, tent	高	大
110. 懸掛	pend, pens		高
111. 工作	oper		高
112. 追求	pet		大
113. 教	doc, doct		高
114. 打擊	flict	大	托
115. 做	fact, fac		高
116. 關閉	clud, clus		大
117. 引導	duc, duct		高
118. 掩蓋	tect		大
119. 耕，栽培，培養	cult		大
120. 製造，塑造，虛構	fict, fig	大	托
121. 聚集，群集，群	greg		托
122. 消化	peps, pept		托
123. 命令	(1) emper, imper		高
	(2) mand		高
124. 罰	pun, pen		高
125. 傷害，懲罰	damn, demn		大
126. 連接	junct		大
127. 醫治	medic, med		科
128. 測量	mens		托
129. 威脅	min, men		大
130. 結，繫	nect, nex		高
131. 選	opt		大
132. 裝飾	orn		大

133. 賣	pol(y)	托

9． 現象，情況

134. 沉，浸	merg, mers	托
135. 浮游	nat	托
136. 升起	ori	大
137. 降落	(1) cid	大
	(2) cad, cas	大
138. 傾	clin	托
139. 轉	(1) vert, vers	大 托
	(2) rot	大
	(3) trop	科
	(4) gyr(o)	科
140. 流	(1) flu	高 大
	(2) fus	高 大
141. 動	(1) mot	高 大
	(2) mob	大
142. 破	(1) rupt	大
	(2) frag, fract	托
143. 分裂	fiss, fid	科
144. 變化，變換	(1) vari	大
	(2) mut	托
145. 黏著	hes, her	托
146. 混雜	misc	大 托
147. 光	(1) luc	大
	(2) lumin	大
	(3) phot(o), phos	科
148. 空	(1) vac	高 大

	(2) van		大
149. 裸	gymn(o)		托
150. 混亂，騷擾	turb		大
151. 振動	vibr		托
152. 聲音	(1) ton		大
	(2) son		大
	(3) phon	高	大
153. 燃燒	ard,ars		托
154. 分，解，溶，散	lys, lyt		科
155. 突出，伸出	min		托
156. 折疊，重	plic		托
157. 重疊，重	plex		大

10. 狀態，性質

158. 清楚，明白	clar		高
159. 真實	ver(i)		大
160. 和平，太平	paci		高
161. 清，純，淨	pur		大
162. 相等	(1) equ(i)		高
	(2) par		大
163. 重	grav		托
164. 正常	norm		大
165. 滿足，飽	sat, satis, satur	高	大
166. 單獨	sol		大
167. 自由	liber		大
168. 強	val		大
169. 確實	cert		高
170. 美	beaut		高

171. 快速	celer	科
172. 假，錯	fall, fals	大
173. 密，濃	dens	大
174. 相似	im, imit	高
175. 無	nihil	托
176. 多	plur, plus	高
177. 少	olig(o)	科
178. 個人，私自	priv	高
179. 原始，粗野	rud	托

11. 實物，物質，器具

180. 棍，棒，槓	bar	高
181. 紙	cart, chart	大
182. 線	fil	托
183. 纖維	fibr	科
184. 車	char, car	高
185. 牆	mur	托
186. 石	(1) petr(o)	托
	(2) lith	科
	(3) lite	科
	(4) lapid	托
187. 木	xyl(o)	托
188. 油	ole(o)	托
189. 鹽	sal	高
190. 書	bibli(o)	大
191. 屋，家	dom	大
192. 天平，秤	liber, libr	大
193. 床	clin	大

194. 麵包	pan		高

12. 天上，地上

195. 太陽	(1) sol		大
	(2) heli (o)		科
196. 月亮	(1) lun		大
	(2) selen (o)		科
197. 星星	(1) astro, aster		托
	(2) stell		托
198. 宇宙	cosm (o)		托
199. 地	(1) terr	高	大
	(2) geo		科
	(3) hum		大
200. 農田，田地	agri		高
201. 山	oro		科
202. 河	potam		托
203. 海	mar		大
204. 島	(1) insul	大	托
	(2) isol	大	托
205. 城市	(1) urb		大
	(2) polis		托
206. 農村	rur, rus		大
207. 路	(1) vi (a)		大
	(2) voy		高
	(3) od		高
208. 地方	(1) loc		高
	(2) top		托

13. 動物

209. 動物	zo(o)		科
210. 魚	(1) pisc		托
	(2) ichthy		科
211. 蟲	(1) entom(o)		科
	(2) verm(i)		科
212. 鳥	(1) avi		大
	(2) ornith(o)		科
213. 獸	(1) brut		高
	(2) best		大
214. 豬	porc, pork		大
215. 犬	(1) cyn(o)		托
	(2) can		托
216. 牛	vacc		大
217. 馬	(1) hipp(o)		托
	(2) caval, chival		大
	(3) equ		大
218. 蛇	ophi(o)		科

14. 植物

219. 植物	(1) botan		科
	(2) veget		大
	(3) phyt(o)		科
220. 花	(1) flor, flour		大
	(2) anth	托	科
221. 草	herb		大
222. 樹	dendr(o)		科

223. 根	(1) rhiz(o)	科
	(2) radic	大
224. 葉	(1) phyll(o)	科
	(2) foli	科
225. 果	(1) fruct, frug	托
	(2) carp(o)	科
226. 穀粒，穀物	gran	大

15. 時間

227. 時間	(1) tempor	大
	(2) chron(o)	托
228. 年	ann, enn	大
229. 月	mens	托
230. 日	di	高
231. 夜	noct(i)	托
232. 冬	hibern	托
233. 夏	estiv	托

16. 顏色

234. 顏色	chrom(o), chromat(o)	托
235. 黑	(1) negr, nigr	大
	(2) melan	科
	(3) scot	托
236. 白	(1) leuc(o)	科
	(2) blanc	高
	(3) alb	大 科
237. 紅	(1) rub	托
	(2) eryth(r)	科

238. 黃	(1) xanth	科
	(2) flav (o)	科
	(3) lute	科
239. 綠	(1) chlor (o)	科
	(2) verd, vir	大

17. 方位

240. 左	(1) levo	托
	(2) sinistr	托
241. 右	dexter, dextr	托
242. 中	(1) medi	高
	(2) mes (o)	科
	(3) meri	大
	(4) mid	高
243. 外	exter	大
244. 邊	later	托
245. 背後	dors	托
246. 底	fund, found	高

18. 溫度

247. 冷	(1) frig	大
	(2) cryo	科
	(3) gel	托
248. 熱	(1) therm (o)	科
	(2) ferv	大
	(3) calor, cale	科
	(4) febr (i)	科

19. 形狀

249. 形	morph	托
250. 角	gon	科
251. 十字	cruc	大 托
252. 圓, 環	(1) circ	大
	(2) cycl(o)	大
253. 彎曲	(1) curv	大
	(2) flect, flex	大 托
	(3) sinu	托
254. 直	rect	大
255. 平	plan	大

20. 自然界

256. 風	(1) vent	大
	(2) anemo	科
257. 雨	(1) pluvi	科
	(2) hyet(o)	科
258. 雲	nepho	科
259. 水	(1) aqu	大 托
	(2) hydr(o)	托 科
260. 火	(1) ign	托
	(2) pyr(o)	科
261. 冰	glaci	托

第二章——字首

1.表示空間方位

1. 前
   ante-
   fore-
   pre-
   pro-
2. 後
   post-
   re-
   retro-
3. 上
   over-
   super-
   sur-
4. 下
   sub-
   de-
   under-
   hypo
   infra-
5. 內
   im-
   in-
   intra-
   intro-

   em-
   en-
   endo-
   under-
6. 外
   ex-
   exo-
   extra-
   ultra-
   out-
7. 中間
   inter-
   meso-
8. 周圍
   circum-
   √ peri-
9. 在
   a-
   be-
10. 離去，離開，分開
   ab-
   ap-
   de-
   se-

dis-

11. 接近

sub-

peri-

2.表示程度

12. 大

    macro-

    mega-

13. 小

    mini-

    micro-

14. 多

    multi-

    poly-

15. 少

    olig-

    under-

16. 好

    bene-

    eu-

17. 壞

    mal-

mis-

dys-

18. 全

    holo-

    omni-

    pan-

19. 半

    semi-

    hemi-

    demi-

20. 新

    neo

21. 古舊

    paleo

22. 略微、稍

    sub

3.表示程度增強、太甚

23. 超

    super-

    supra-

    sur-

    ultra-

meta-

preter-

24. 太甚

    hyper-

    outover-

super-

ultra-

25. 加強（或引伸）意義

a-

ac-

ad-

af-

ag-

ap-

as-

be-

com-

con-

e-

en-

4.表示共同、相等

26. 共同

co-

col-

com-

con-

sym-

syn-

27. 相等

iso-

homo-

5.表示次要、偏旁

28. 副

vice-

sub-

by-

29. 類似、準、次、亞

para-

quasi-

sub-

30. 旁，偏

by-

31. 分、分支、子

sub-

6.表示否定

32. 反對

anti-

counter-

contra-

re-

33. 否定

in-   ir-
im-   non-
mis-   un-
dis-   a-
de-   an-
il-

7.表示〝使成為……〞，〝加以……〞

34. 使 …… (使成為 …，作成   in-
…，致使…)   ex-
be-   35. 加以…，飾以
de-   be-
em-   em-
en-   en-
im-

36.8.表示除去（取消、毀）

de-   out-
dis-   un-

37 9.表示數字

uni-   (一)   quadri- (四)
mono- (一)   tetra-   (四)
bi-   (二)   penta-   (五)
twi-   (二)   quinque- (五)
di-   (二)   sex-   (六)
amphi- (二)   hexa-   (六)
tri-   (三)   hepta-   (七)

octa- （八）	myria- （萬）
ennea- （九）	mega- （百萬）
deca- （十）	deci- （十分之一）
hecto- （百）	centi- （百分之一）
kilo- （千）	milli- （千分之一）

10.其他

38,	auto	自己，自动
39,	ex-	前任的，以前的
40,	hetero-	异/异
41,	inter-	互相的
42,	out-	胜过的，超过的
43,	mis-	错误
44,	para-	错误/伪
45,	para-	云降的

46,	proto-	原始的
47,	pseudo-	伪造的
48,	re-	再，重新
49,	step-	后，继承
50,	stereo-	立体的
51,	trans-	转运/穿越
52,	un-	由…中取出

第三章　字尾

1.名詞字尾

1. 表示人（一般）

-an	-ician
-aire	-ie
-al	-ier
-an	-ior
-ant	-ist
-ar	-ister
-ard	-it
-arian	-ite
-ary	-itor
-ast	-ive
-ate	-ling
-ator	-logist
-ee	-nik
-eer	-o
-el	-on
-en	-oon
-ent	-or
-er	-ot
-ese	-san
-eur	-ster
-fier	-y
-ian	-yer
-ic	

2. 表示人（女性）

-enne	-ine
-ess	-ress
-ette	-rix

3. 表示人（賤稱、卑稱、愛稱）

-ard	-ie
-aster	-y
-ster	

4. 表示物

-acle	-ile
-ade	-ine
-age	-ing
-ain	-ive
-al	-le
-ant	-ment
-ar	-o
-ary	-on
-ator	-oon
-ee	-or
-el	-ot
-ent	-ture
-er	

5. 表示小

-cle	-ette
-cule	-ie
-el	-kin
-en	-let
-et	-ling

-ock	-y
-ule	

6. 表示場所、地點

-age	-ery
-arium	-ium
-ary	-orium
-atory	-ory
-el	-ry
-ern	-um

7. 表示行為、行為的過程或結果

-ade	-ism
-age	-ition
-al	-ization
-ation	-ment
-faction	-sion
-fication	-tion
-ing	-ture
-ion	-ure

8. 表示情況、狀態、性質、現象、事物

-ability	-ation
-acity	-cy
-acy	-dom
-age	-ence
-ality	-ency
-ance	-ety
-ancy	-hood
-aneity	-ia
-asm	-ibility

-ice	-osity
-icity	-ry
-ility	-ship
-ism	-th
-itude	-ty
-ity	-ure
-ivity	-y
-ness	

9. 表示職權、身分、地位

-age	-hood
-ate	-ship
-cy	-ty
-dom	

10. 表示集合數、總稱、集體、領域、…界

-ade	-ia
-age	-ry
-dom	

11. 表示…學、…術、…法、主義、行業

-ery	-ism
-ic	-logy
-ics	-ry
-ing	-ship

12. 表示疾病

-esia	-igo
-esis	-ism
-ia	-oma
-iasis	-osis

13. 表示語言、語風、文體

-ese   -ish

-i   -ism

2 . 形容詞字尾

1. 表示可…的、能…的、易於…的

   -able   -ile

   -ible

2. 表示如…的、似…的、…形狀的

   -aceous   -like

   -esque   -oid

   -form   -ular

   -ine   -y

   -ish

3. 表示有…的、多…的

   -ed   -ous

   -ferous   -y

   -ful

4. 表示屬於…的

   -al   -ial

   -an   -ic

   -ar   -tic

   -atic   -ual

5. 表示…性質的、具有…性質的

   -acious   -ate

   -aneous   -ative

   -ant   -atory

   -ary   -ed

   -astic   -eous

-fic	-itious
-ful	-itive
-ical	-ive
-id	-ly
-ious	-ory
-istic	-ous
-ite	-some

6. 表示與…有關的、關於…的

-arian	-etic
-ary	

7. 表示某國的、某地的

-an	-ian
-ese	-ish
-i	

8. 表示致使…的、產生…的

-facient	-ing
-fic	

9. 其他

-ed	-ish
-en	-less
-ing	-proof

3. 動詞字尾

1. 表示做、造成、使成為…

-ate	-ize
-en	
-fy	
-ish	

2. 表示反覆動作、連續動作、擬聲動作

    -er   -sh

    -le

4 . 副詞字尾

1. 表示方式、方法、狀態

    "…地"   -long

    -ably   -ly

    -ally   -s

    -ibly   -ways

    -ling   -wise

2. 表示方向

    -ad   -wards

    -ther

第一章

字　根

❶ 人
❷ 人體各部
❸ 生老病死
❹ 五官動作
❺ 心理活動、感覺
❻ 手的動作
❼ 腳的動作
❽ 其他行爲動作
❾ 現象,情況
❿ 狀態,性質
⓫ 實物、物質、器具
⓬ 天上、地上
⓭ 動物
⓮ 植物
⓯ 時間
⓰ 顏色
⓱ 方位
⓲ 溫度
⓳ 形狀
⓴ 自然界

```
┌─────────────── 1 ───────────────┐
│                                 │
│              人                 │
│                                 │
└─────────────────────────────────┘
```

① 人，人類——anthrop(o)　　　　　　托

anthropology	〔anthropo 人類，-logy…學〕人類學
anthropologist	〔anthropo 人類，-logist…學者〕人類學者
anthropoid	〔anthrop 人，-oid 似…的〕似人的；類人猿
anthropocentric	〔anthropo 人類，centr 中心，-ic…的〕以人類為宇宙中心的
anthropogeogra-phy	〔anthropo 人類，geography 地理學〕人類地理學
anthropoglot	〔anthropo 人，glot 語言〕能作人言的動物（如鸚鵡等）
anthropolatry	〔anthropo 人類，latry 崇拜〕人類崇拜
anthropolite	〔anthropo 人→人體，lite 石〕人體化石
anthropomor-phous	〔anthropo 人，morph 形，-ous…的〕有人形的，似人的
anthropomor-phize	〔見上，-ize 動詞字尾〕（把動物、無生物等）擬作人
anthropomor-phism	〔見上，-ism…論，…說〕擬人說
anthropophagous	〔anthropo 人，phag 吃，-ous…的〕吃人的，吃人肉的

anthropophagy	〔見上，**-y** 表抽象名詞〕吃人肉的習性
anthropophagi	〔見上，**-i** 名詞字尾，複數，表示一類人或民族〕吃人肉者，吃人生番
anthropography	〔**anthropo** 人類，**graphy** 寫，記，誌〕人類誌，人類地理分佈學
anthropogenesis	〔**anthropo** 人類，**gen** 生長，發生，起源，**-esis** 表生物學名詞〕人類起源和發展學
anthroposcopy	〔**anthropo** 人，**scop** 看；「觀人面相」→〕觀相學
anthroposo-ciology	〔**anthropo** 人類，**sociology** 社會學〕人類社會學
anthropotomy	〔**anthropo** 人→人體，**tomy** 切，割→解剖〕人體解剖（學）
anthropometry	〔**anthropo** 人→人體，**metry** 測量〕人體測量（學）
philanthropy	〔**phil** 愛，**anthrop** 人類，**-y** 表抽象名詞；「愛人類」〕仁愛，慈善；博愛主義
philanthropist	〔見上，**-ist** 表人〕博愛主義者，慈善家
philanthropic	〔見上，**-ic**…的〕博愛的，慈善的
misanthropy	〔**mis**＝**miso** 厭，恨，惡，**anthrop** 人類〕厭世，厭惡人類
misanthropist	〔見上，**-ist** 表人〕厭世者，厭惡人類者
misanthropic	〔見上，**-ic**…的〕厭世的，厭惡人類的
phobanthropy	〔**phob** 怕，**anthrop** 人〕怕人病，懼人病

②人民──(1) popul 　高

| population | 〔**popul** 人民→居民，**-ation** 名詞字尾〕全體居民，人口 |

populous	〔**popul** 人民→居民，**-ous** …的〕人口稠密的
populate	〔**popul** 人民，**-ate** 動詞字尾，使…，做…〕使人民居住於…中，使人口集中在…之中，移民於…
repopulate	〔**re-** 再，重新，見上〕使人民重新居住於…
depopulate	〔**de-** 除去，去掉，**popul** 人民→人口，**-ate** 使…〕使（某地）人口減少，減少人口
depopulation	〔見上，**-ation** 表示行為、情況〕人口減少
popular	〔**popul** 人民，民眾→大眾，**-ar** …的〕人民的，大眾的，大眾化的，通俗的，大眾喜歡的
popularity	〔見上，**-ity** 名詞字尾，表示性質〕大眾性，通俗性
popularize	〔見上，**-ize** …化，使…〕（使）大眾化，（使）普及，推廣
popularizer	〔見上，**-er** 者〕普及者，推廣者
popularization	〔見上，**-ation** 表示行為〕普及，推廣，通俗化
unpopular	〔**un-** 不，**popular** 大眾的，通俗的〕不通俗的，不流行的
populace	〔**popul** 人民→平民，**-ace** 名詞字尾〕平民，大眾

人民——(2) dem(o)　　　　大

democracy	〔**demo** 人民，**cracy** 統治；「人民統治」→人民做主→〕民主；民主政治，民主政體；民主主義
democrat	〔見上，**crat** 主張…統治的人〕民主主義者
democratism	〔見上，**-ism** 主義〕民主主義

democratize	〔見上，-ize…化〕民主化；使民主化
democratic	〔見上，-ic…的〕民主的，民主主義的；民主政體的
demagogue	〔dem 人民→群眾，agog 引導→鼓動，煽動；「煽動群眾者」→〕煽動者，蠱惑民心的政客
demagogism	〔見上，-ism 表示主義或行為〕煽動；煽動主義
demagogic	〔見上，-ic…的〕煽動的，蠱惑的
demagogy	〔見上，-y 抽象名詞字尾〕煽動，蠱惑民心的宣傳
demography	〔demo 人民→人數，人口，graphy 寫，記錄→統計〕人口統計學
demographic	〔見上，-ic…的〕人口統計的
endemic	〔en-表示 in，dem 人民，-ic…的；「屬於某種人的」，「屬於某地人的」→〕某地人（或某種人）特有的；（疾病等）地方性的
endemicity	〔見上，-icity 複合字尾，表抽象名詞〕地方性；風土性
epidemic	〔epi-在…之間，dem 人民，-ic…的；「流行於人民之中的」→〕流行性的，傳染的；流行病，時疫
epidemiology	〔見上，-io-連接字母，-logy…學〕流行病學
epidemiologist	〔見上，-logist…學者〕流行病學者
epidemiological	〔見上，-logical…學的〕流行病學的
pandemic	〔pan-全，遍，dem 人民，-ic…的；「遍行於人民之中的」→〕（疾病）大流行的；大流行病

③ 男——(1) andr(o) 托

androgyne	〔**andro** 男人，**gyn** 女人〕具有男女兩性的人，陰陽人
androgynism	〔**andro** 男，**gyn** 女，**-ism** 表性質狀態〕半男半女
androgynous	〔**andro** 男，**gyn** 女，**-ous** …的〕男女兩性的，半男半女的
andromania	〔**andro** 男，**mania** 狂熱，病狂〕（女子的）男色狂
androphobia	〔**andro** 男人，**phob** 怕，**-ia** 表疾病〕畏男病，憎惡男性病，男性恐怖
monandry	〔**mon-**單一，一個，**andr** 男人，**-y** 名詞字尾〕一妻一夫制
monandrous	〔**mon-**單一，**andr** 男，雄，**-ous**…的〕一夫制的
polyandry	〔**poly-**多，**andr** 男人；「許多男人」→〕一妻多夫制
polyandric	〔**poly-**多，**andr** 男，丈夫，**-ic**…的〕一妻多夫制的
polyandrist	〔**poly-**多，**andr** 男，丈夫，**-ist** 人〕多夫的女人

男——(2) vir 托

virile	〔**vir** 男，**-ile** 形容詞字尾，…的〕男的，男性的，男子的，有男子氣概的，有男性生殖力的
virilescence	〔見上，**-escence** 名詞字尾，表示正在形成某種狀態〕（女子的）男性化

virilescent	〔見上，**-escent** 形容詞字尾，…的〕（女子的）男性化的
virilism	〔見上，**-ism** 表示現象〕男性現象
virility	〔見上，**-ity** 表示性質〕男子氣概，男生殖能，男子的成年

④女──(1) gyn
gynec(o) 科

gynecology	〔**gyneco** 婦女，**-logy**…學〕婦科學，婦科
gynecologist	〔見上，**-ist** 人〕婦科醫生
gynecomorphous	〔**gyneco** 婦女，**morph** 形態，**-ous**…的〕有婦女形態的
gynecoid	〔**gynec** 婦女，**-oid** 如…的〕如婦女的，有女性特徵的
gynecian	〔**gynec** 婦女，**-ian**…的〕婦女的，婦人的
androgyny	〔**andro** 男，雄，**gyn** 女，雌，**-y** 名詞字尾〕具有男女兩性，半男半女；具備雌雄二性
polygyny	〔**poly-** 多，**gyn** 婦女→妻，**-y** 名詞字尾〕多妻，一夫多妻制
polygynous	〔見上，**-ous**…的〕一夫多妻的
misogyny	〔**miso** 厭惡，**gyn** 婦女，**-y** 名詞字尾〕厭女症，厭惡女人
misogynic	〔見上，**-ic**…的〕厭惡女人的
misogynist	〔見上，**-ist** 人〕厭惡女人的人
gynandrous	〔**gyn** 雌，**andr** 雄，**-ous**…的〕〔植物〕雌雄蕊合體的
philogyny	〔**philo** 愛好，**gyn** 婦女，**-y** 名詞字尾〕對女人的愛好

philogynous	〔見上，-ous…的〕喜愛女人的
philogynist	〔見上，-ist 人〕喜愛女人的人
monogyny	〔mono-單一，一個，gyn 婦女→妻，-y 名詞字尾〕一妻制

女──⑵fem / femin　大

female	〔fem 女，婦女〕女性的，婦女的；女子
feminine	〔femin 女，-ine…的〕女性的，婦女的
feminality	〔femin 女，-ality 表示性質〕女性，婦女的特性
femininity	〔feminin(e)女性的，-ity 表示性質〕女子的氣質，女人氣，婦女總稱
feminity	＝femininity
feminize	〔femin 女，-ize…化〕使女性化，使帶女子氣
feminization	〔見上，-ization…化〕女性化
feminism	〔femin 女，-ism 主義〕男女平等主義；〔-ism 表示行為〕爭取女權運動
feme	婦女；妻子
femme	婦女；妻子

5 父，祖──patr(i) / pater　托

patriarch	〔patri 父，祖 arch 首腦，長〕家長；族長
patriarchal	〔見上，-al…的〕家長的；族長的；家長似的
patriarchy	〔見上，-y 名詞字尾〕父權制；父權制社會
patricide	〔patri 父，cide 殺〕殺父；殺父者

patricidal	〔見上，**-al**……的〕殺父的
patrimony	〔**patri** 父，祖，**-mony** 名詞字尾〕祖傳的財物；遺產
patriot	〔**patri** 祖→祖國，**-ot** 名詞字尾，表示人〕愛祖國者，愛國主義者
patriotic	〔見上，**-otic** 形容詞字尾，…的〕愛國的
patriotism	〔見上，**-ism** 主義〕愛國主義；愛國心
unpatriotic	〔**un-**不，見上〕不愛國的
compatriot	〔**com-**同，**patri** 祖→祖國，**-ot** 表示人〕同國人，同胞；同國的
expatriate	〔**ex-**外，出外，**patri** 祖→祖國，**-ate** 動詞兼名詞字尾〕把…逐出國外；移居國外；被逐出國外者
expatriation	〔見上，**-ation** 名詞字尾〕逐出國外
repatriate	〔**re-**回，**patri** 祖→祖國，**-ate** 動詞兼名詞字尾〕把…遣返回國；回國；被遣返回國者
repatriation	〔見上，**-ation** 名詞字尾〕遣返回國
patron	〔**patr** 父，**-on** 名詞字尾，表示人；「具有家長職責（或身分、權限等）的人」→〕庇護人，保護人
patronage	〔見上，**-age** 表身分〕保護人的身分
patronize	〔見上，**-ize** 動詞字尾〕保護，庇護
patronymic	〔**patr** 父，**onym** 名，**-ic** …的〕來源於父名（或祖先名）的（姓）
paternal	〔**pater** 父，**-n-**，**-al**…的〕父親的，父系的
paternalism	〔見上，**-ism** 表示行為，現象〕家長式統治，家長作風
paternalist	〔見上，**-ist** 表示人〕搞家長統治的人

| paternalistic | 〔見上，-istic…的〕家長式統治的，家長作風的，家長式的 |
| paternality | 〔見上，-ality 表示情況、狀態〕父親的身份，父權，父系 |

matr(i)
⑥母——mater
metro

托

matriarch	〔matri 母→女性，arch 首腦，長〕女族長；女家長
matriarchy	〔見上，-y 名詞字尾〕女族長制，母權制，母系氏族制
matriarchal	〔見上，-al…的〕女族長制的，母權制的
matricide	〔matri 母，cide 殺〕殺母罪；殺母者
matricidal	〔見上，-al…的〕殺母的
matrimony	〔matri 母→婚姻，-mony 名詞字尾〕婚姻，結婚
matrimonial	〔見上，-al…的〕婚姻的，結婚的
matron	〔matr 母，-on 表示人〕主婦，老婦
matronage	〔見上，-age 名詞字尾〕主婦的身分或職務
matronymic	〔matr 母，onym 名，-ic 名詞字尾〕取自母名的名字
maternal	〔matr 母，-n-，-al…的〕母親的，母性的
maternity	〔見上，-ity 名詞字尾〕母性，母道；產院；〔轉為形容詞〕產婦的，孕婦的
metropolis	〔metro 母，polis 城市；「母城」→首城，最大的城〕大城市，主要城市，大都會，首府

| metropolitan | 〔見上，**-an**…的〕主要城市的，大城市的，大都會的 |
| metropolitanize | 〔見上，**-ize**…化〕使大都會化 |

⑦子女──fil　　　　　　　　　　托

filial	〔**fil** 子女，**-ial** 形容詞字尾，…的〕子女的；孝道的，孝順的
filiate	〔**fil** 子女，**-i-**，**-ate** 動詞字尾〕收為子女
filiation	〔**fil** 子女，**-i-**，**-ation** 名詞字尾〕父子關係
filicide	〔**fil** 子女，**-i-**，**cide** 殺〕殺子女者；殺子女的行為
unfilial	〔**un-** 不，**filial** 孝道的〕不孝的

⑧兄弟──frater　　　　　　　　　大

fraternal	〔**frater** 兄弟，**-al** … 的〕兄弟的；兄弟般的，友好的
fraternity	〔**frater** 兄弟，**-ity** 名詞字尾〕兄弟關係；友愛
fraternize	〔**frater** 兄弟，**-ize** 動詞字尾〕親如兄弟；親善；友善
confraternity	〔**con-** 共同，見上；「共同結為兄弟」→成立組織〕社團，團體，協會；公會
fratricide	〔**fratr** 兄弟，**-i-**，**cide** 殺〕殺兄弟（或姊妹）的行為；殺兄弟（或姊妹）的人
fratricidal	〔見上，**-al**…的〕殺兄弟（或姊妹）的

⑨兒童──ped　　　　　　　　　　科

pedagogy	〔**ped** 兒童，**agog** 引導，**-y** 名詞字尾；「引導兒童的方法」→教育兒童的方法〕教育學；教學法
pedagogic	〔見上，**-ic**…的〕教學法的；教師的
pedagogics	〔見上，**-ics** 學〕教育學；教學法
pedant	〔**ped** 兒童，**-ant** 表示人；「教兒童的人」→迂腐的教師；學究；賣弄學問的人
pedantry	〔見上，**-ry** 抽象名詞字尾〕自誇有學問，賣弄學問；迂腐
pedantocracy	〔**pedant** 學究，書生，**-o-** 連接字母，**cracy** 統治→政治〕書生政治，腐儒政治
pedobaptism	〔**ped** 幼兒，**-o-**，**baptism** 洗禮〕幼兒洗禮
pedology	〔**ped** 兒童，**-o-**，**-logy**…學〕兒科學
pedologist	〔見上，**-logist**…學者〕兒科專家
pediatric	〔**ped** 兒童，**iatric** 醫學的〕兒科學的，小兒科的（亦作 **paediatric**）
pediatrics	〔見上，**-ics** 學〕兒科學，小兒科（亦作 **paediatrics**）
pediatrician	〔見上，**-ician** 表示人〕兒科醫生，兒科專家（亦作 **paediatrician**）

⑩人種──ethn(o)　　　　　托

ethnical	〔**ethn** 人種，**-ical** 形容詞字尾，…的〕種族的；人種學的
ethnology	〔**ethno** 人種，**-logy**…學〕人種學，民族學
ethnologist	〔**ethno** 人種，**-logist**…學者〕人種學者，民族學者

ethnologic	〔ethno 人種，-logic …學的〕人種學的，民族學的
ethnogeny	〔ethno 人種，-gen 生長→起源，-y 名詞字尾〕人種起源（學）
ethnography	〔ethno 人種，graphy 寫，記錄→史〕人種史，人種論
ethnographer	〔見上，-er 者〕人種史研究者；人種史學者
ethnocentrism	〔ethno 人種，種族，centr 中心，-ism 主義〕種族（或民族）中心主義
ethnocentric	〔見上，-ic …的〕種族（或民族）中心主義的
paleethnology	〔pale 古，ethno 人種，-logy …學〕古人種學
paleethnologist	〔見上，-logist …學者〕古人種學者
paleethnological	〔見上，-logical …學的〕古人種學的

2

人體各部

⑪體——(1) corp(or)　　　　　　　　大

corporal	〔corpor 體 → 身體，肉體，-al …的〕身體的，肉體的
corporeal	〔corpor 體→形體，-eal…的〕形體的，有形的，物質的，肉體的
incorporeal	〔in-無，非，corporeal 形體的〕無形體的，無實體的，非物質的
corporealize	〔見 corporeal，-ize …化，使…〕使具有形體，使物質化
corporeality	〔見上，-ity 名詞字尾〕形體的存在，具體性
corporation	〔corpor 體，-ation 名詞字尾；由眾人組成的一個「整體」→〕團體，社團，公司
corporator	〔corpor 體→團體，-ator 表示人〕社團或公司的成員
corporate	〔corpor 體→團體，-ate…的〕團體的，社團的
incorporate	〔in-做，作成，corpor 體，-ate 動詞字尾；「結成一體」→〕合併，結合，組成
incorporation	〔見上，-ation 名詞字尾〕合併；〔結合而成的組織→〕團體，公司，社團

incorporator	〔見上，-ator 人〕合併者，團體成員，社團成員
agricorporation	〔agri＝agriculture 農業，corporation 公司〕農業綜合公司
corps	〔corp 體→團體〕軍團，軍，隊，團
corpse	屍體，死體
corpulent	〔corp 體 → 肉 體，-ulent＝-lent 多 … 的；「多肉體的」→〕肥胖的

體——(2) somat / some 〔科〕

somatic	〔somat 體，-ic…的〕身體的，肉體的
somatology	〔somat 體，-o-，-logy…學〕人類軀體學
somatotype	〔somat 體，-o-，type 型〕體型，體式
somatotomy	〔見上，tomy 切，解剖〕軀體解剖
somatoplasm	〔見上，plasm 血漿〕體細胞漿，體細胞的原生質
centrosome	〔centro 中心，some 體〕中心體
chromosome	〔chrom 顏色，-o-，some 體〕染色體
mesosome	〔meso 中間，some 體〕中間體
monosome	〔mono-單，some 體〕單體（指染色體）
polysome	〔poly-多，some 體〕多體（指染色體）
microsome	〔micro 微小，some 體〕微粒體，微體

12 手——(1) manu 〔高〕

manuscript	〔manu 手，script 寫〕手寫本，手稿
manufacture	〔manu 手，fact 做，製作；「用手做」→〕製造，加工

manufacturer	〔見上, **-er** 表示人〕製造者, 製造商
manual	〔**manu** 手, **-al** 形容詞字尾, …的〕手的, 手工做的, 用手的
manumit	〔**manu** 手, **mit** 送, 放;「**to send forth by (or from) the hand**」,「以手放出」→〕釋放, 解放
manumission	〔見上, **miss**＝**mit** 送, 放, **-ion** 名詞字尾〕釋放, 解放
manage	〔**man**＝**manu** 手;「以手操縱」,「以手處理」→〕管理, 掌管, 處理
manager	〔見上, **-er** 表示人〕掌管者, 管理人, 經理
manner	〔**man**＝**manu** 手→用手做→做事, 行為;「**the way of doing**」〕舉止, 風度, 方式, 方法
manacle	〔**man**＝**manu** 手, **-acle** 名詞字尾, 表示小;「束縛手的小器械」→〕手銬
maintain	〔**main** ← **man** 手, **tain** 持, 握;「手持」,「握有」〕保持, 保存, 維持
maintainable	〔見上, **-able** 可…的〕可保持的, 可維持的
maintenance	〔見上, **ten**＝**tain**, **-ance** 名詞字尾〕保持, 保存, 維持, 保養, 維修
manumit	〔**manu** 手, **mit** 放出, 送出;「以手放出」→〕釋放, 解放
manumission	〔見上〕釋放, 解放
manure	〔**man** 手;以「手」耕作, 使地肥沃多產〕使肥沃, 施肥; 肥料
manicure	〔**man** 手, **-i-**, **cure** 醫治;「治手」→〕修整指甲

| manicurist | 〔見上，-ist 者〕指甲修剪師 |

手——(2) chiro 〔托〕

chiropodist	〔chiro 手，pod 足，-ist 人〕治手足病醫生
chiropody	〔見上，-y 名詞字尾〕手足病治療
chirograph	〔chiro 手，graph 寫〕親筆字據
chirography	〔chiro 手，graph 寫，-y 名詞字尾〕筆跡；書法
chiromancy	〔chiro 手，mancy 占卜〕相手術，看手相
chiromancer	相手術者，看手相的人
chirologist	〔chiro 手，log 語言，-ist 人〕作手語的人，手語者
chirology	〔見上，-y 名詞字尾〕手語術
chiropter	〔chiro 手，pter 翅，翼〕翼手類動物

⑬足——(1) ped 〔托〕

pedal	〔ped 足，-al 形容詞字尾，…的〕足的，腳的
pedate	〔ped 足，-ate 如…形狀的〕足狀的；（葉子）鳥足形的
pediform	〔ped 足，-i-，-form 如…形狀的〕足狀的
pedicure	〔ped 足，-i-，cure 醫治〕腳病治療；腳病醫生，足醫
expedition	〔ex-出外，ped 足→行走，ition 名詞字尾；「出行」→遠行→〕遠征；遠征隊
expeditionist	〔見上，-ist 者〕遠征者
biped	〔bi-兩個，ped 足〕兩足的；兩足動物
quadruped	〔quadru-四，ped 足〕四足的；四足動物

decempedal	〔decem-十, ped 足, -al…的〕〔動物〕有十足的
centipede	〔centi-百, ped 足；「百足」蟲〕蜈蚣
multiped	〔multi-多, ped 足〕多足的；多足動物
uniped	〔uni 單, 獨, ped 足〕獨腳的；獨腿的
soliped	〔soli 單, 獨, ped 足→蹄〕單蹄的；單蹄獸
fissiped	〔fissi 裂, ped 足〕裂足的；裂足動物
pedestrian	〔ped 足→行走, 步行〕步行的, 徒步的；步行者, 行人

足──(2) pod　　　科

apod	〔a-無, pod 足〕無足的；無足動物
tripod	〔tri-三, pod 足〕三腳桌；三腳凳；三腳架
tripodal	〔見上, -al…的〕有三腳的
tetrapod	〔tetra-四, pod 足〕四足動物 (的)
hexapod	〔hexa-六, pod 足〕有六足的；六足動物 (尤指昆蟲)
decapod	〔deca-十, pod 足〕有十腳的；十足目動物 (如蝦等)
polypod	〔poly-多, pod 足〕多足的；多足類動物
arthropod	〔arthro 關節, pod 足, 肢〕節肢動物 (的)
gastropod	〔gastro 腹, pod 足〕腹足類的軟體動物
pteropod	〔pter 翅, 翼, -o-, pod 足〕翼足目動物；翼足目的
phyllopod	〔phyll 葉, -o-, pod 足〕葉足類動物 (的)
chiropodist	〔chiro 手, pod 足, -ist 人〕手足病醫生

⑭指, 趾──dactyl(o)　　　科

dactylogram	〔dactylo 指，gram 寫，畫 → 圖形〕指紋，指印
dactylography	〔dactylo 指，graph 寫，畫 → 圖形，-y … 學，…法〕指紋學，指紋法
dactylitis	〔dactyl 指，趾，-itis…炎〕指炎；趾炎
dactylology	〔dactylo 手指，log 語言，-y … 法〕（聾啞人的）指語術（以手指傳意之法）
monodactylism	〔mono-單一，dactyl 指，趾，-ism 表示現象、狀態〕單指畸形；單趾畸形
didactylous	〔di-兩，二，dactyl 指，趾，-ous … 的〕有二指（或二趾）的；二指畸形的；二趾畸形的
tridactylous	〔tri-三，dactyl 指，趾，-ous … 的〕三指（或三趾）的
tetradactyl	〔tetra-四，dactyl 趾〕四趾動物
tetradactylous	〔見上，-ous…的〕四趾的
pentadactyl	〔penta-五，dactyl 指，趾〕有五指（或五趾）的
polydactyl	〔poly-多，dactyl 指，趾〕多指（或趾）的
polydactylism	〔見上，-ism 表示現象、狀態〕多指；多趾；多指（或趾）畸形
macrodactylia	〔macro 大，dactyl 趾，指，-ia 名詞字尾〕巨指（趾）畸形
adactylia	〔a-無，dactyl 指，趾，-ia 名詞字尾〕無指（趾）畸形
pterodactyl	〔ptero 翅，翼，dactyl 指→手〕飛龍目動物（如翼手龍）
zygodactyl	〔zygo 成對，dactyl 趾〕對趾鳥；對趾的

syndactyl	〔**syn-**共同，合併，**dactyl** 指，趾〕併指的；併趾的；併趾鳥（或動物）
syndactylism	〔**syn-**共同，合併，**dactyl** 指，趾，**-ism** 表示現象〕併指；併趾；併指（或趾）畸形
dactyloscopy	〔**dactylo** 指→指紋，**scop** 觀察，**-y** 名詞字尾〕指紋鑒定法

⑮頭──(1) cephal　　　　科

cephalic	〔**cephal** 頭，**-ic** 形容詞字尾〕頭的，頭部的
cephalalgia	〔**cephal** 頭，**alg** 痛，**-ia** 表示疾病名稱〕頭痛
cephalalgic	〔見上，**ic**…的〕頭痛的，患頭痛的
cephalitis	〔**cephal** 頭→腦，**-itis** 炎〕腦炎
cephalopod	〔**cephal** 頭，**-o-**連接字母，**pod** 足〕頭足類動物（的）
cephalin	〔**cephal** 頭→腦，**-in** 化學名詞字尾〕腦磷脂
cephaloid	〔**cephal** 頭，**-oid** 如…形狀的〕頭狀的，頭形的
acephalous	〔**a-**無，**cephal** 頭，**-ous** 形容詞字尾〕無頭的；無首領的
autocephalous	〔**auto-**自己，**cephal** 頭→首領〕自有首領的，獨立的
hydrocephalous	〔**hydro** 水，**cephal** 頭，**-ous** 形容詞字尾；「頭中有水」的〕腦積水的
hydrocephalus	〔**hydro** 水，**cephal** 頭，**-us** 名詞字尾〕腦積水，腦水腫，水腦
macrocephalic	〔**macro** 大，**cephal** 頭，**-ic** 形容詞字尾〕巨頭的，畸形大頭的

microcephalic	〔micro 小，cephal 頭，-ic 形容詞字尾〕畸形小頭的
bicephalous	〔bi-二，cephal 頭，-ous 形容詞字尾〕有兩個頭的
dicephalous	〔di-雙，二，cephal 頭〕有雙頭的；雙頭畸形的，雙頭畸胎的
orthocephalous	〔ortho-正，cephal 頭〕正常頭的
mesocephalic	〔meso 中間，cephal 頭〕中等頭型的；中等腦量的
mesocephalon	〔meso 中間，cephal 頭 → 腦，-on 名詞字尾〕中腦

頭——(2) capit 　　　　　　　　　　　　大

capitate	〔capit 頭，-ate 形容詞字尾，… 的〕頭形的，頭狀的
capitation	〔capit 頭，-ation 名詞字尾〕人頭稅；按人頭計算
decapitate	〔de-去掉，除去，capit 頭，-ate 動詞字尾；「去掉頭」→〕斬首，砍頭
decapitator	〔見上，-ator 表示人或物〕砍頭者，劊子手；斷頭機
capital	〔capit 頭→首要的，-al 形容詞兼名詞字尾〕首位的，重要的；〔「首要之物」→〕資本；〔「首要之城」→〕首都，首府；〔「首要字母」→〕大寫字母
capitalism	〔見上，-ism 表主義〕資本主義
capitalist	〔見上，-ist 表示人〕資本家；〔-ist … 的〕資本主義的

| capitalize | 〔見上，-ize 動詞字尾〕投資於…；用大寫字母寫 |
| Capitol | 〔**capit** 頭→首腦→首腦機構→〕美國國會大廈 |

⑯腦──(1) encephal　科

encephalic	〔encephal 腦；-ic…的〕腦的
encephalitis	〔encephal 腦，-itis 炎症〕腦炎
encephalitic	〔見上〕腦炎的
encephalography	〔encephal 腦，-o-，graphy 畫，記錄→照相〕腦照相術
encephaloma	〔encephal 腦，-oma 腫瘤〕腦瘤
encephaledema	〔encephal 腦，edema 水腫〕腦水腫
encephalon	〔encephal 腦，-on 名詞字尾〕腦
mesencephalon	〔mes=meso 中間，encephalon 腦〕中腦
metencephalon	〔met=meta 後，encephalon 腦〕後腦

腦──(2) cerebr　科

cerebral	〔cerebr 腦，-al…的〕腦的，大腦的
cerebrate	〔cerebr 腦，-ate 動詞字尾〕用腦，思考
cerebration	〔見上，-ation 名詞字尾〕腦活動，腦作用，思考
cerebrum	〔cerebr 腦，-um 名詞字尾〕大腦
cerebellum	〔cereb=cerebr 腦，-ell 表示小，-um 名詞字尾〕小腦
cerebritis	〔cerebr 腦，-itis 炎〕大腦炎，腦炎
cerebromalacia	〔cerebr 腦，-o-，malac 軟，-ia 表示疾病〕腦軟化

cerebrosclerosis 〔cerebr 腦, -o-, sclerosis 硬化〕腦硬化
cerebrotomy 〔cerebr 腦, -o-, -tomy 切〕腦切開術
cerebrology 〔cerebr 腦, -o-, -logy…學〕腦學

17 眼——(1) ophthalm 〔科〕

ophthalmology 〔ophthalm 眼, -o-, -logy…學〕眼科學

ophthalmologist 〔ophthalm 眼, -o-, -logist…學者〕眼科學者; 眼科醫生

ophthalmoscope 〔ophthalm 眼, -o-, scop 鏡〕檢眼鏡

ophthalmoscopy 〔見上, -y 名詞字尾〕用檢眼鏡檢查 (法)

ophthalmic 〔ophthalm 眼, -ic…的〕眼的; 眼炎的

ophthalmia 〔ophthalm 眼, -ia 名詞字尾, 表疾病〕眼炎; 結膜炎

ophthalmitis 〔ophthalm 眼, -itis 炎症〕眼球炎; 眼炎

ophthalmotomy 〔ophthalm 眼, -o-, tomy 切〕眼球切開術

exophthalmia 〔ex-外, 出, ophthalm 眼, ia 表疾病〕眼球突出症, 突眼症

exophthalmic 〔見上, ic…的〕眼球突出的, 突眼的

ichthyophthal-mite 〔ichthy 魚, ophthalm 眼, -ite 表示礦物, 石〕魚眼石

xerophthalmia 〔xer 乾燥, ophthalm 眼, -ia 表疾病〕乾眼病, 結膜乾燥症

眼——(2) ocul 〔科〕

ocular 〔ocul 眼, -ar 形容詞字尾, …的〕眼睛的; 視覺 (上) 的

ocularist 〔見上, -ist 人〕製造假眼睛的人

oculiform 〔oculi 眼, -form 如…形狀的〕眼形的

oculist	〔ocul 眼，-ist 人〕眼科醫生，眼科專家
oculomotor	〔oculo 眼，motor 動〕眼球運動的；動眼神經的
oculonasal	〔oculo 眼，nasal 鼻的〕〔醫學〕眼與鼻的
binocular	〔bin-＝bi-兩個，雙，見上〕雙目的；雙目鏡
monocular	〔mon-單，見上〕單眼的
multocular	〔mult-多，見上〕多眼的
subocular	〔sub-下，ocul 眼，-ar…的〕眼下的

18 耳——(1) ot(o)　　　　科

otology	〔oto 耳，-logy…學〕耳科學
otologist	〔oto 耳，-logist…學者〕耳科學者；耳科醫生
otopathy	〔oto 耳，pathy 病〕耳病
otophone	〔oto 耳，phon 聲音〕助聽器
otorhinolaryngo-logy	〔oto 耳，rhino 鼻，laryngo 喉，-logy…學〕耳鼻喉科學
otoscope	〔oto 耳，scope 鏡〕檢耳鏡，耳鏡
otolith	〔oto 耳，lith 石〕耳石
otalgia	〔ot 耳，alg 痛，-ia 表疾病〕耳痛
otalgic	〔ot 耳，alg 痛，-ic…的〕耳痛的
otitis	〔ot 耳，-itis 炎症〕耳炎
otic	〔ot 耳，-ic…的〕耳的，耳部的
parotic	〔par-在旁邊，ot 耳，-ic…的〕近耳的，耳旁的
parotid	〔par-在旁邊，ot 耳；「在耳旁」→在耳下〕耳下腺，腮腺
parotitis	〔見上，-itis 炎症〕腮腺炎

| periotic | 〔**peri-**周圍, **ot** 耳, **-ic**…的〕耳周圍的 |

耳——(2) aur (i) 科

aural	〔**aur** 耳, **-al** 形容詞字尾〕耳的；聽覺的
aurist	〔**aur** 耳, **-ist** 人〕耳科醫生
auricle	〔**aur** 耳, **-icle** 小；「小耳」→〕心耳
auricular	〔**aur** 耳, **-icular** 形容詞字尾〕耳的；聽覺的；心耳的
auriform	〔**auri** 耳, **-form** 如…形狀的〕耳形的
auriscope	〔**auri** 耳, **scop** 鏡〕耳門鏡, 耳鏡
binaural	〔**bin-**兩個, **aur** 耳, **-al** 形容詞字尾〕有兩耳的

19 鼻——(1) rhin (o) 科

rhinitis	〔**rhin** 鼻, **-itis** 炎症〕鼻炎
rhinology	〔**rhino** 鼻, **-logy**…學〕鼻科醫學
rhinolaryngology	〔**rhino** 鼻, **laryngo** 喉, **-logy**…學〕鼻喉科醫學
otorhinolaryng-ology	〔**oto** 耳, **rhino** 鼻, **laryngo** 喉, **-logy**…學〕耳鼻喉科學
rhinal	〔**rhin** 鼻, **-al**…的〕鼻的
rhinalgia	〔**rhin** 鼻, **alg** 痛, **-ia** 表疾病〕鼻痛症
rhinoplastic	〔**rhino** 鼻, **plastic** 造形的〕造鼻的, 造鼻術的, 鼻造形術的
rhinoscope	〔**rhino** 鼻, **scope** 鏡〕鼻鏡, 鼻窺鏡

鼻——(2) nas 科

nasal	〔nas 鼻，-al…的〕鼻的，鼻音的；〔-al 名詞字尾〕鼻音，鼻骨
nasality	〔見上，-ity 名詞字尾〕鼻音性
nasalize	〔見上，-ize 使…化〕使鼻音化，發鼻音
nasalization	〔見上，-ization 名詞字尾〕鼻音化
nasology	〔nas 鼻，-o-，-logy…學〕鼻科學
nasitis	〔nas 鼻，-itis 炎症〕鼻炎
nasoscope	〔見上，scope 鏡〕鼻鏡

⑳咽喉——(1) laryng(o)　　　　　　科

laryngitis	〔laryng 喉，-itis 炎症〕喉炎
laryngitic	〔見上〕喉炎的
laryngeal	〔laryng 喉，-eal…的〕喉部的
laryngology	〔laryngo 喉，-logy 學〕喉科學
laryngologist	〔laryngo 喉，-logist…學家〕喉科學家
laryngological	〔見上，-logical…學的〕喉科學的
laryngoscope	〔laryngo 喉，scop 鏡〕喉頭鏡，喉鏡
laryngoscopy	〔見上，-y 名詞字尾〕喉鏡診察（法）
laryngotomy	〔laryngo 喉，tomy 切〕喉切開術
larynx	〔laryng → larynx〕喉
otorhinolaryng-ology	〔oto 耳，rhino 鼻，laryngo 喉，-logy…學〕耳鼻喉科學

咽喉——(2) pharyng(o)　　　　　　科

pharyngal	〔pharyng 咽喉，-al…的〕咽喉的，咽的，喉音的
pharyngitis	〔pharyng 咽喉，-itis 炎症〕咽炎
pharyngology	〔pharyngo 咽喉，-logy…學〕咽科學

pharyngoscope	〔pharyngo 咽喉，scope 檢查鏡〕咽鏡，檢咽鏡
pharyngotomy	〔pharyngo 咽喉，tomy 切〕咽切開術
pharynx	咽

21 口—— stom / stomat(o) 科

stomatology	〔stomato 口，-logy…學〕口腔學
stomatologist	〔stomato 口，-logist…學者〕口腔學家
stomatitis	〔stomat 口，-itis 炎症〕口炎，口腔炎
stomatoscope	〔stomato 口，scop 鏡〕口腔鏡
stomatic	〔stomat 口，-ic…的〕口的，嘴的；呼吸孔的
stomatogastric	〔stomato 口，gastr 胃，-ic…的〕口和胃的
amphistomous	〔amphi- 兩，stom 口，-ous…的〕〔動物〕有兩口的
cyclostome	〔cyclo 圓，stom 口〕圓口類脊椎動物
cyclostomous	〔見上，-ous…的〕有圓口的；圓口動物的
enterostomy	〔enter 腸，-o-，stom 口，-y 名詞字尾；「在腸上開一小口」→〕腸造口術
microstomous	〔micro- 小，stom 口，-ous…的〕有小口的
polystome	〔poly- 多，stom 口〕多口動物；多口的

22 牙——(1) dent(i) 科

| dentist | 〔dent 牙，-ist 人〕牙科醫生 |
| dentistry | 〔見上，-ry 表示學、技術、職業〕牙科學；牙科；牙科業 |

dentition	〔dent 牙，-ition 抽象名詞字尾〕出牙，長牙；牙列，牙系
denture	〔dent 牙，-ure 名詞字尾〕假牙
dental	〔dent 牙，-al…的〕牙齒的，牙科的
dentary	〔dent 牙，-ary 名詞字尾，表示物〕牙骨，齒骨
dentate	〔dent 牙，-ate 形容詞字尾，…的〕有齒的；齒狀的
denticle	〔dent 牙，-icle 名詞字尾，表小〕小齒；小齒狀突起
denticular	〔dent 牙，-icular 形容詞字尾，…小的〕小齒狀的
dentiform	〔denti 牙，-form 有…形狀的〕齒狀的
dentilabial	〔denti 牙，labial 唇的〕唇齒音（的）
dentine	〔dent 牙，-ine 名詞字尾〕牙質
dentoid	〔dent 牙，-oid 如…形狀的〕齒狀的，如齒的
dentophobia	〔dent 牙，-o-，phob 怕，-ia 名詞字尾〕害怕牙科治療
bident	〔bi-兩個，二，dent 牙；「有兩叉齒」的矛→〕兩叉矛；兩尖器
trident	〔tri-三，dent 牙；「有三齒」的矛→〕三叉戟
multidentate	〔multi-多，dent 齒，-ate…的〕多齒的
osteodentin	〔osteo 骨，dent 牙，-in 名詞字尾〕骨狀齒質，骨性牙質
interdental	〔inter-中間，dent 齒，-al…的〕牙間的

edentate	〔e-無, dent 齒, -ate … 的〕〔動物〕無齒的; 貧齒目的

牙──(2) odont(o) 科

odontalgia	〔odont 牙, alg 痛, -ia 表疾病〕牙痛
odontalgic	〔見上, -ic…的〕牙痛的
odontic	〔odont 牙齒, -ic…的〕牙齒的
odontoid	〔odont 牙, -oid 似…的〕似牙齒的, 齒狀的
odontology	〔odonto 牙齒, -logy 學〕牙科學, 齒科學
odontoma	〔odont 牙齒, -oma 瘤〕齒瘤
odontoscope	〔odonto 牙齒, scop 鏡〕檢齒鏡
homodont	〔hom(o)相同, odont 齒〕同型齒的
macrodont	〔macr(o)大, 長, odont 齒〕有巨齒的
microdont	〔micr(o)小, odont 齒〕有小齒的, 有微齒的
orthodontia	〔orth 正, odont 齒, -ia 名詞字尾〕正齒學, 畸齒矯正術, 矯形齒科學
orthodontist	〔orth 正, odont 齒, -ist 人〕畸齒矯正醫生, 矯形齒科醫生
xanthodontous	〔xanth 黃, odont 齒, -ous…的〕有黃牙齒的; 黃牙的

23 舌──(1) gloss 科

glossal	〔gloss 舌, -al…的〕舌的
glossitis	〔gloss 舌, -itis 名詞字尾, 表炎症〕舌炎
Glossophora	〔gloss 舌, -o-, phor 帶有, -a 名詞字尾〕〔動物〕有舌類
glossopharyngeal	〔gloss 舌, -o-, pharyngeal 咽的〕舌咽的

aglossia	〔**a-**無，**gloss** 舌，**-ia** 名詞字尾〕〔醫學〕無舌，缺舌
aglossal	〔**a-**無，**gloss** 舌，**-al** …的〕〔動物〕無舌類的，無舌的
hypoglossal	〔**hypo-**下面，**gloss** 舌，**-al**…的〕舌下的
epiglottis	〔**epi-**在…旁邊，**glot** 舌，「舌旁」的軟骨〕舌根軟骨，會厭
paraglossa	〔**para-**旁，非正，副，**gloss** 舌，**-a** 名詞字尾〕副舌

舌──⑵ lingu 科

lingual	〔**lingu** 舌，**-al**…的〕舌的；舌音的
lingualize	〔見上，**-ize** 動詞字尾〕發舌音，變成舌音
linguadental	〔**lingu** 舌，**-a-**，**dent** 齒，**-al**…的〕舌齒音的
linguiform	〔**lingu** 舌，**-i-**，**-form** 有…形狀的〕舌形的
sublingual	〔**sub-**在…下面，**lingu** 舌，**-al**…的〕舌下的
Fissilinguia	〔**fiss** 裂，**-i-**，**lingu** 舌，**-ia** 表示動物類別〕〔動物〕裂舌類

24 唇──labi 科

labial	〔**labi** 唇，**-al** 形容字尾，…的〕唇的；唇音的；唇狀的
labialism	〔**labial** 唇音的，**-ism** 表示性質〕唇音的特性
labialize	〔見上，**-ize**…化〕唇音化，使成唇音；用唇發音
labialization	〔見上，**-ization** 名詞字尾，…化〕唇音化

labiate	〔labi 唇，-ate 形容詞字尾，…的〕有唇的；唇形的
labiodental	〔labi 唇，-o-，dent 齒，-al …的〕唇齒音的；唇齒音
dentilabial	〔dent 齒，-i-，labi 唇，-al …的〕唇齒音的；唇齒音
labionasal	〔labi 唇，-o-，nasal 鼻音的〕唇鼻音的；唇鼻音（如：m）
unilabiate	〔uni 單一，labi 唇，-ate…的〕〔生物〕單唇的，有單唇的
labium	〔labi 唇，-um 名詞字尾〕唇

㉕ 鬍鬚——barb 　　大

barber	〔barb 鬍鬚，-er 表示人；「剃（或修整）鬍鬚的人」→〕理髮師，理髮匠
barbate	〔barb 鬍鬚，-ate…的〕有鬍鬚的
barb	〔barb 鬍鬚；「狀如鬍鬚（或短髭）的尖形物→〕刺，鉤，倒刺，倒鉤
barbed	〔見上，-ed…的〕裝有倒刺的
barbule	〔見上，-ule 名詞字尾，表示小〕小倒刺
barbel	〔barb 鬚，-el 名詞字尾，表示小〕魚的觸鬚

㉖ 毛髮——trich(o) 　　科

trichiasis	〔trich 毛髮，-iasis 表示疾病〕毛髮倒生症，倒睫毛，倒生毛
trichogen	〔tricho 毛髮，gen 生，生長〕生髮藥，生毛藥
trichopathy	〔tricho 毛髮，pathy 疾病〕毛髮病

trichosis	〔trich 毛髮, -osis 表示疾病〕毛髮病
trichology	〔tricho 毛髮, -logy…學〕毛髮學
trichomycosis	〔tricho 毛髮, myc 菌, -osis 表示疾病〕毛髮菌病, 毛髮癬菌病
trichophagy	〔tricho 毛髮, phagy 食, 吃〕食毛癖, 食髮癖

② 皮——(1) derm dermat 科

derma	〔derm 皮, -a 名詞字尾〕真皮; 皮膚
dermal	〔derm 皮, -al 形容詞字尾, …的〕皮膚的; 真皮的; 表皮的
dermatitis	〔dermat 皮, -itis 炎症〕皮炎
dermatoid	〔dermat 皮, -oid 如…的〕似皮膚的
dermatology	〔dermat 皮, -o-, logy…學〕皮膚學; 皮膚病學
dermatologist	〔dermat 皮, -o-, logist … 學家〕皮膚學家; 皮膚病學家
dermatoneuritis	〔dermat 皮, -o-, neur 神經, -itis 炎症〕神經性皮炎, 皮膚神經炎
dermatopathy	〔dermet 皮, -o-, pathy 病〕皮膚病
dermatoplasty	〔dermat 皮, -o-, plast 生長, 形成, -y 名詞字尾〕皮膚成形術
dermatosis	〔dermat 皮, -osis 名詞字尾, 表疾病名稱〕皮膚病
dermic	〔derm 皮, -ic…的〕皮膚的; 真皮的
dermotropic	〔derm 皮, -o-, trop 轉, 轉向→趨向, -ic …的〕趨向皮膚的, 親皮膚的

mesoderm	〔meso 中間，derm 皮〕中層；中胚層
scleroderma	〔sclero 硬，derm 皮，-a 名詞字尾〕硬皮病
sclerodermous	〔sclero 硬，derm 皮，-ous…的〕硬皮的
hypoderm	〔hypo-在…下，derm 皮〕皮下組織；下胚層
hypodermic	〔hypo-在 … 下，derm 皮，-ic … 的〕皮下的；皮下組織的
ectoderm	〔ecto-外，derm 皮〕外胚層；外層
endoderm	〔endo-內，derm 皮〕內胚層；內層
pachyderm	〔pachy 厚，derm 皮〕厚皮動物；臉皮厚的人
pachydermatous	〔pachy 厚，dermat 皮，-ous … 的〕厚皮的；厚皮類的
periderm	〔peri-周圍，外層，derm 皮〕周皮，外皮，胎皮
epidermic	〔epi-外，derm 皮，-ic…的〕表皮的
epidermoid	〔epi-外，derm 皮，-oid 似 … 的〕表皮樣的，有表皮性質的
blastoderm	〔blasto 胚，derm 皮，皮層，膜〕胚盤，胚膜，胚層
xeroderma	〔xero 乾燥，derm 皮，-a 名詞字尾〕乾皮病，皮膚乾燥病

皮──(2) cut 科

cutaneous	〔cut 皮，-aneous 形容詞字尾，… 的〕皮的，皮膚的
cuticle	〔cut 皮，-icle 名詞字尾，表示小〕表皮，護膜
cuticular	〔cut 皮，-icular…的〕表皮的，護膜的

intracutaneous	〔intra-內，cut 皮，-aneous…的〕皮內的
subcutaneous	〔sub-下，cut 皮，-aneous…的〕皮下的
cutitis	〔cut 皮，-itis 炎症〕皮炎

28 骨——(1) oss(e) 科

ossein	〔osse 骨，-in 素〕骨素，骨膠原
osseous	〔osse 骨，-ous…的〕骨的；骨狀的
ossicle	〔oss 骨，-icle 表小〕小骨；小骨片
ossiferous	〔oss 骨，-i-，fer 具有，產生，-ous…的〕含骨的；生骨的
ossify	〔oss 骨，-i-，-fy 使…化〕(使)骨化；使硬化
ossification	〔oss 骨，-i-，-fication 名詞字尾〕骨化；成骨
ossivorous	〔oss 骨，-i-，vor 吃，-ous…的〕吃骨的，以骨為食的
ossuary	〔oss 骨，-u-，-ary 表場所〕藏屍骨處

骨——(2) oste(o) 科

osteology	〔osteo 骨，-logy…學〕骨學
osteologist	〔osteo 骨，-logist…學家〕骨學家
osteitis	〔oste 骨，-itis 炎症〕骨炎
osteoarthritis	〔osteo 骨，arthr 關節，-itis 炎〕骨關節炎
osteocranium	〔osteo 骨，cranium 頭顱〕骨顱
osteogenesis	〔osteo 骨，gen 生，-esis 生物學名詞字尾〕骨生成；成骨；骨發生
osteoid	〔oste 骨，-oid 似…的〕似骨的，骨樣的
osteoma	〔oste 骨，-oma 腫瘤〕骨瘤

osteopathy	〔osteo 骨，pathy 療法〕療骨術
osteotomy	〔osteo 骨，tomy 切〕骨切開術；截骨術
periosteum	〔peri-周圍，oste 骨，-um 名詞字尾；「在骨的周圍」→〕骨膜
periostitis	〔見上，-itis 炎〕骨膜炎

㉙肉──(1) carn (i)　　　　　　托

carnal	〔carn 肉，-al 形容詞字尾〕肉的，肉體的；肉慾的，好色的
carnalist	〔見上，-ist 名詞字尾，表示人〕肉慾者，好色者
carnality	〔carn 肉，-ality 抽象名詞字尾〕肉慾，好色，淫蕩
carnation	〔carn 肉，-ation 名詞字尾〕肉色，淡紅色
carneous	〔carn 肉，-eous 形容詞字尾〕肉的；肉色的
carnify	〔carni 肉，-fy 動詞字尾〕（使）變成肉質
carnivore	〔carni 肉，vor 吃，食〕食肉動物
carnivorous	〔carni 肉，vor 吃，-ous 形容詞字尾〕食肉的
carnose	〔carn 肉，-ose 形容詞字尾，多…的，如…的〕肉質的；多肉的
carnosity	〔carn 肉，-osity 名詞字尾〕贅肉
carnage	〔carn 肉，-age 名詞字尾〕被屠殺的人或動物的屍體，成堆的屍體；大屠殺，殘殺
anticarnivorous	〔anti-反對，carni 肉，vor 食，-ous 形容詞字尾〕反對肉食的，素食的
incarnadine	〔in-作，使，carn 肉→肉色，紅色〕染成肉色，染成淡紅色；肉色的，淡紅的

incarnate	〔in-作，使，**carn** 肉，肉體，**-ate** 動詞及形容詞字尾〕使具有肉體，使成化身，使具體化，使實現；具有肉體的，化身的，實體化的，人體化的
incarnation	〔in-作，使，**carn** 肉，**-ation** 名詞字尾〕肉體化；化身；體現
incarnant	〔in-作，使，**carn** 肉，**-ant** 形容詞字尾〕促進肉芽生長的，生肉的

肉──(2) sarc(o)　　　　　　　　　　科

sarcoma	〔**sarc** 肉，**-oma** 腫瘤〕肉瘤
sarcoid	〔**sarc** 肉，**-oid** 似…的〕肉的；肉狀的；肉質的
sarcophagous	〔**sarco** 肉，**phag** 吃，**-ous**…的〕食肉的，以肉為食的
sarcous	〔**sarc** 肉，**-ous**…的〕肌肉的；肌肉組成的
sarcotic	〔**sarc** 肉，**-otic**…的〕生肉的，促進肉的生長的
hypersarcosis	〔**hyper-**過多，**sarc** 肉，**-osis** 醫學名詞字尾；「過多的肉」→〕肉芽過多；浮肉病
osteosarcoma	〔**osteo** 骨，**sarc** 肉，**-oma** 瘤〕骨肉瘤
syssarcosis	〔**sys-**=**syn-**共同→結合，**sarc** 肉，**-osis** 醫學名詞字尾〕肌性結合，肌性聯合
sarcocarp	〔**sarco** 肉，**carp** 果〕肉質果；果肉

㉚肌──my(o)　　　　　　　　　　科

myocardial	〔**myo** 肌，**card** 心，**-ial**…的〕心肌的
myocarditis	〔**myo** 肌，**card** 心，**-itis** 炎症〕心肌炎

myocardium	〔見上，-ium 名詞字尾〕心肌
myograph	〔myo 肌，graphy 記錄器〕肌動描記器
myology	〔myo 肌，-logy…學〕肌學
myoma	〔my 肌，-oma 腫瘤〕肌瘤
myotomy	〔myo 肌，tomy 切〕肌切開術
myositis	〔myo 肌，-s-，-itis 炎症〕肌炎
myalgia	〔my 肌，algia 痛〕肌痛

31 血——(1) sangui 托

sanguification	〔sangui 血，-fication 名詞字尾，…化〕血液化，血液生成
sanguine	〔sangui(n)血〕血紅的，有血色的；血紅色
sanguinary	〔見上，-ary…的〕血腥的，血淋淋的
sanguineous	〔見上，-eous…的〕含血的；血的；血腥的
sanguinin	〔見上，-in 素〕血素
sanguinivorous	〔sangui(n)血，-i，vor 吃，-ous…的〕以血為食的，食血的
consanguineous	〔con-共同，sangui(n)血，-eous…的〕同血緣的，同宗的，血親的
consanguinity	〔見上，-ity 名詞字尾〕同血緣，同宗
exsanguine	〔ex-無，sangui 血〕無血的；貧血的
exsanguinate	〔ex-無，sangui 血，-ate 動詞字尾〕使無血，給…除血
exsanguination	〔見上，-ation 名詞字尾〕除血
ensanguine	〔en-構成動詞，表示用…來做某事，sangui(n)血〕血染，血濺

血——(2)

aem, em
haem(o), hem(o)
haemat(o), hemat(o)

科

anaemia	〔an-無，aem 血，-ia 名詞字尾，表疾病名稱；「無血」→〕貧血症
anaemic	〔an-無，aem 血，-ic 形容詞字尾〕貧血的
dysaemia	〔dys-不良，惡，aem 血，-ia 名詞字尾，表疾病名稱〕血液不良症，血液壞變，（血液）循環障碍
uraemia	〔ur 尿，aem 血，-ia 表疾病名稱；「尿中毒質混入血液中」→〕尿毒症
uraemic	〔見上，-ic 形容詞字尾〕尿毒症的；患尿毒症的
toxaemia	〔tox 毒，aem 血，-ia 表疾病名稱〕毒血症；血中毒症
toxaemic	〔tox 毒，aem 血，ic 形容詞字尾〕毒血症的
septicaemia	〔septic 腐敗的，aem 血，-ia 疾病名稱〕敗血症
hyperaemia	〔hyper-過多，aem 血，-ia 疾病名稱；「多血」→〕充血
hyperaemic	〔見上，-ic…的〕多血的，充血的
leukaemia	〔leuk＝leuc 白，aem 血，-ia 疾病名稱〕白血病
haemal	〔haem 血，-al 形容詞字尾〕血液的，血管的
haemachrome	〔haema 血，chrom 色〕血色素
haematemesis	〔haemat 血，emesis 吐〕吐血，嘔血
haematic	〔haemat 血，-ic…的〕血液的；含血的

haematimeter	〔**haemat** 血, **-i-**, **meter** 計〕血球測量器, 血球計
haematin (e)	〔**haemat** 血, **-in**「素」〕血紅素, 正鐵血紅素
hematogen	〔**hemato** 血, **gen** 生長;「生血的」→〕血母, 血原質
hematoid	〔**hemat** 血, **-oid** 似…的〕似血液的, 血一樣的
hematology	〔**hemato** 血, **-logy**…學〕血液學
hematoma	〔**hemat** 血, **-oma** 名詞字尾, 腫〕血腫
hematose	〔**hemat** 血, **-ose** 多…的〕多血的, 充血的
hematuria	〔**hemat** 血, **ur** 尿, **-ia** 疾病名稱〕血尿病, 血尿
hemoglobin	〔**hemo** 血, **glob** 球, **-in**「素」〕血球素, 血紅蛋白, 血紅素
hemorrhage	〔**hemo** 血, **rrhage** 流出〕出血, 流血
hemorrhagic	〔**hemo** 血, **rrhag** 流出, **-ic**…的〕出血的
hemostasis	〔**hemo** 血, **sta** 停止, **-sis**＝**-esis** 表醫學名詞〕止血(法)
hemostatic	〔**hemo** 血, **sta** 立, 停止, **-tic** …的〕止血的, 止血劑
hemothorax	〔**hemo** 血, **thorax** 胸腔〕胸腔溢血, 血胸
hemophilia	〔**hemo** 血, **phil** 愛好→傾向於→易於, **-ia** 表疾病〕易於出血病, 血友病
hemocyte	〔**hemo** 血, **cyt** 細胞〕血細胞, 血球
hemodynamics	〔**hemo** 血, **dynam** 力, **-ics**…學〕血流動力學

hematoblast	〔**hemato** 血，**blast** 胚，細胞〕血小板，成血細胞
hematophagous	〔**hemato** 血，**phag** 吃，**-ous** …的〕食血為生的
oligaemia	〔**olig** 少，**aem** 血，**-ia** 表疾病〕血量減少，血量不足
hemoid	〔**hem** 血，**-oid** 似…的〕似血的，血樣的
hemocyanin	〔**hemo** 血，**cyan** 藍，**-in** 表化學名詞〕血藍蛋白
gastremia	〔**gastr** 胃，**em** 血，**-ia** 表疾病；「胃中有血」〕胃充血
glycemia	〔**glyc** 糖，**em** 血，**-ia** 表疾病〕血糖症
hyperglycemia	〔**hyper-**高，見上〕高血糖
hypoglycemia	〔**hypo-**低，見上〕低血糖

③乳── lact
galact 科

ablactate	〔**ab-**離開，**lact** 乳，**-ate** 動詞字尾，使…〕使斷奶
ablactation	〔**ab-**離開，**lact** 乳，**-ation** 名詞字尾〕斷奶
lactary	〔**lact** 乳，**-ary** 形容詞字尾，…的〕乳的；乳狀的
lactate	〔**lact** 乳，**-ate** 動詞字尾〕分泌乳汁；餵奶，授乳
lactation	〔**lact** 乳，**-ation** 名詞字尾〕乳汁分泌；授乳（期）
lacteal	〔**lact** 乳，**-eal** 形容詞字尾，…的〕乳汁的；似乳汁的

lactean	〔lact 乳，-ean 形容詞字尾，…的〕乳汁的；乳白的
lactescence	〔lact 乳，-escence 名詞字尾〕乳汁狀；乳汁色；乳汁的形成
lactescent	〔lact 乳，-escent 形容詞字尾〕成為乳狀的；產乳汁的
lactic	〔lact 乳，-ic…的〕乳的；乳汁的
lactiferous	〔lact 乳，-i-，fer 常有，產生，-ous…的〕輸送（或產生）乳汁的
lactifuge	〔lact 乳，-i-，fug 逃，散；「使乳散去」→〕退乳藥，止乳劑
lactometer	〔lact 乳，-o-，meter 測量器〕測乳器，乳比重計
lactoscope	〔lact 乳，-o-，scop 看，觀測，檢驗〕驗酪器，乳脂計
lactose	〔lact 乳，-ose 化學名詞字尾，表示糖〕乳糖
galactic	〔galact 乳，-ic…的〕乳汁的；乳色的；銀河的
galactagogue	〔galact 乳，agog 引導；「引導乳的」→〕催乳的，增乳的，利乳的；催乳劑
galactin	〔galact 乳，-in 素〕催乳激素
galactose	〔galact 乳，-ose 表示糖〕半乳糖
agalactia	〔a-無，galact 乳，-ia 表疾病〕產後無乳症，乳汁缺乏症
agalactous	〔a-無，galact 乳，-ous…的〕缺乳的，乳液分泌障礙的
antigalactic	〔anti-反對→制止，galact 乳，-ic…的〕減少乳汁分泌的；乳液抑制劑

| prolactin | 〔**pro-**向前→向外，**lact** 乳，**-in** 素；「使乳汁向外流出」→〕催乳激素 |

㉝涙——⑴ dacry 科

dacryagogue	〔**dacry** 涙，**agogue** 引導；「引導涙」→〕催涙劑
dacryocyst	〔**dacry** 涙，**-o-**，**cyst** 囊〕涙囊
dacrycystitis	〔見上，**-itis** 炎症〕涙囊炎
dacryoadenitis	〔**dacry** 涙，**-o-**，**aden** 腺，**-itis** 炎症〕涙腺炎

涙——⑵ lachrym / lacrim 科

lachrymal	〔**lachrym** 涙，**-al** …的〕眼涙的，滿是涙水的
lachrymation	〔**lachrym** 涙，**-ation** 表示行為〕流涙
lachrymator	〔**lachrym** 涙，**-ator** 表示做…事之物〕催涙物，催涙性毒氣
lachrymatory	〔**lachrym** 涙，**-atory** 形容詞字尾，表示…的〕眼涙的，催涙的
lachrymose	〔**lachrym** 涙，**-ose** 形容詞字尾，表示…的〕好流涙的，愛哭的；使人流涙的，悲哀的

lacrimal＝lachrymal
lacrimation＝lachrymation
lacrimator＝lachrymator
lacrimatory＝lachrymatory
lacrimose＝lachrymose

uraemia	〔**ur** 尿，**aem** 血，**-ia** 表疾病；「尿中有血」〕尿毒症
uraemic	〔見上，**-ic**…的〕患尿毒症的；尿毒症的
uragoga	〔**ur** 尿，**agog** 引導，**-a** 名詞字尾；「引導尿排出」→〕一種利尿劑
uretic	〔**ur** 尿，**-etic** 形容詞字尾，…的〕尿的；利尿的
uric	〔**ur** 尿，**-ic**…的〕尿的；在尿中發現的
urine	〔**ur** 尿，**-ine** 名詞字尾〕尿
urinal	〔見上，**-al** 名詞字尾，表物〕尿壺，承尿器；小便池
urinary	〔見上，**-ary**…的〕尿的；泌尿的
urinate	〔見上，**-ate** 動詞字尾〕排尿，撒尿，小便
urination	〔見上，**-ation** 名詞字尾〕撒尿
urology	〔**ur** 尿，**-o-**，**-logy**…學〕泌尿學
urologist	〔見上，**-logist**…學家〕泌尿學家
uroscopy	〔**ur** 尿，**-o-**，**scopy** 觀察→檢驗〕檢尿法，尿檢視法
albuminuria	〔**albumin** 蛋白，**ur** 尿，**-ia** 表疾病〕〔醫學〕蛋白尿（尿中含蛋白）
anuria	〔**an-** 無，**ur** 尿，**-ia** 表疾病〕無尿（症）
anuric	〔見上，**-ic**…的〕無尿的
diuresis	〔**di-**=**dia-** 貫通，**ur** 尿，**-esis** 醫學名詞字尾〕利尿；多尿
diuretic	〔見上，**-etic**…的〕利尿的；利尿劑

dysuria	〔dys-不良，困難，ur 尿，-ia 表疾病〕排尿困難，尿痛
dysuric	〔見上，-ic…的〕排尿困難的
glucosuria	〔glucos(e)葡萄糖，ur 尿，-ia 表疾病〕糖尿病
xanthinuria	〔xanthin 黃嘌呤，ur 尿，-ia 表疾病〕黃嘌呤尿
melanuria	〔melan 黑，ur 尿，-ia 表疾病〕黑尿症
oliguria	〔olig 少，ur 尿，-ia 表疾病〕尿少；少尿症
polyuria	〔poly-多，ur 尿，-ia 表疾病〕多尿；多尿症
polyuric	〔poly-多，ur 尿，-ic…的〕多尿症的

③⑤汗——(1) hidr(o)　　　　　　　科

hidrosis	〔hidr 汗，-osis 表示疾病〕發汗病，發汗
hidrotic	〔hidr 汗，-otic…的〕發汗的；〔轉為名詞〕發汗藥
hidradenitis	〔hidr 汗，aden 腺，-itis 炎症〕汗腺炎
hidroa	〔hidro 汗，-a 名詞字尾〕汗疹
hidrocystoma	〔hidro 汗，cyst 囊，-oma 腫瘤〕汗腺囊腫
hidrorrhea	〔hidro 汗，rrhea 溢，大量流出〕大汗
hyperhidrosis	〔hyper-多，hidr 汗，-osis 疾病〕多汗症
anhidrosis	〔an-無，hidr 汗，-osis 疾病〕無汗症

汗——(2) sudat / sudor　　　　　　　科

| sudation | 〔sudat 汗，-ion 名詞字尾〕出汗，發汗 |
| sudatory | 〔sudat 汗，-ory…的〕發汗的，催汗的 |

sudatorium	〔sudat 汗, -orium 表示場所、地點〕（供作發汗浴的）熱氣浴室
sudoriferous	〔sudor 汗, -i-, -ferous 產生…的〕出汗的, 分泌汗的
sudorific	〔sudor 汗, -i-, -fic 使…的, 產生…的〕使發汗的, 催汗的
sudoral	〔sudor 汗, -al…的〕汗的, 汗所致的

36 神經——neur(o)　　　科

neural	〔neur 神經, -al…的〕神經的；神經系統的
neuralgia	〔neur 神經, alg 痛, -ia 表病名〕神經痛
neuralgic	〔neur 神經, alg 痛, -ic…的〕神經痛的
neurasthenia	〔neur 神經, asthenia 衰弱〕神經衰弱
neurectomy	〔neur 神經, ec-出, tomy 切〕神經切除術
neuritis	〔neur 神經, -itis 炎症〕神經炎
dermatoneuritis	〔dermato 皮膚, neur 神經, -itis 炎症〕皮膚神經炎, 神經性皮炎
neurofibril	〔neuro 神經, fibr 纖維〕神經原纖維
neurogenic	〔neuro 神經, gen 生, 起源, -ic…的〕起源於神經組織的；神經性的
neurology	〔neuro 神經, -logy 學〕神經病學
neurologist	〔neuro 神經, -logist 學家〕神經病學家
neuroma	〔neur 神經, -oma 腫瘤〕神經瘤
neuropath	〔neuro 神經, path 病〕神經病患者
neuropathic	〔neuro 神經, path 病, -ic…的〕神經病的
neuropathology	〔neuro 神經, patho 病, -logy 學〕神經病理學

neuropathy	〔**neuro** 神經, **path** 病, **-y** 名詞字尾〕神經病
neurotoxic	〔**neuro** 神經, **tox** 毒害, **-ic**…的〕毒害神經的
aeroneurosis	〔**aero** 航空, **neur** 神經, **-osis** 表疾病〕飛行員神經機能病

③⑦心──(1) cord ⊕

cordial	〔**cord** 心, **-ial** 形容詞字尾, …的〕衷心的, 誠心的
cordially	〔見上, **-ly** 副詞字尾, …地〕衷心地, 誠心地, 真誠地
cordiality	〔見上, **-ity** 名詞字尾〕誠心, 熱誠, 親切
record	〔**re-**回, 再, **cord** 心 → 想, 憶;「回憶」→以備「回憶」之用→〕記錄, 記載
recorder	〔見上, **-er** 表示人或物〕記錄者, 錄音機
recordable	〔見上, **-able** 可…的〕可記錄的
recordation	〔見上, **-ation** 名詞字尾〕記錄, 記載
recording	〔見上, **-ing** 名詞字尾〕記錄, 錄音
recordist	〔見上, **-ist** 表示人〕錄音員
concord	〔**con-**共同, 相同, 合, **cord** 心, 意;「同心合意」→〕和諧, 同意, 一致, 協調
concordance	〔見上, **-ance** 名詞字尾〕和諧, 一致, 協調
concordant	〔見上, **-ant** 形容詞字尾, …的〕和諧的, 一致的, 協調的
discord	〔**dis-**分, 離, **cord** 心, 意;「分心離意」→〕不一致, 不協調, 不和

discordance	〔見上，-ance 名詞字尾〕不一致，不協調，不和
discordant	〔見上，-ant…的〕不一致的，不協調，不和的
accord	〔ac-表示 to, cord 心；「心心相印」〕一致，協調，符合，使一致
accordance	〔見上，-ance 名詞字尾〕一致，協調，調和
accordant	〔見上，-ant…的〕一致的，協調的
cordate	〔cord 心，-ate 形容詞字尾，…的〕心臟形的

心——(2) cardi　　　科

cardiac	〔cardi 心，-ac 形容詞字尾，…的〕心臟的
carditis	〔card(i)心，-itis 炎症〕心臟炎
cardiogram	〔cardi 心，-o-, gram 圖形〕心動圖
bradycardia	〔brady 慢，card(i)心，-ia 表示疾病〕心動緩慢
tachycardia	〔tachy 快，速〕心動過速
cardiology	〔cardi 心，-o-, -logy…學〕心病學
cardiometer	〔cardi 心，-o-, meter 計〕心力計
electrocardio-gram	〔electro 電，cardi 心，-o-, gram 圖〕心電圖
cardiotonic	〔cardi 心，-o-, tonic 強身的（藥）〕強心的，強心劑
epicardium	〔epi-外，cardi 心，-um 名詞字尾〕心外膜
endocardium	〔endo-內，見上〕心內膜

38 肺──(1) pneum (o) pneumon

pneumectomy	〔pneum 肺, ectomy 切除〕肺部分切除術
pneumosclerosis	〔pneumo 肺, scler 硬, -osis 疾病〕肺硬化
pneumomalacia	〔pneumo 肺, malac 軟, -ia 疾病〕肺軟化
pneumonia	〔pneumon 肺, -ia 疾病〕肺炎
pneumonic	〔pneumon 肺, -ic…的〕肺的；肺炎的
pneumonorrhagia	〔pneumon 肺, -o-, rrhag 流出, -ia 疾病〕肺出血
pneumonoconiosis	〔pneumon 肺, -o-, coni 塵, -osis 疾病〕肺塵病
pneumonectasia	〔pneumon 肺, ectasia 擴張症〕肺氣腫

肺──(2) pulmo pulmon

pulmometer	〔pulmo 肺, meter 測量器, 計〕肺容量計, 肺活量計
pulmonary	〔pulmon 肺, -ary…的〕肺的, 肺狀的, 有肺的
pulmonate	〔pulmon 肺, -ate 有…的〕有肺的
pulmonic	〔pulmon 肺, -ic…的〕肺的, 肺病的

39 肝──hepat(o) 科

hepatitis	〔hepat 肝, -itis 炎症〕肝炎
hepatic	〔hepat 肝, -ic…的〕肝臟的
hepatoma	〔hepat 肝, -oma 腫瘤〕肝癌
hepatocirrhosis	〔hepato 肝, cirrhosis 硬化, 硬變〕肝硬變

hepatomegaly	〔**hepato** 肝, **megal** 大, **-y** 名詞字尾〕肝腫大
hepatotoxin	〔**hepato** 肝, **toxin** 毒素〕肝毒素
hepatectomy	〔**hepat** 肝, **ectomy** 切除〕肝切除術
hepatosis	〔**hepat** 肝, **-osis** 疾病〕肝病

⑩胃——gastr(o) 科

gastralgia	〔**gastr** 胃, **alg** 痛, **-ia** 表示疾病〕胃痛
gastric	〔**gastr** 胃, **-ic**…的〕胃的, 關於胃的
gastrin	〔**gastr** 胃, **-in** 素〕促胃液（激）素, 胃泌激素
gastritis	〔**gastr** 胃, **-itis** 炎症〕胃炎
gastroenteritis	〔**gastro** 胃, **enter** 腸, **-itis** 炎症〕胃腸炎
gastroenteric	〔**gastro** 胃, **enter** 腸, **-ic**…的〕胃腸的
gastroenterology	〔**gastro** 胃, **enter** 腸, **-o-**, **-logy** 學〕胃腸病學
gastrectomy	〔**gastro** 胃, **ec-**外, 出, **tomy** 切, 割〕胃切除術
gastrotomy	〔**gastro** 胃, **tomy** 切, 割〕胃切開術
gastroscope	〔**gastro** 胃, **scop** 鏡〕檢胃鏡, 胃（窺）鏡
gastronomy	〔**gastro** 胃→胃口, 吃, **nomy** 法, 術, 學;「研究吃的方法」,「研究如何適合胃口」→〕烹調法, 美味法, 美食學
gastronomic	〔見上, **-ic**…的〕烹調法的, 美食學的
gastronomist	〔見上, **-ist** 人〕愛吃的人, 講究吃的人
agastric	〔**a-**無, **gastr** 胃, **-ic**…的〕無胃的
cacogastric	〔**caco** 惡, 不良, **gastr** 胃, **-ic**…的;「胃不良的」→〕胃弱的, 消化不良的

polygastric 〔**poly-**多, **gastr** 胃, **-ic**…的〕多胃的

stomatogastric 〔**stomato** 口, **gastr** 胃, **-ic**…的〕口與胃的

41 腎——(1) nephr(o) 科

nephritis 〔**nephr** 腎, **-itis** 炎症〕腎炎

nephritic 〔**nephr** 腎, **-itic**…的〕腎的, 腎炎的

nephralgia 〔**nephr** 腎, **algia** 痛〕腎痛

nephrolith 〔**nephro** 腎, **lith** 石〕腎結石

nephrectomy 〔**nephr** 腎, **ectomy** 切除〕腎切除術

nephrology 〔**nephro** 腎, **-logy**…學〕腎臟學

nephrosis 〔**nephr** 腎, **-osis** 疾病〕腎病

nephroid 〔**nephr** 腎, **-oid** 似…形的〕腎形的

腎——(2) ren 科

renal 〔**ren** 腎, **-al**…的〕腎的, 腎臟的

reniform 〔**ren** 腎, **-i-**, **-form** 有…形的〕腎形的, 腰子形的

renopathy 〔**ren** 腎, **-o-**, **pathy** 病〕腎病

42 腸——enter 科

dysentery 〔**dys-**不良, 惡, **enter** 腸, **-y** 名詞字尾; 「腸內不良」→〕痢疾

dysenteric 〔見上, **-ic**…的〕痢疾的

antidysenteric 〔**anti-**反, 抗→治, 見上〕治痢疾的; 抗痢劑

enteric 〔**enter** 腸, **-ic**…的〕腸的

enteritis 〔**enter** 腸, **-itis** 發炎, 炎症〕腸炎

enterotomy 〔**enter** 腸, **-o-**, **tomy** 切, 割〕腸切開術

enteron 〔**enter** 腸, **-on** 名詞字尾〕腸, 消化道

enteralgia	〔enter 腸，alg 痛，-ia 表疾病名稱〕腸痛（症）
mesentery	〔mes ← meso 中間，enter 腸，-y 名詞字尾；「腸中間的」→〕腸繫膜
mesenteritis	〔見上，-itis 炎症〕腸繫膜炎
mesenteric	〔見上，-ic…的〕腸繫膜的
mesenteron	〔mes ← meso 中間，enter 腸，-on 名詞字尾〕中腸，中體腔
enterogastritis	〔enter 腸，-o-，gastr 胃，-itis 炎〕腸胃炎

⁴³關節——arthr(o) 科

arthritis	〔arthr 關節，-itis 炎〕關節炎
arthritic	〔arthr 關節，-itic 形容詞字尾〕關節炎的
antarthritic	〔ant-反對，防治〕治關節炎的（藥）
synarthrosis	〔syn-共同，在一起，arthr 關節，-osis 名詞字尾；「關節合在一起」→〕不動關節
arthrology	〔arthro 關節，-logy 學〕關節學
arthrotomy	〔arthr 關節，tomy 切〕〔醫學〕關節切開術
arthropathy	〔arthro 關節，pathy 病痛〕關節病

⁴⁴動脈——arter(i) 科

artery	動脈
arterial	〔arteri 動脈，-al 形容詞字尾〕動脈的
arteritis	〔arter 動脈，-itis 炎〕動脈炎
arteriology	〔arteri 動脈，-o-連接字母，-logy 學〕動脈學
arteriotomy	〔arteri 動脈，-o-連接字母，tomy 切，割〕動脈切開術

arteriosclerosis	〔**arteri** 動脈，**-o-**，連接字母，**scler** 硬，**-osis** 名詞字尾，表示病症〕動脈硬化症
arteriosclerotic	〔見上，**-otic** 形容詞字尾，患…症的〕患動脈硬化症的
arteriography	〔**arteri** 動脈，**-o-graphy** 書寫→記錄〕動脈脈搏描記法；動脈照相術
arterialize	〔見上，**-ize** 動詞字尾，化〕化為動脈血，將（靜脈血）轉變為動脈血

45 乳房——mamm 　　　　　　　　大

mamma	〔**mamm** 乳房，**-a** 名詞字尾〕乳房
mammary	〔**mamm** 乳房，**-ary**…的〕乳房的
mammiferous	〔**mamm** 乳房，**-i-**，**fer** 具有，**-ous**…的〕有乳房的
mammiform	〔**mamm** 乳房，**-i-**，**-form** 如…形狀的〕乳房狀的
mammogen	〔**mamm** 乳房→乳腺，**-o-**，**gen** 產生〕乳腺發育激素
mammogenic	〔見上，**-ic**…的〕促進乳房發育的

3

生老病死

⊕46 生──⑴ nat　　　　　　　　　　⾼

natal	〔nat 誕生，-al…的〕誕生的，出生的；誕生時的
natality	〔見上，-ity 名詞字尾〕出生率
antenatal	〔ante-前，nat 出生，-al…的〕出生以前的；產前的
prenatal	〔pre-前，nat 出生，-al…的〕出生以前的
postnatal	〔post-後，nat 出生，-al…的〕出生以後的
connate	〔con-共同，nat 生〕同生的，同族的
neonate	〔neo-新，nat 誕生；「新出生的嬰兒」〕出生不滿一個月的嬰兒
nation	〔nat 生，-ion 名詞字尾；生，誕生，生長→血統的聯繫，種族→〕民族；國家
national	〔見上，-al…的〕民族的；國家的；國民的
nationalism	〔見上，-ism 主義〕民族主義
native	〔nat 出生，-ive 名詞兼形容詞字尾〕天生的；土生的；出生地的；出生的；本地人；土人
nativity	〔見上，-ity 名詞字尾〕出生，誕生

nature	〔**nat** 生，**-ure** 名詞字尾；「天生」→天然→自然〕天然，自然；天性，本性
natural	〔見上，**-al**…的〕天然的，自然的，生來的；自然界的
naturalism	〔見上，**-ism** 主義〕自然主義
unnatural	〔**un-**不，見上〕不自然的

生——(2) par 大

parent	〔**par** 生，生養，**-ent** 名詞字尾，表示人；「生養子女的人」，「生育者」→〕父親；母親；〔複數〕雙親，父母
parental	〔見上，**-al**…的〕父母的
parentage	〔見上，**-age** 抽象名詞字尾〕出身，家系，門第
primipara	〔**prim** 初，**-i-**，**par** 產，**-a** 名詞字尾〕初產婦
primiparous	〔**prim** 初，**-i-**，**par** 產，**-ous**…的〕初產的
primiparity	〔**prim** 初，**-i-**，**par** 產，**-ity** 名詞字尾〕初產
multiparous	〔**multi-**多，**par** 產，**-ous**…的〕多產的，一產多胎的
uniparous	〔**uni** 獨，單一，**par** 生，**-ous**…的〕每次產一卵的；每胎生一子的；一產的
biparous	〔**bi-**雙，兩個，**par** 生，**-ous**…的〕雙生的，一產雙胎的

生——(3) gen 托

generate	〔gen 生，生殖，產生，-ate 動詞字尾〕生殖，生育；發生，產生
generative	〔gen 生，-ative 形容詞字尾〕生殖的；生產的；有生殖能力的；有生產力的
generation	〔gen 生，-ation 名詞字尾〕生殖；產生；一代
generator	〔gen 生，-ator 表人〕生殖者
genetics	〔gen 生殖→遺傳，-ics 學〕遺傳學
genius	〔gen 生，-us 名詞字尾；「天生」的→〕天才，天賦，天資
genocide	〔gen 生，生殖→種族，-o-，cide 殺〕滅絕種族的屠殺；種族滅絕
ethnogeny	〔ethno 人種，gen 生→起源，-y 名詞字尾〕人種起源學
ethnogenic	〔見上，-ic…的〕人種起源學的
heterogeneous	〔hetero 異，gen 生殖→種族，-eous…的〕異族的，異類的
homogeneous	〔homo 同，gen 生殖→種族，-eous…的〕同族的，同類的
miscegenation	〔misce 混雜，gen 生殖→種族，-ation 名詞字尾〕人種混雜，混血
ingenious	〔in-加強意義，gen 生→天生，-ious…的「有天生之才的」→〕聰明的，機靈的
regenesis	〔re-再，gen 生，-esis 名詞字尾〕再生，新生，更新
congenial	〔con-共同，gen 生殖，種族，-ial…的〕同族的，同類的
congeniality	〔見上，-ity 名詞字尾〕同族，同類

eugenic	〔**eu-**優，**gen** 生，**-ic**…的〕優生學的
eugenics	〔**eu-**優，**gen** 生，**-ics** 學〕優生學
primogenial	〔**prim** 最初，**-o-**，**gen** 生，**-ial** … 的〕初生的
primogenitor	〔**prim** 最初，**-o-**，**gen** 生殖，**-itor** 者；「最初生殖者」→〕始祖，鼻祖，祖先

✓ 47 老──sen 大

senior	〔**sen** 老→年長，**-ior** 形容詞及名詞字尾〕年長的，年紀較大的；年長者
seniority	〔見上，**-ity** 名詞字尾〕年長
senate	〔**sen** 老，**-ate** 名詞字尾〕參議院，上議院；（古羅馬的）元老院
senator	〔見上，**-or** 表示人〕參議員，上議員；（古羅馬的）元老院議員
senatorial	〔見上，**-ial**…的〕參議院的；參議員的；元老院的
senesce	〔**sen** 老，**-esce** 動詞字尾，開始成為…〕開始衰老
senescence	〔**sen** 老，**-escence** 名詞字尾〕衰老，老朽
senescent	〔**sen** 老，**-escent** 形容詞字尾〕衰老的，老朽的
senile	〔**sen** 老，**-ile** 形容詞字尾，…的〕老年的；衰老的
senility	〔**sen** 老，**-ility** 名詞字尾，表狀態〕老邁；衰老

48 年輕──juven 大

juvenile	〔**juven** 年輕, 年少, **-ile**…的〕青少年的; 〔轉為名詞〕青少年
juvenility	〔見上, **-ity** 名詞字尾〕年輕, 年少
juvenescence	〔**juven** 年輕, **-escence** 逐漸變成〕變年輕
juvenescent	〔**juven** 年輕, **-escent** 逐漸變成…的〕由嬰兒期向青年過渡的, 由嬰兒逐漸變成青年的
rejuvenate	〔**re-**再, **juven** 年輕, **-ate** 動詞字尾;「再年輕」→〕（使）返老還童
rejuvenation	〔見上, **-ation** 名詞字尾〕返老還童
rejuvenesce	〔見上, **-esce** 動詞字尾〕（使）返老還童
rejuvenescence	〔見上, **-escence** 名詞字尾〕返老還童

㊾病──(1) path(o) pathy　　㊙

pathology	〔**patho** 病, **-logy**…學〕病理學
pathologist	〔**patho** 病, **-logist**…學者〕病理學者
pathological	〔**patho** 病, **-logical**…學的〕病理學的
pathogeny	〔**patho** 病, **gen** 發生, **-y** 名詞字尾〕致病原因
pathogenetic	〔見上, **-etic** 形容詞字尾〕發病的; 致病的, 病原的
xanthopathy	〔**xantho** 黃, **pathy** 病〕發黃病
neuropathy	〔**neuro** 神經, **pathy** 病〕神經病
neuropathist	〔見上, **-ist** 者〕神經病學者; 神經病醫生
neuropathic	〔見上, **-ic**…的〕神經病的
dermatopathy	〔**dermato** 皮膚, **pathy** 病〕皮膚病
idiopathy	〔**idio** 特殊的, 自己的, **pathy** 病〕特發病, 自發病

psychopathy	〔psycho 心理，精神，pathy 病〕心理病態，精神變態
psychopathic	〔見上，-ic…的〕心理病態的，精神變態的

病——(2) morb 托

morbid	〔morb 病，-id…的〕疾病的，生病的
morbidity	〔morb 病，-idity 表示狀態、情況〕病態，不健康
morbific	〔morb 病，-i-，-fic 致…的，引起…的〕致病的，引起疾病的

50 死——mort 大

mortal	〔mort 死，-al…的〕終有一死的，死的，臨死的
mortality	〔見上，-ity 名詞字尾，表示性質〕必死性，死亡率
immortal	〔im-不，mort 死，-al…的〕不死的，永生的，不朽的
immortality	〔見上，-ity 表示性質、情況〕不死，不朽，永存
immortalize	〔見上，-ize 動詞字尾，使…〕使不朽，使不滅，使永存
mortician	〔mort 死，-ician 做…職業的人〕承辦殯葬的人
mortuary	〔mort 死→死屍，-u-，-ary 表示場所、地點〕停屍室，殯儀館
postmortem	〔post-以後，…之後，mort 死〕死後的，死後

51 活──viv 【大】

survive　〔sur-超過, viv 活；「活得比別人長」,
「壽命超過別人」→〕比…活得長, 後死, 倖
存, 殘存

survival　〔見上, -al 名詞字尾, 表示情況、狀態〕倖
存, 殘存, 尚存

survivor　〔見上, -or 表示人〕倖存者, 逃生者

revive　〔re-再, viv 活〕再生, 復活, 復甦

revival　〔見上, -al 名詞字尾, 表示情況、狀態〕再
生, 復活, 復甦

vivid　〔viv 活, -id 形容詞字尾, …的〕活潑的, 有
生氣的

vivacious　〔viv 活, -acious 形容詞字尾, …的〕活潑
的, 有生氣的

vivacity　〔viv 活, -acity 名詞字尾, 表示情況、狀
態〕活潑, 有生氣

vivify　〔vivi＝viv 活, -fy 使…〕使活躍, 使有生氣

revivify　〔re-再, viv (i)活, -fy 使…〕(使) 再生,
(使) 復活, (使) 復甦

52 生命──vit 【托】

vital　〔vit 生命, -al …的〕生命的, 有生命的, 充
滿活力的, 致命的, 生命攸關的

vitality　〔見上, -ity 名詞字尾, 表示情況、性質〕生
命力, 生氣, 活力

vitalize　〔見上, -ize 動詞字尾, 使…〕給與…生命
力, 使有生氣

revitalize	〔**re-**再，見上〕使再生，使新生，使恢復元氣
devitalize	〔**de-**除去，取消，去掉，見上〕使失去生命（力），使傷元氣
vitamin（e）	〔**vit** 生命，**amine** 胺（一種化合物）；「維持生命之物」→〕維生素，維他命
vitaminology	〔見上，**-logy**⋯學〕維生素學
avitaminosis	〔**a-**無，**vitamin** 維生素，**-osis** 表示疾病名稱〕維生素缺乏症
devitaminize	〔**de-**除去，去掉，**vitamin** 維生素，**-ize** 動詞字尾〕使（食物）失去維生素

4

五官動作

⌣ 53 看——(1)　vis
　　　　　　vid　　　　　　　　　　　高

visible	〔vis 看，-ible 可…的〕看得見的，可見的
invisible	〔in-不，見上〕看不見的，無形的
visit	〔vis 看，觀看→參觀〕參觀，遊覽，訪問
visitor	〔見上，-or 表示人〕參觀者，觀光者，遊客，訪問者
revisit	〔re-再，見上〕再參觀，再遊覽，重遊
advise	〔ad-表示 to 向，vis 看 → 看法，意見；「to give one's opinion to」，「向別人提出自己的看法」→〕向…提意見，建議，作顧問，勸告
adviser, advisor	〔見上，-er 或-or 表示人〕顧問，勸告者
advisory	〔見上，-ory…的〕顧問的，勸告的，諮詢的
advice	〔見上，字母變換：s → c〕（醫生、顧問的）意見，勸告，忠告
revise	〔re-再，vis 看；「再看」→審閱→重新審查→〕修訂，修改，修正
revision	〔見上，-ion 名詞字尾，表示行為、行為的結果〕修訂，修改，修正，修訂本

previse	〔**pre-**前，先，預先，**vis** 看見〕預見，預知
prevision	〔見上，**-ion** 名詞字尾〕預見，預知，預測
supervise	〔**super-**上，上面，**vis** 看；「從上面往下看」→〕監視，監督，管理
supervisor	〔見上，**-or** 表示人〕監視者，監督（人），管理人
supervision	〔見上，**-ion** 名詞字尾，表示行為〕監督，管理
supervisory	〔見上，**-ory**…的〕監督的，管理的
visual	〔**vis** 看，**-ual**…的〕看的，視覺的，視力的
visage	〔**vis** 看，**-age** 表示物〕外觀，臉，面容，外表
vision	〔**vis** 看，**-ion** 名詞字尾〕視，視力，視覺
television	〔**tele** 遠，**vis** 看，**-ion** 名詞字尾；「由遠處通過電波傳來可觀看的圖象」→〕電視
televise	〔見上〕電視播送
televisual	〔見上，**-ual**…的〕電視的
visa	〔**vis** 看→審視，審查→審查後的簽字→〕簽證，簽准
evident	〔**e-**出，**vid** 看，**-ent** 形容詞字尾，…的；「看得出來的」→〕明顯的，明白的
evidence	〔見上，**-ence** 名詞字尾〕明顯，明白，跡象，證據
provide	〔**pro-**前，先，預先，**vid** 看見；「預先見到而作準備」→〕作準備，預防，提供，裝備，供給
provision	〔見上，**-ion** 名詞字尾〕預備，防備，供應，供應品

provident	〔**pro-**前，先，**vid** 看見，**-ent** …的〕有遠見的
improvident	〔**im-**無，見上〕無遠見的

看──(2) spect　　　　　　　　　大

spectacle	〔**spect** 看，**-acle** 名詞字尾，表示物；「觀看的東西」→〕光景，景象，奇觀，壯觀
prospect	〔**pro-**向 前，**spect** 看；「向 前 看」→〕展望，前景
prospective	〔見上，**-ive** …的〕盼望中的，未來的
retrospect	〔**retro-**向 後，**spect** 看；「向 後 看」→〕回顧，追溯
retrospection	〔見上，**-ion** 名詞字尾〕回顧，追溯
retrospective	〔見上，**-ive** …的〕回顧的，追溯的
inspect	〔**in-**內，裡，**spect** 看；「向裡仔細看」→〕檢查，審查
inspection	〔見上，**-ion** 名詞字尾〕檢查，審查
inspector	〔見上，**-or** 表示人〕檢查員
expect	〔**ex-**外，（省略 s）**pect** 看；「向外望」→〕盼望，期待，期望
expectation	〔見上，**-ation** 名詞字尾〕盼望，期待，期望
expectant	〔見上，**-ant** …的〕盼望的，期待的；〔**-ant** 者〕期待者
respect	〔**re-**再，重覆，**spect** 看；「再看」，「重覆地看」→重視，看重→〕尊重，尊敬
respectable	〔見上，**-able** 可…的〕可敬的，值得尊敬的
respectful	〔見上，**-ful** …的〕尊敬人的，恭敬的

suspect	〔sus-＝sub-下，(s)pect 看；「由下看」→偷偷地看，斜眼看→〕懷疑，猜疑，疑心
suspectable	〔見上，-able 可…的〕可疑的
suspicious	〔見上，spect → spic，-ious…的〕多疑的，可疑的，疑心的
suspicion	〔見上，-ion 名詞字尾〕懷疑，疑心，猜疑
introspect	〔intro-向內，spect 看〕內省，進行自我反省
conspectus	〔con-共同，全，spect 看，-us 表示物；「全看到」→總覽→〕一覽表，大綱，概況
circumspect	〔circum-周圍，四周，spect 看；「向四周細看」→〕謹慎的，小心的，慎重的，仔細的
circumspection	〔見上，-ion 名詞字尾〕謹慎，小心，慎重
aspect	〔a-＝ad-表示 to，spect 看→外觀〕面貌，外表
spectate	〔spect 看，-ate 動詞字尾〕出席觀看
spectator	〔spect 看，-ator 表示人〕旁觀者，觀眾
conspicuous	〔con-共同，spic（＝spect）看，-uous…的；「共同看見的」→大家都能看見的，有目共睹的→〕明顯的，顯著的，惹人注目的
specious	〔spec（＝spect）看，-ious…的；「中看的」→〕外表美觀的，華而不實的
perspective	〔per-透過，spect 看〕透視，透視的，透視圖，透鏡
specimem	〔spec（＝spect）看，-i-，-men 名詞字尾，表示物；「給人看的東西」→〕樣品，樣本，標本

| special | 〔spec（＝spect）看 → 外觀，形狀，-ial … 的；「外觀顯明的」，「形狀醒目的」→〕特別的，特殊的 |
| specialist | 〔見上，-ist 表示人；「特別的人」，「有特殊才能的人」→〕專家 |

⑤④聽──audi ⦗高⦘

audience	〔audi 聽，-ence 名詞字尾〕聽眾；傾聽
auditorium	〔audit 聽，-orium 名詞字尾，表示場所、地點；「聽講的場所」→〕禮堂，講堂，聽眾席
audible	〔aud(i) 聽，-ible 形容詞字尾，可…的〕聽得見的，可聞的
audibility	〔aud(i) 聽，-ibility 名詞字尾，可 … 性〕可聽性，可聞度
inaudible	〔in-不，見上〕聽不見的，不能聽到的
audit	旁聽，審計
auditor	〔-or 表示人〕旁聽生，旁聽者，審計員
auditory	〔audit 聽，-ory 形容詞字尾，…的〕聽覺的
audiphone	〔audi 聽，phone 聲音〕助聽器
audition	〔audit 聽，-ion 名詞字尾〕聽覺，聽
audiometer	〔audi 聽，-o-連接字母，meter 測量器，計〕聽力計，聽力測量器
audiometry	〔audi 聽，-o-，metry 測量〕聽力測定，測聽術
audiology	〔audi 聽，-o-，-logy…學〕聽覺學
audio	聽覺的，聲音的
audio-visual	〔見上，visual 聽覺的〕視聽法的，視覺聽覺的

| audiovisuals | 〔見上〕視聽教材，直觀教具 |

55 言，說——(1) dict 高

contradict	〔**contra-**相反，**dict** 言；「相反之言」→〕反駁，同…相矛盾，與…相抵觸
contradiction	〔見上，**-ion** 名詞字尾〕矛盾，抵觸，對立
contradictory	〔見上，**-ory**…的〕矛盾的，對立的
dictate	〔**dict** 言，說→吩咐，命令，指示，**-ate** 動詞字尾；「口授命令或指示」→〕口述而令別人記錄，使聽寫，命令，支配
dictation	〔見上，**-ion** 名詞字尾〕口授，命令，支配，口述，聽寫
dictator	〔見上，**-or** 者；「口授命令者」→支配者，掌權者〕獨裁者，專政的，口授者
dictatorial	〔見上，**-ial**…的〕專政者，獨裁的
dictatorship	〔見上，**-ship** 名詞字尾〕專政，獨裁
predict	〔**pre-**前，先，預先，**dict** 言〕預言，預告
prediction	〔見上，**-ion** 名詞字尾〕預言，預告
predictable	〔見上，**-able** 可…的〕可預言的，可預報的
malediction	〔**male-**惡，壞，**dict** 言，**-ion** 名詞字尾；「惡言」→〕咒罵，誹謗
maledictory	〔見上，**-ory**…的〕咒罵的
benediction	〔**bene-**好，**dict** 言詞，**-ion** 名詞字尾；「好的言詞」→〕祝福
benedictory	〔見上，**-ory**…的〕祝福的
indicate	〔**in-**表示 at，**dic** 言，說→說明，表明，表示，**-ate** 動詞字尾〕指示，指出，表明
indication	〔見上，**-ion** 名詞字尾〕指示，指出，表示

indicator	〔見上，**-or** 表示人或物〕指示者，指示器
indicative	〔見上，**-ive**…的〕指示的，表示的
dictionary	〔**dict** 言，詞，**diction** 措詞，**-ary** 名詞字尾，表示物；「關於措詞的書」→〕字典，詞典
diction	〔**dict** 言，詞，**-ion** 名詞字尾〕措詞，詞令
dictum	〔**dict** 言，詞，**-um** 名詞字尾〕格言，名言
edict	〔**e-**外，出，**dict** 言，詞→指示；「統治者發出的話」，「當局發出的指示」→〕法令，布告
dictaphone	〔**dict** 言，說，**-a-**連接字母，**phone** 聲音，電話〕口述錄音機，錄音電話機
indict	〔**in-**表示 on, upon, against，**dict** 言，訴說〕控告，告發，對…起訴
indictment	〔見上，**-ment** 名詞字尾〕控告，起訴，起訴書

言，說──⑵ parl　　　　　　大

parley	〔**parl** 說→談→〕談判，會談
parlour	〔**parl** 說→談，**-our** 名詞字尾；「談話的地方」〕會客室，客廳，私人談話室
parliament	〔**parl** 說→談→商談→會議，**-ia-**，**-ment** 表示機構、部門〕國會，議會
parliamentary	〔見上，**-ary**…的〕國會的，議會的
parliamentarian	〔見上，**-arian** 表示人〕國會議員
parliamentarism	〔見上，**-ism** 表示制度〕議會制
parlance	〔**parl** 說，**-ance** 名詞字尾〕說法，用語，發言

言，說──(3) log ㈥

dialogue	〔**dia-**對，相對，**log** 言，說〕對話
dialogist	〔見上，**-ist** 表示人〕對話者
eulogy	〔**eu-**美好，**log** 言，**-y** 名詞字尾，「美言」→〕讚美之詞，頌詞，讚揚
eulogize	〔見上，**-ize** 動詞字尾〕讚美，讚頌，頌揚
apology	〔**apo-**分開，離開，脫開，**log** 言，說；「說開」→解說〕道歉，謝罪，辯解
apologize	〔見上，**-ize** 動詞字尾〕道歉，謝罪，辯解
prologue	〔**pro-**前，**log** 言〕前言，序言
epilogue	〔**epi-**旁，外，**log** 言，話；「正文以外的話」→正文後面的話→〕結束語，後記，跋，閉幕詞
epilogize	〔見上，**-ize** 動詞字尾〕作結束語
monologue	〔**mono-**單獨，**log** 言，說〕（戲劇）獨白
monologist	〔見上，**-ist** 表示人〕（戲劇）獨白者
pseudology	〔**pseudo-**假，**log** 言，話，**-y** 名詞字尾〕假話
neologism	〔**neo-**新，**log** 言，詞，**-ism** 表示語言〕新語，新詞
neologize	〔見上，**-ize** 動詞字尾〕使用新詞，創造新詞
antilogy	〔**anti-**反對，相反，**log** 言；「相反之言」→〕前後矛盾，自相矛盾
dyslogy	〔**dys-**惡，不良，**log** 言；「惡言」→〕非難，非議，指責，咒罵
logic	〔**log** 語言→辯論→推理，論理，**-ic** 名詞字尾，表示…學〕邏輯

logical	〔見上，**-al**…的〕邏輯的，符合邏輯的
illogical	〔**il-**不，見上〕不合邏輯的
philologist	〔**philo** 愛好，**log** 語言，**-ist** 者〕語言學者
philology	〔見上，**-y** 名詞字尾〕語言學

言，說──(4) loqu　　　　　　大

eloquent	〔**e-**出，**loqu** 說，**-ent** … 的；「說出的」，「道出的」→能說會道的→〕有口才的，雄辯的，善辯的，有說服力的
eloquence	〔見上，**-ence** 名詞字尾〕雄辯，善辯，有口才
colloquial	〔**col-**共同，**loqu** 說，**-ial**…的〕口語的，會話的，白話的，用通俗口語的
colloquialism	〔見上，**-ism** 表示語言〕俗語，口語，口語詞
multiloquent	〔**multi-**多，**loqu** 言，**-ent**…的〕多言的
grandiloquent	〔**grand** 大，**-i-**，**loqu** 言，**-ent** … 的〕誇大的，誇張的
magniloquent	〔**magni** 大，**loqu** 言，**-ent** … 的〕大言的，誇張的
soliloquy	〔**sol** 單獨，獨自，**-i-**，**loqu** 言，**-y** 名詞字尾〕獨白，自言自語
somniloquy	〔**somn** 睡眠，**-i-**，**loqu** 說，**-y** 名詞字尾；「睡夢中說話」〕夢語，夢囈，說夢話
obloquy	〔**ob-**反對，**loqu** 言；「反對之言」→〕大罵，誹謗
loquacious	〔**loqu** 言，**-acious** 形容詞字尾，多…的〕多言的，饒舌的

| loquacity | 〔見上，-acity 名詞字尾，表示情況〕多話，過於健談 |

言，說——(5) **fabl**
fabul   托

fable	〔**fabl** 言〕寓言，傳說
fabler	編寓言者
fabulist	〔**fabul** 言，-ist 人〕寓言家，撒謊者
fabulous	〔見上，-ous…的〕寓言般的，傳說的，編寫寓言的
fabulosity	〔見上，-osity 表示性質〕寓言性質
fabled	〔見上，-ed…的〕寓言中的，虛構的
confabulate	〔**con**-共同，**fabul** 言→談；-ate 動詞字尾〕閒談，談心，討論，會談
confabulation	〔見上，-ation 名詞字尾〕閒談，會談
confabulator	〔見上，-ator 表示人〕閒談者
confab	＝confabulation
effable	〔**ef**-出，**fabl** 說〕能被說出的，可說明的

言，說——(6) **lingu**   大

linguist	〔**lingu** 語言，-ist 表示人〕語言學者
linguistic	〔見上，-ic…的〕語言學的，語言的
linguistics	〔見上，-ics 名詞字尾，…學〕語言學
bilingual	〔**bi**-兩，**lingu** 語言，-al…的〕兩種語言的
bilingualist	〔見上，-ist 表示人〕通曉兩種語言者
bilingualism	〔見上，-ism 表示行為或狀況〕通曉兩種語言，用兩種語言
trilingual	〔**tri**-三，**lingu** 語言，-al…的〕三種語言的

| multilingual | 〔**multi-**多，**lingu** 語言，**-al**…的〕多種語言的，懂（或用）多種語言的 |
| collingual | 〔**col-**同，**lingu** 語言，**-al**…的〕（用）用一種語言的 |

言，說──(7) or　　托

orate	〔**or** 說，**-ate** 動詞字尾〕演說，大言不慚地演說
oration	〔**or** 說，**-ation** 名詞字尾〕演說，講演
orator	〔**or** 說，**-ator** 表示人〕演說者；雄辯家
oratorial	〔見上，**-ial**…的〕演說家的；演說的
oratorio	〔見上，**-o** 名詞字尾〕（以聖經故事為主題的）清唱劇
oratorize	〔見上，**-ize** 動詞字尾〕演說＝orate
oratory	〔見上，**-ory** 名詞字尾〕演講（術）；雄辯（術）；祈禱室
exorable	〔**ex-**表示 **out**，**or** 說，**-able** 可…的〕可說服的
perorate	〔**per-**貫通，全，從頭到尾，**orate** 演說〕作長篇演說；（演說時）作結束語
peroration	〔見上，**-ation** 名詞字尾〕長篇的演說；（演說的）結束語

56 喊叫──(1) claim clam　　大

| exclaim | 〔**ex-**外，出，**claim** 叫；「大聲叫出」→〕呼喊，驚叫 |

exclamation	〔見上，exclam＝exclaim，-ation 名詞字尾〕呼喊，驚叫；感嘆詞，驚嘆語
exclamatory	〔見上，-atory 形容詞字尾，…的〕叫喊的，驚嘆的
proclaim	〔pro-向前，claim 叫喊 → 聲言〕宣布，宣告，聲明
proclamation	〔見上，-ation 名詞字尾〕宣布，公布，聲明
proclamatory	〔見上，-atory 形容詞字尾，…的〕公告的，布告的，宣言的
acclaim	〔ac-表示加強意義，claim 叫→呼喊〕歡呼，喝采
acclamation	〔見上，-ation 名詞字尾〕歡呼，喝采
acclamatory	〔見上，-atory 形容詞字尾，…的〕歡呼的，喝采的
clamour	〔clam 叫喊→吵，-our 名詞字尾〕喧嚷，吵鬧
clamorous	〔見上，-ous…的〕喧嚷的，吵吵嚷嚷的
clamant	〔clam 叫喊，-ant…的〕喧嚷的，吵鬧的
declaim	〔de-加強意義，claim 叫→大聲說〕作慷慨激昂的演說，朗誦
declamation	〔見上，-ation 名詞字尾〕慷慨激昂的演說，雄辯，朗誦
declamatory	〔見上，-atory…的〕演說的，雄辯的，適宜於朗誦的

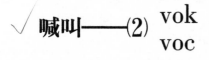

√ 喊叫──(2) vok
voc

托

evoke	〔e-出，**vok** 叫；「叫出」，「喊出」→〕喚起，召喚；召（魂）
evocation	〔見上，**-ation** 名詞字尾〕喚起，召喚
evocative	〔見上，**-ative**…的〕喚起…的，引起…的
convoke	〔**con-**共同，一起，**vok** 叫，召喚；「叫到一起來」→〕召集…開會，召集（會議）
✓ **convocation**	〔見上，**-ation** 名詞字尾〕召集；集會
provoke	〔**pro-**前，向前，**vok** 叫喊〕對…挑釁；激怒；煽動；激起
provocation	〔見上**-ation** 名詞字尾〕挑釁；激怒；激起
provocative	〔見上，**-ative** 形容詞字尾，…的〕挑釁的；激怒的；激起…的
revoke	〔**re-**回，**vok** 叫；「叫回」→〕撤回，撤銷
revocable	〔見上，**-able** 可…的〕可撤回的；可取消的
irrevocable	〔**ir-**不，見上〕不可挽回的；不可取消的
revocation	〔見上，**-ation** 名詞字尾〕撤回；取消

✓ ## 57 告誡──mon 高

monitor	〔**mon** 告誡，**-itor** 表示人；「告誡者」→〕（學校的）班長、監督生；提醒者
monitorial	〔見上，**-ial**…的〕班長的，監督生的
monition	〔**mon** 告誡，**-ition** 名詞字尾〕告誡，警告，忠告
premonition	〔**pre-**預先，見上〕預先的告誡（或警告）
premonitor	〔見上，**-itor** 者〕預先警告者
admonish	〔**ad-**加強意義，**mon** 告誡，**-ish** 動詞字尾〕告誡，勸告，忠告
admonishment	〔見上，**-ment** 名詞字尾〕告誡，勸告

admonition　　　　〔見上，-ition 名詞字尾〕告誡，勸告

58 笑—— rid
ris
托

ridiculous	〔rid 笑，-iculous（＝icular）…的〕可笑的
risible	〔ris 笑，-ible…的，可…的〕愛笑的，能笑的，可笑的，笑的
risibility	〔ris 笑，-ibility 名詞字尾，表示性質、狀態〕愛笑，能笑
deride	〔de-加強意義，rid 笑〕嘲笑，嘲弄
derider	〔見上，-er 者〕嘲笑者
derision	〔de-加強意義，ris 笑，-ion 名詞字尾〕嘲笑，嘲弄，笑柄
derisive	〔見上，-ive…的〕嘲笑的，嘲弄的，幼稚可笑的

59 吹——flat
大

inflate	〔in-入，flat 吹；「吹入氣體」→〕使充氣；使膨脹；使通貨膨脹
inflation	〔見上，-ion 名詞字尾〕充氣；膨脹；通貨膨脹
inflationary	〔見上，-ary 形容詞字尾，…的〕膨脹的；通貨膨脹的
inflatable	〔見上，-able 可…的〕可膨脹的
inflator	〔見上，-or 表示人或物〕充氣者；充氣機；打氣筒

deflate	〔**de-**取消，非，相反，**flat** 吹；「與吹入氣體相反」→排除氣體，抽掉氣體，放氣→〕使縮小；使癟下去；緊縮（通貨）
deflation	〔見上，**-ion** 名詞字尾〕放氣；縮小；弄癟；緊縮通貨
deflationary	〔見上，**-ary**…的〕緊縮通貨的
deflatable	〔見上，**-able** 可…的〕可放氣的；可緊縮的
conflation	〔**con-**共同，一起，**flat** 吹，**-ion** 名詞字尾；「吹到一起」→〕合併，合成
reflate	〔**re-**再，又，**flat** 吹，吹入氣體→膨脹〕（通貨緊縮後）又造成通貨膨脹，通貨再膨脹
reflation	〔見上，**-ion** 名詞字尾〕通貨再膨脹

⑥⓪呼吸——(1) spir 大

conspire	〔**con-**共同，**spir** 呼吸；「共呼吸」→互通氣息→〕共謀，同謀，陰謀，密謀策劃
conspirator	〔見上，**-ator** 表示人〕共謀者，陰謀家
conspiracy	〔見上，**-acy** 名詞字尾，表示行為〕共謀，同謀，陰謀，密謀
⸰ inspire	〔**in-**入，**spir** 呼吸；「吸入」，吸氣，注入→注入勇氣，注入生氣→〕鼓舞，激勵，激起，吸入，使生靈感
inspiration	〔見上，**-ation** 名詞字尾，表示行為及行為結果〕鼓舞，激勵，吸氣，靈感
expire	〔**ex-**出，**(s)pir** 呼吸；「呼出氣體」〕呼氣，吐氣；〔「吐出最後一口氣」〕斷氣，死亡；終止

expiration	〔見上，-ation 名詞字尾，表示行為〕吐氣，斷氣，死亡，告終
respire	〔re-再，spir 呼吸〕（尤指連續地）呼吸
respiration	〔見上，-ation 名詞字尾〕呼吸，呼吸作用
respirator	〔見上，-ator 表示物〕呼吸器，防毒面具，防塵口罩
spirit	〔spir 呼吸，-it 名詞字尾；呼吸→氣息，the breath of life →〕精神，心靈，靈魂
spiritual	〔見上，-ual…的〕精神（上）的，心靈的
dispirit	〔di-＝dis-取消，除掉，spirit 精神；「使失去精神」→使失去勇氣→〕使氣餒，使沮喪
perspire	〔per-貫穿，透過，spir 呼吸；「呼透」→由毛孔呼出〕出汗，排汗
spirograph	〔spir(o)呼吸，graph 寫→記〕呼吸描記器
spirometer	〔spir(o)呼吸，meter 測量器，計〕呼吸量測定器，肺活量計
spirometry	〔見上，metry 測量法〕呼吸量測定法
spiracle	〔spir 呼吸，通氣，-acle 名詞字尾〕呼吸孔，通氣孔

✓ 呼吸──(2) hal ⃞托

inhale	〔in-入，hal 呼吸〕吸入，吸氣
inhaler	〔見上，-er 表示人或物〕吸入者，吸入器
inhalant	〔見上，-ant 表示物〕被吸入的東西（指藥劑等）
inhalation	〔見上，-ation 名詞字尾〕吸入，吸入藥劑
inhalator	〔見上，-ator 表示物〕吸入器，人工呼吸器
exhale	〔ex-出，外，hal 呼吸〕呼出，呼氣

exhalation	〔見上，-ation 名詞字尾〕呼氣
exhalent	〔見上，-ent…的〕呼出的
halitosis	〔hal 呼吸，-it-，-osis 表示疾病；口中「呼出」的臭氣→〕口臭

61 吃──(1) ed 大

edible	〔ed 吃，-ible 形容詞字尾，可…的〕可以吃的，食用的
edibility	〔ed 吃，-ibility 名詞字尾，可…性〕可食性
inedible	〔in-不，edible 可吃的〕不可吃的，不適合食用的
inedibility	〔見上〕不可食性
edacious	〔ed 吃，-acious 形容詞字尾，表示有…性質的，好…的〕貪吃的，狼吞虎嚥的
edacity	〔ed 吃，-acity 名詞字尾，表示性質、情況〕貪吃，狼吞虎嚥

吃──(2) phag 托

anthropophagous	〔anthropo 人，phag 吃，-ous…的〕食人肉的
anthropophagy	〔見上，-y 名詞字尾〕食人肉的習性
carpophagous	〔carpo 果實，phag 吃，-ous…的〕食果的
dysphagia	〔dys-困難，不良，phag 吃，嚥，-ia 名詞字尾〕嚥下困難
geophagy	〔geo 土地，phag 吃，-y 名詞字尾〕食土（癖）
hematophagous	〔hemato 血，phag 吃，-ous…的〕食血為生的

hippophagous	〔hippo 馬, phag 吃, -ous…的〕食馬肉的
hippophagy	〔見上, -y 名詞字尾〕食馬肉的習性
ichthyophagist	〔ichthyo 魚, phag 吃, -ist 人〕食魚的人, 以魚為食的人
ichthyophagous	〔見上, -ous…的〕食魚的, 以魚為食的
lithophagous	〔litho 石, phag 吃, -ous…的〕食石的
necrophagous	〔necro 死屍, phag 吃, -ous…的〕吃 (腐) 屍的
ophiophagous	〔ophio 蛇, phag 吃, -ous…的〕食蛇的
phyllophagous	〔phyllo 葉, phag 吃, -ous…的〕食葉的, 以葉為食的
phytophagous	〔phyto 植物, phag 吃, -ous…的〕食植物的
polyphagous	〔poly-多, phag 吃, -ous…的〕多食性的; 雜食的
zoophagous	〔zoo 動物, phag 吃, -ous…的〕吃動物的, 肉食的

✓ 吃──(3) vor　　　　　　　　　　托

voracious	〔vor 吃, -acious 形容詞字尾, 好…的〕貪吃的, 狼吞虎嚥的
voracity	〔vor 吃, -acity 名詞字尾〕貪食, 暴食
devour	〔de-表加強意義, vour ← vor (音變：ou一o) 吃〕吞吃, 狼吞虎嚥似地吃
omnivorous	〔omni-全, 一切, vor 吃, -ous…的;「一切都吃的」〕什麼食物都吃的, 雜食性的
omnivora	〔見上, -a 表動物類別〕雜食動物

carnivorous	〔carni 肉, vor 吃, -ous…的〕食肉的, 以肉為食的
carnivore	〔見上〕食肉動物
frugivorous	〔frug 果實, -i-, vor 吃, -ous…的〕以果實為食的
fungivorous	〔fung 菌, -i-, vor 吃, -ous…的〕食真菌的
granivorous	〔gran ← grain 穀物, -i-, vor 吃, -ous…的〕食穀的, 食種子的
herbivorous	〔herb 草, -i-, vor 吃, -ous…的〕食草的, 以草為食的
insectivorous	〔insect 蟲, -i-, vor 吃, -ous…的〕食蟲的, 以蟲為食的
piscivorous	〔pisci 魚, vor 吃, -ous…的〕食魚的, 以魚為食的
sanguinivorous	〔sangui(n)血, -i-, vor 吃, -ous…的〕食血的, 以血為食的

⑥②喝, 飲——pot 〔大〕

potable	〔pot 喝, 飲, -able 可…的〕可喝的, 適合飲用的
potation	〔pot 喝, 飲, -ation 名詞字尾〕一飲; 暢飲, 大喝; 飲酒; 飲料
potatory	〔pot 飲, -atory…的〕飲酒的, 貪杯的
potion	〔pot 飲, -ion 名詞字尾; 「飲劑」→〕一服藥水, 一劑水藥
poison	〔poison ← potion 飲劑 → 藥水 →〕毒藥, 毒, 毒物

poisonous	〔見上，**-ous**…的〕有毒的；有害的；惡毒的
poisoner	〔見上，**-er** 者〕毒害者，毒殺者；放毒者
symposium	〔**sym-**共同，**pos**＝**pot**（音變：**t → s**）飲，**-ium** 名詞字尾；「共飲」→〕酒會；〔轉為：〕座談會，專題討論會
compotation	〔**com-**共同，**pot** 飲，**-ation** 名詞字尾〕同飲，共飲
compotator	〔見上，**-ator** 表示人〕同飲者，酒友

心理活動，感覺

63 愛──(1) phil(o)　　　　　　　　　　　　　　托

philanthropy	〔phil 愛，anthrop 人類，-y 名詞字尾；「愛人類」→〕博愛主義；慈善，善心
philanthropist	〔見上，-ist 者〕慈善家
philogyny	〔philo 愛，gyn 婦女，-y 名詞字尾〕對女人的愛好
philogynist	〔見上，-ist 者〕喜愛婦女的人
philology	〔philo 愛，log 語言，-y 名詞字尾〕語言學
philologist	〔見上，-ist 者〕語言學家
bibliophilist	〔biblio 書，phil 愛，-ist 者〕愛書者，書籍愛好者
bibliophilism	〔見上，-ism 表特性〕愛書癖
hippophile	〔hippo 馬，phil 愛〕愛馬者
zoophilist	〔zoo 動物，phil 愛，-ist 者〕愛護動物者
zoophilous	〔見上，-ous…的〕愛護動物的
Sinophile	〔Sino-中國，phil 愛〕喜愛中國文化的人
Japanophile	〔Japan 日本，-o-，phil 愛→親近〕親日派者
Russophile	〔Russo（＝Russia）俄國，phil 愛〕親俄分子

Anglophile	〔**Anglo** 英國，**phil** 愛〕親英派的人
Americanophile	〔**Americano** 美國，**phil** 愛〕親美者

愛──(2) am　　　　　　　　　　　　　大

amateur	〔**am** 愛，**-ateur**（＝**-eur**）表示人〕業餘愛好者
amateurish	〔見上，**-ish**…的〕業餘的
amatory	〔**am** 愛，**-atory**…的〕戀愛的，色情的
amour	〔**am** 愛，**-our** 名詞字尾〕不正當的男女愛情
amorous	〔**amor**（＝**amour**）愛情，**-ous** … 的〕戀愛的，色情的
amorist	〔見上，**-ist** 表示人〕好色之徒
enamour	〔**en-**使，**amour** 愛情→迷戀〕使迷戀，使傾心

64 恨，厭惡──mis(o)　　　　　　　　托

misanthropy	〔**mis** 厭惡，**anthrop** 人類，**-y** 名詞字尾〕厭惡人類，厭世，憤世嫉俗
misanthropist	〔見上，**-ist** 者〕厭惡人類者，厭世者
misanthropic	〔見上，**-ic**…的〕厭惡人類的，厭世的
misanthropize	〔見上，**-ize** 動詞字尾〕厭惡人類，厭世
misogamy	〔**miso** 厭惡，**gam** 結婚，**-y** 名詞字尾〕厭婚症
misogamist	〔見上，**ist** 者〕厭惡結婚者
misogyny	〔**miso** 厭惡，**gyn** 女，**-y** 名詞字尾〕厭惡女人，厭女症
misogynic	〔見上，**-ic**…的〕厭惡女人的
misogynist	〔見上，**-ist** 者〕厭惡女人者

| misoneism | 〔miso 厭惡，ne ← neo 新，-ism 主義〕厭新；守舊主義 |
| misoneist | 〔見上，-ist 者〕厭新者，守舊者 |

⑥⑤ 怕——⑴ terr　　　　　　　　　　高

terror	〔terr 恐，-or 名詞字尾，表抽象名詞〕恐怖
terrorism	〔見上，-ism 表行為、主義〕恐怖行為；恐怖主義
terrorist	〔見上，-ist 表人〕恐怖主義者；恐怖分子
terrorize	〔見上，-ize 動詞字尾〕使恐怖；恐嚇
terrorization	〔見上，-ization 名詞字尾〕恐怖
terrible	〔terr 怕，-ible 可…的〕可怕的，駭人的
terrify	〔terr 怕，-i-，-fy 使…〕使恐怖，使驚嚇
terrific	〔terr 怕，-i-，-fic…的〕可怕的，駭人的

怕——⑵ tim　　　　　　　　　　高

timid	〔tim 怕，-id 形容詞字尾，…的〕膽怯的，易受驚的
timidity	〔見上，-ity 名詞字尾〕膽怯，膽小，羞怯
intimidate	〔in-使，timid 膽怯的，-ate 動詞字尾；「使膽怯」→〕恐嚇，使畏懼，威脅
intimidation	〔見上，-ation 名詞字尾〕恐嚇，恫嚇，威脅
intimidator	〔見上，-ator 表示人〕恐嚇者，威脅者
timorous	〔tim 怕，膽怯，-or-，-ous…的〕膽怯的，畏怯的，易受驚的

怕——⑶ horr　　　　　　　　　　高

| horrible | 〔horr 怕，-ible 可…的〕可怕的，恐怖的 |

horribly	〔horr 怕，-ibly 可…地〕可怕地
horrid	〔horr 怕，-id…的〕可怕的
horrific	〔horr 怕，-i-，-fic 令…的〕令人害怕的，極其可怕的
horrify	〔horr 怕，-i-，-fy 使…〕使恐怖，使震驚
horrification	〔horr 怕，-i-，-fication 名詞字尾〕使恐怖
horror	〔horr 怕，-or 名詞字尾〕恐怖，戰慄

怕──(4) phob 托

hydrophobia	〔hydro 水，phob 怕，-ia 疾病〕恐水病
photophobia	〔photo 光，見上〕畏光，怕光，羞明
zoophobia	〔zoo 動物，見上〕動物恐怖症
phobanthropy	〔phob 怕，anthrop 人，-y 名詞字尾〕怕人病
dentophobia	〔dent 牙，-o-，phob 怕，-ia 疾病〕害怕牙科治療
neophobia	〔neo 新，見上〕新事物恐怖
acrophobia	〔acro 高，見上〕高空恐懼
ideaphobia	〔idea 思想→思考，見上〕畏思考症
androphobia	〔andro 男人，見上〕畏男病，憎惡男性病，男性恐懼
Anglophobia	〔Anglo 英國，見上〕恐英症，仇英心理
Americanophobe	〔Americano 美國，phob 怕→憎恨〕仇美者
Russophobe	〔Russo 俄國，見上〕恐俄份子，仇俄者

66 悲──dol (岸) 大

condole	〔con- 共同，dol 悲傷；「表示共同悲傷」→〕弔唁，哀悼，慰問

condolence	〔見上，**-ence** 名詞字尾〕弔唁，哀悼，慰問
condolatory	〔見上，**-atory** 形容詞字尾，…的〕弔唁的，哀悼的，表示慰問的
dolour	〔**dol** 悲，**-our** 名詞字尾〕悲哀，悲傷
dolorous	〔**dolor**＝**dolour** 悲哀，**-ous**…的〕令人悲哀的
dole	〔**dol** 悲〕悲哀
doleful	〔見上，**-ful**…的〕令人悲哀的，表示悲哀的，感覺悲哀的

⑥⑦驚奇──mir　　　　　　　　高

mirror	〔**mir** 驚奇，**-or** 表示物；能映出影相，「使人感到驚奇之物」。最初人們對於鏡子能映出影相感到驚奇〕鏡子
admire	〔**ad-**加強意義，**mir** 驚奇，驚異→驚嘆→〕讚賞，羨慕，讚美，欽佩
admirable	〔見上，**-able** 可…的〕令人讚賞的，可欽佩的
admirer	〔見上，**-er** 表示人〕讚賞者，羨慕者
admiration	〔見上，**-ation** 名詞字尾，表示行為、情況〕讚賞，羨慕，欽佩
mirage	〔**mir** 奇異→奇觀，**-age** 名詞字尾，表示物〕奇景，幻景，海市蜃樓
miracle	〔**mir** 驚奇，奇異，**-acle** 表示事物〕奇事，奇蹟
miraculous	〔見上，**miracle**＋**-ous**（…的）→ **miraculous**〕像奇蹟一樣的，令人驚嘆的

68 希望——sper 大

desperate	〔**de-**否定，失去，無，**sper** 希望，**-ate** 形容詞字尾，…的〕失望的，無望的，絕望的；（因絕望而）不顧一切的，拼死的
desperately	〔見上，**-ly** 副詞字尾，…地〕絕望地；不顧一切地
desperation	〔見上，**-ation** 名詞字尾〕絕望；拼命，不顧一切
desperado	〔見上，**-ado** 來自西班牙語的名詞字尾，表示人；「絕望的人」→〕亡命徒；暴徒
despair	〔**de-**否定，失去，無，**spair** ← **sper** 希望〕絕望，失望；失去信心
despairing	〔見上〕絕望的

有 credit (信), 有 confidence 喲！

69 相信，信任——(1) cred 大

°**credible**	〔**cred** 相信，信任，**-ible** 可…的〕可信的，可靠的
credibility	〔**cred** 相信，信任，**-ibility** 表示性質〕可信，可靠，信用
incredible	〔**in-**不，**credible** 可信的〕不可信的
incredibility	〔見上〕不可信，難信
credulous	〔**cred** 信任，**-ulous** 易…的〕易信的，輕信的
incredulous	〔**in-**不，見上〕不輕信的
credit	信任，相信
creditable	〔見上，**-able** 可…的〕可信的，使人信任的
discredit	〔**dis-**不，**credit** 信任〕不信任，喪失信用

accredit	〔ac-表示 to, credit 信任〕相信, 信任, 委任
credence	〔cred 信任 -ence 名詞字尾〕信任
credential	〔cred 信任, -ential 複合字尾(-ent＋-ial)⋯的〕信任的;〔轉為名詞〕憑證; (複數) 信任狀, 國書

相信, 信任──(2) fid　　大

confide	〔con-加強意義, fid 信任〕信任; 信託, 委託; 吐露 (秘密)
confidence	〔見上, -ence 名詞字尾〕信任; 信心, 自信
confident	〔見上, -ent 形容詞字尾〕有信心的; 確信的
confidential	〔見上, -ial 形容詞字尾〕極受信任的, 心腹的
confidant	〔見上, -ant 名詞字尾, 表示人; 「可信任的人」→〕密友, 知己
diffidence	〔dif-否定, 不, fid 信, -ence 名詞字尾〕不自信, 缺乏自信
diffident	〔見上, -ent 形容詞字尾〕缺乏自信的
infidel	〔in-不, fid 信仰〕不信仰宗教的; 不信宗教者
infidelity	〔見上, -ity 名詞字尾〕不信仰宗教, 無宗教信仰; 背信
perfidy	〔per-穿過, 越過→違反, fid 信義, -y 名詞字尾;「違反信義」→〕背信棄義; 叛變, 出賣
perfidious	〔見上, -ious 形容詞字尾〕背信棄義的; 不忠的, 叛賣的

⑦⓪知──⑴ sci 高

science 〔**sci** 知→知識，**-ence** 表示抽象名詞；「系統的知識」→〕科學

scientist 〔見上，字母拼寫改變：**ce → t**，**-ist** 表示人〕科學家

scientific 〔見上，**-i-**，**-fic** …的〕科學（上）的，符合科學規律的

conscious 〔**con-** 加強意義，**sci** 知，知道，**-ous** …的；「知道的」，「感覺到的」，「覺悟到的」→〕意識到的，有意識的，自覺的

consciousness 〔見上，**-ness** 表示抽象名詞〕意識，覺悟，知覺

unconscious 〔**un-** 無，不，見上〕無意識的，不知不覺的，不知道的，未發覺的，失去知覺的，不省人事的

subconscious 〔**sub-** 下，見上〕下意識的，潛意識的

conscience 〔**con-** 共同，完全，**sci** 知，**-ence** 名詞字尾；「完全知道善惡是非之分」→〕良心，道德心

conscientious 〔見上，字母拼寫改變：**ce → t**，**-ious** …的〕憑良心的，誠心的，認真的

scient 〔**sci** 知→知識，**-ent** …的〕有知識的

sciential 〔見上，**-ial** …的〕知識的，產生知識的，有充分知識的

omniscient 〔**omni-** 全，**sci** 知，**-ent** …的〕全知的，無所不知的

nescient 〔**ne-** 無，**sci** 知，**-ent** …的〕無知的，缺乏知識的

nescience	〔ne-無, sci 知, -ence 名詞字尾〕無知, 缺乏知識
prescient	〔pre-先, 預先, sci 知, -ent … 的〕預知的, 有先知之明的
prescience	〔見上, -ence 名詞字尾〕預知, 先見
pseudoscience	〔pseudo-假, science 科學〕假科學, 偽科學
geoscience	〔geo 地, 地球, science 科學〕地球科學

知──(2) cogn 大

cognition	〔cogn 知道 → 認識, 認知, -ition 名詞字尾〕認識
cognitive	〔cogn 知道 → 認識, -itive 形容詞字尾, …的〕認識的
cognize	〔cogn 知道, -ize 動詞字尾〕知道, 認識
cognizable	〔見上, -able 可…的〕可認識的
incognizable	〔in-不, 見上〕不可認識的, 不可知的
cognizance	〔cogniz(e)＋-ance 名詞字尾〕認識, 認知
cognizant	〔cogniz(e)＋-ant 形容詞字尾, …的〕認識的, 知曉的
incognizant	〔in-不, 見上〕沒認識到的
recognize	〔re-加強意義, cogn 知道 → 認識, -ize 動詞字尾〕認識, 認出
recognizable	〔見上, -able 可…的〕可認識的, 可認出的
irrecognizable	〔ir-不, 見上〕不能認識的, 不能認出的
recognition	〔re-加強意義, cogn 知道 → 認識, -ition 名詞字尾〕認出, 認識, 識別
precognition	〔pre-預先, cogn 知道, -ition 名詞字尾〕預知, 預察, 預見

71 感覺── sent sens 托

sentiment	〔**sent** 感覺→感情，情緒，**-i-**，**-ment** 名詞字尾〕感情，情緒，思想感情
sentimental	〔見上，**-al**…的〕情感（上）的，傷感的，多愁善感的
consent	〔**con-**同，共同，**sent** 感覺→意識，意見〕同意，贊同
consenter	〔見上，**-er** 者〕同意者，贊同者
consentient	〔見上，**-i-**，**-ent**…的〕同意的，贊成的，一致的
consentaneous	〔見上，**consent** 同意，**-aneous** 形容詞字尾，…的〕同意的，一致的
dissent	〔**dis-**分開→不同，**sent** 感覺→意見〕不同意，持不同意見，持異議
dissension	〔見上，**t → s**，**-ion** 名詞字尾〕意見分歧，不和，爭論，糾紛
dissenter	〔見上，**-er** 者〕不同意者，反對者，持異議者
dissentient	〔見上，**-i-**，**-ent**…的〕不同意的
resent	〔**re-**相反，**sent** 感覺，感情；「反感」→〕對…不滿，怨恨
resentful	〔見上，**-ful**…的〕不滿的，忿恨的
resentment	〔見上，**-ment** 名詞字尾〕不滿，忿恨，怨恨
presentiment	〔**pre-**先，預先，**sent** 感覺，**-i-**，**-ment** 名詞字尾〕預感
sense	感覺，意識

sensible	〔sens 感覺，-ible 可…的〕能感覺到的，可覺察的
sensibility	〔sens 感覺，-ibility 名詞字尾，…性〕敏感性，感受性，感覺（力），觸覺
sensitive	〔sens 感覺，-itive…的〕敏感的，神經過敏的
sensation	〔sens 感覺，-ation 名詞字尾〕感覺，知覺
sensational	〔見上，-al…的〕感覺的
sensory	〔sens 感覺，-ory…的〕感覺的
insensible	〔in-無，不，sensible 感覺的〕無感覺的，失去知覺的
insensitive	〔in-無，sens 感覺，-itive…的〕感覺遲鈍的
hypersensitive	〔hyper-過於，sens 感覺，-itive…的〕過敏的
oversensitive	〔over-過於〕過分敏感的
sensitize	〔sens 感覺，-it-，-ize 使…〕使敏感，變敏感
desensitize	〔de-除去，消除，見上〕使不敏感，使脫敏
desensitization	〔見上，-ation 名詞字尾，表示情況，狀態〕脫敏（現象）
desensitizer	〔見上，-er 表示物〕脫敏藥，脫敏劑
extrasensory	〔extra-超，sens 感覺，-ory…的〕超感覺的
sensual	〔sens 感覺，-ual…的〕感覺的，肉感的
sensuous	〔sens 感覺，-uous…的〕感官方面的，感覺上的

72 關心，掛念──cur 〔高〕大

security	〔**se-**分開，脫離，**cur** 掛念，擔心，**-ity** 名詞字尾；「脫離掛念」→不用掛念，無須擔心→〕安全
secure	〔見上〕安全的，無憂的
insecure	〔**in-**不，**secure** 安全的〕不安全的
insecurity	〔**in-**不，**security** 安全〕不安全
curious	〔**cur** 關心，注意，**-ious** 形容詞字尾，…的；「引人注意的」→〕新奇的，奇怪的；〔對…特別「關心」的→〕好奇的，愛打聽的
curiosity	〔見上，**-osity** 名詞字尾〕好奇心，奇品，珍品，古玩
curio	〔**curiosity** 的縮寫式〕珍品，古董，古玩
incurious	〔**in-**不，無，**curious** 見上，新奇的，好奇的〕不新奇的，無好奇心的
incuriosity	〔**in-**不，無，見上〕不新奇，無好奇心，不關心
cure	〔**cur** 關心，關懷→（對病人）照料，護理→〕醫治，治療
curable	〔見上，**-able** 可…的〕可醫治的，可治好的
incurable	〔**in-**不，見上〕不可醫治的，不治的，醫不好的
curative	〔**cur** 關心→醫治，**-ative** …的〕治病的，治療的，有效的

73 記憶──(1) memor 　　　高

memory	〔**memor** 記憶，**-y** 表示情況，狀態，行為〕記憶，記憶力，回憶，紀念

memorize	〔memor 記憶, -ize 動詞字尾, 使…〕記住, 熟記
memorable	〔memor 記憶, -able 可…的〕難忘的, 值得紀念的
memorial	〔memor 記憶, -ial 形容詞字尾, …的〕記憶的, 紀念的;〔轉為名詞〕紀念物, 紀念日, 紀念碑, 紀念儀式
immemorial	〔im-不, 無, memorial 記憶的;「無法記憶的」〕無法追憶的, 太古的, 遠古的
memorandum	〔memor 記憶, 回憶, -andum=-and (-end) 名詞字尾, 表示物;「以備回憶之物」「something to be remembered」→〕備忘錄
commemorate	〔com-加強意義, memor 記憶→紀念, -ate 動詞字尾, 做…事〕紀念
commemoration	〔見上, -ion 名詞字尾, 表示事物〕紀念, 紀念會, 紀念物
commemorable	〔見上, -able 可…的〕值得紀念的
commemorative	〔見上, -ative 表示有…性質的〕紀念性的
remember	〔re-回, 再, member ← memor 記憶〕想起, 回憶起, 記得, 記住
rememberable	〔見上, -able 可…的〕可記得的, 可記起的, 可紀念的
remembrance	〔見上, -ance 表示情況, 狀態, 行為〕回憶, 記憶, 記憶力
misremember	〔mis-錯, remember 記住, 記憶〕記錯
disremember	〔dis-不, remember 記得〕忘記

記憶——(2) mne mnemon 大托

amnesty	〔a-不，mne 記憶，-s-，-ty 名詞字尾；「不記舊仇宿怨」→〕赦免，大赦
amnesia	〔a-無，mne 記憶，-s-，-ia 名詞字尾；「無記憶力」→〕記憶喪失，健忘（症）
anamnesia	〔ana-回，mne 記憶，見上〕回憶，回想
hypermnesia	〔hyper-超過，太甚，mne 記憶〕記憶增強
paramnesia	〔para-錯誤，mne 記憶〕記憶錯誤
mnemonic	〔mnemon 記憶，-ic…的〕記憶的，記憶術的
mnemonics	〔mnemon 記憶，-ics 術，法〕記憶術，記憶法
mnemonist	〔見上，-ist 表示人〕研究記憶術者
mnemonician	〔見上，-ician 表示人〕精於記憶術的人
mnemonize	〔見上，-ize 動詞字尾〕用記憶術記憶

74 痛——alg 科

arthralgia	〔arthr 關節，alg 痛，-ia 表疾病〕關節神經痛，關節痛
cephalalgia	〔cephal 頭，alg 痛，-ia 表疾病〕頭痛
cardialgia	〔cardi 心，alg 痛，-ia 表疾病〕心痛
enteralgia	〔enter 腸，alg 痛，-ia 表疾病〕腸痛
neuralgia	〔neur 神經，alg 痛，-ia 表疾病名稱〕神經痛症
neuralgic	〔見上，-ic…的〕神經痛的
odontalgia	〔odont 牙，alg 痛，-ia 表疾病名稱〕牙痛

odontalgic	〔見上，-ic…的〕牙痛的
gastralgia	〔gastr 胃，alg 痛，-ia 表疾病名稱〕胃痛
otalgia	〔ot 耳，alg 痛，-ia 表疾病名稱〕耳痛
rachialgia	〔rachi 脊椎，alg 痛，-ia 表疾病名稱〕脊椎痛，脊柱痛
adenalgia	〔aden 腺，alg 痛，-ia 表疾病名稱〕腺痛
nephralgia	〔nephr 腎，alg 痛，-ia 表疾病〕腎痛
pleuralgia	〔pleur 肋膜，alg 痛，-ia 表疾病〕肋膜痛，胸膜痛
myalgia	〔my 肌，alg 痛，-ia 表疾病〕肌痛
metralgia	〔metr＝metro 子宮，alg 痛，-ia 表疾病〕子宮痛
hemialgia	〔hemi-半，alg 痛，-ia 表疾病〕半身痛症，偏側痛
hyperalgesia	〔hyper-過多，alg 痛，-esia 表疾病〕痛覺過敏
hyperalgesic	〔見上，-ic…的〕痛覺過敏的
hypalgesia	〔hyp-少，弱，alg 痛，-esia 表疾病〕痛覺遲鈍
analgesia	〔an-無，alg 痛，-esia 表疾病〕痛覺缺失，無痛
antalgic	〔ant-反對→制止，alg 痛，-ic …的〕止痛的，鎮痛的；止痛藥，鎮痛劑
nostalgia	〔nost 來自希臘語 nostos，義為「回家」，alg 痛→病，「回家病」→〕懷鄉病
nostalgic	〔見上，-ic…的〕懷鄉的
rhinalgia	〔rhin 鼻，alg 痛，-ia 表疾病〕鼻痛

| algometer | 〔alg 痛, -o-, meter 計〕痛覺測驗器, 痛覺計 |
| algometric | 〔見上, -ic…的〕痛覺測驗的 |

✓ 75 崇拜——latr(y)　　　　　　大托
　　崇拜者——later

idolatry	〔ido(l) 偶像, latry 崇拜〕偶像崇拜; 盲目崇拜
idolater	〔見上, later 崇拜者〕偶像崇拜者
plutolatry	〔pluto 財, 金錢, latry 崇拜〕拜金, 金錢崇拜
technolatry	〔techno 技術, latry 崇拜〕技術崇拜
astrolatry	〔astro 星辰, 天象, latry 崇拜〕天象崇拜
heliolatry	〔helio 太陽, latry 崇拜〕太陽崇拜
heliolater	〔helio 太陽, later 崇拜者〕崇拜太陽者
luniolatry	〔lun 月亮, -io-, latry 崇拜〕拜月, 太陰崇拜
pyrolatry	〔pyro 火, latry 崇拜〕崇拜火, 拜火教
ophiolatry	〔ophio 蛇, latry 崇拜〕對蛇的崇拜
ophiolater	〔見上, later 崇拜者〕蛇崇拜者
ophiolatrous	〔見上, -ous…的〕崇拜蛇的
monolatry	〔mono- 單一, latry 崇拜〕一神崇拜
demonolatry	〔demon 鬼, -o-, latry 崇拜〕鬼神崇拜
litholatry	〔litho 石, latry 崇拜〕拜石, 拜石教
litholatrous	〔litho 石, latr 崇拜, -ous…的〕拜石的
autolatry	〔auto- 自己, latry 崇拜〕自我崇拜
bibliolatry	〔biblio 書, latry 崇拜〕書籍崇拜
zoolatry	〔zoo 動物, latry 崇拜〕動物崇拜

| zoolater | 〔見上，-later 崇拜者〕動物崇拜者 |

76 心理，精神——psych(o) 屏宵　　科

psychic	〔psych 心理，精神，-ic…的〕心理的，精神的
psychology	〔psycho 心理，-logy…學〕心理學
psychologist	〔psycho 心理，-logist…學者〕心理學者
psychopathy	〔psycho 心理，pathy 病〕心理病態，精神變態
psychopathic	〔見上，-ic…的〕心理病態的，精神變態的
psychopathology	〔psycho 心理，pathology 病理學〕心理病理學，精神病理學
psychobiology	〔psycho 心理，biology 生物學〕心理生物學，生物心理學
psychotherapy	〔psycho 心理，therapy 療法〕心理療法，精神療法
psychotic	〔psycho 精神，-otic 形容詞字尾，患…的〕精神病的；患精神病的
psychometrics	〔psych 心理，metr 測量→測驗，-ics…學〕心理測驗學
psychoneurosis	〔psycho 精神，neur 神經，-osis 表疾病〕精神（性）神經病
psychoneurotic	〔psycho 精神，neur 神經，-otic…的〕精神（性）神經病的
psychoanalysis	〔psycho 精神，analysis 分析〕精神分析（學）
psychophysics	〔psycho 心理，physics 物理學〕心理物理學

psychophysiology	〔psycho 心理，physiology 生理學〕心理生理學，精神生理學
psychosis	〔psych 精神，-osis 表疾病〕精神病，精神變態
panpsychism	〔pan- 泛，psych 心理，心靈，精神，-ism 論〕〔哲學〕泛心論，萬有精神論（一種唯心主義學說）
zoopsychology	〔zoo 動物，psychology 心理學〕動物心理學

77 感情，情感—— path(y) pass　　大托

sympathy	〔sym- 同，pathy 感情〕同情，同情心
sympathize	〔sym- 同，path 感情，ize 動詞字尾〕表同情，同情
sympathetic	〔sym- 同，path 感情，-etic …的〕同情的
pathetic	〔path 感情，-etic 形容詞字尾〕感情（上）的
apathetic	〔a- 無，path 感情，-etic …的〕無情的；無感情的
apathy	〔a- 無，pathy 感情〕無情，無感情；冷淡
antipathy	〔anti- 反對，相反，pathy 感情〕反感，厭惡
antipathic	〔anti- 反對，path 感情，-ic …的〕引起反感的
passion	〔pass 感情，情感，-ion 名詞字尾〕激情，熱情，感情
passional	〔見上，-al …的〕熱情的，感情的

passionless	〔見上，**-less** 無，不〕沒熱情的，不動情的，冷淡的
passionate	〔見上，**-ate**…的〕熱情的，激昂的，易動情的
dispassionate	〔**dis-**不，見上〕不動情感的，平心靜氣的
compassion	〔**com-**同，**pass** 情感，**-ion** 名詞字尾〕同情，憐憫
compassionate	〔見上，**-ate**…的〕有同情心的；〔**-ate** 動詞字尾〕同情，憐憫
impassible	〔**im-**無，不，**pass** 情感，**-ible**…的〕無情的，無動於衷的
impassive	〔見上，**-ive**…的〕缺乏熱情的，無動於衷的，冷淡的，無感覺的
impassion	〔**im-**使…，**passion** 熱情，情感〕激起…的熱情，使充滿熱情，激動
impassioned	〔見上，**-ed**…的〕充滿熱情的，激動的

78 夢——oneir(o) 托

oneiric	〔**oneir** 夢，**-ic**…的〕夢的，關於夢的
oneirocritic	〔**oneiro** 夢，**critic** 評論者，「評論夢者」〕詳夢者，解夢者
oneirocritical	〔見上，**-al**…的〕詳夢的，解夢的
oneirocritics	〔見上，**-ics**…術〕詳夢術，解夢術
oneirocriticism	〔見上，**-ism**…術〕詳夢術，解夢術
oneiromancy	〔**oneiro** 夢，**mancy** 占卜〕占夢，夢卜，以夢為根據的占卜術
oneirology	〔**oneiro** 夢，**-logy**…學〕夢學，解夢學

79 意志，意願—— vol volunt 高大

volition	〔vol 意志，-ition 名詞字尾〕意志，意志力
volitional	〔見上，-al…的〕意志的，意志力的
volitive	〔見上，-itive…的〕意志的；表示願望的
benevolence	〔bene-好，vol 意願，-ence 名詞字尾；「好意」，「好心」→〕仁慈，善行，善心，慈善
benevolent	〔見上，-ent…的〕仁慈的，慈善的，善心的
malevolence	〔male-惡，壞，vol 意願，-ence 名詞字尾；「惡意」，「壞心」→〕惡意，惡毒；用心惡毒的行為
malevolent	〔見上，-ent…的〕含有惡意的，惡毒的
volunteer	〔volunt 意志，志願，-eer 者〕自願參加者，志願者，志願兵
voluntary	〔volunt 意志，志願，-ary…的〕自願的，志願的；故意的
voluntarily	〔見上，-ly 副詞字尾〕。自願地，志願地
voluntarism	〔見上，-ism…論〕（哲學）唯意志論
involuntary	〔in-非，不，voluntary 自願的〕非自願的；非故意的

portable → conference → accept → exhibition → translate
example

6

手的動作

80 拿──(1) port　　　高大

portable	〔port 拿，帶，-able 可…的〕可攜帶的，手提的
import	〔im-入，port 拿，運；「拿進，運入」→〕輸入，進口
importation	〔見上，-ation 名詞字尾，表示行為〕輸入，進口
reimport	〔re-再，見上〕再輸入，再進口
export	〔ex-出，port 拿，運；「運出去」→〕輸出，出口
exportation	〔見上，-ation 名詞字尾，表示行為〕輸出，出口
reexport	〔re-再，見上〕再輸出，再出口
transport	〔trans-轉移，越過，由…到…，port 拿，運〕運送，運輸
transportation	〔見上，-ation 名詞字尾，表示行為〕運送，運輸，客運，貨運
deport	〔de-離開，port 拿，運，送；「送離」，「送出去」→〕驅逐出境，放逐
deportation	〔見上，-ation 表示行為〕驅逐出境，放逐

deportee	〔見上，-ee 被…的人〕被驅逐出境的人
report	〔re-回，port 拿，帶；「把消息、情況等帶回來」→〕報告，彙報
reportage	〔見上，-age 表示行為、事物〕新聞報導，報告文學
portage	〔port 拿，運，-age 表示行為、費用〕運輸，搬運，運費
porter	〔port 拿，運→搬運，-er 表示人〕搬運工人
support	〔sup-＝sub-下，port 拿，持；「由下持撐」→使不倒下〕支撐，支持，支援
supporter	〔見上，-er 表示人〕支持者，支援者
portfolio	〔port 拿，持，folio 對折紙，對開本；「手持的對開本形之物」→〕公文夾，文件夾，公事包

拿——(2) fer ⬜高⬜大

confer	〔con 共同，一起，fer 拿；把意見「拿到一起來」→〕協商，商量，交換意見
conference	〔見上，-ence 名詞字尾〕協商會，討論會，會議，會談，討論
differ	〔dif-分開，fer 拿，持；「分開拿」，「分取」，「各持己見」，「各執一詞」→互異→〕不同，相異，意見不同
difference	〔見上，-ence 名詞字尾〕相異，差別，差異，不同
different	〔見上，-ent…的〕不同的，相異的
differential	〔見上，-ial…的〕不同的，差別的，區別的

differentiate	〔見上，**-ate** 動詞字尾，使…〕使不同，區分，區別
differentiation	〔見上，**-ation** 名詞字尾〕區別，分別
offer	〔**of-**向，向前，**fer** 拿；「拿到面前來」→〕提出，提供，奉獻，貢獻
offering	〔見上，**-ing** 名詞字尾，表示行為、物〕提供，捐獻物
prefer	〔**pre-**先，**fer** 拿，取；對某物「先取」，「先選」，寧願「先要」某事物→〕寧可，寧願（選擇），更喜歡…，偏愛…
preferable	〔見上，**-able** 可…的〕更可取的，更好的
preference	〔見上，**-ence** 名詞字尾〕優先，偏愛，優先權
preferential	〔見上，**-ial**…的〕優先的，優待的
transfer	〔**trans-**越過，轉過，**fer** 拿；「拿過去」→〕轉移，傳遞，傳輸，轉讓
transference	〔見上，**-ence** 名詞字尾〕轉移，傳遞，轉讓

√ 拿──(3) cept 高大

except	〔**ex-**外，出，**cept** 拿；「拿出去」→ 排除，除外→〕除…之外，把…除外
exception	〔見上，**-ion** 名詞字尾〕例外，除外
exceptional	〔見上，**-al**…的〕例外的，異常的，特殊的
exceptive	〔見上，**-ive**…的〕作為例外的，特殊的
accept	〔**ac-**加強意義，**cept** 拿 → 接 →〕接受，領受，承認
acceptable	〔見上，**-able** 可…的〕可接受的

intercept	〔inter-中間→從中，cept 拿，取；「從中截取」→〕截取，截擊，攔截，截斷
interception	〔見上，-ion 名詞字尾〕截取，截住，攔截，截擊
intercepter	〔見上，-er 表示物〕截擊機
incept	〔in-入，cept 拿，取；「拿入」→收進→〕接收（入會），攝入，攝取

✓拿──(4) hibit 高大

exhibit	〔ex-外，出，hibit 拿，持；「拿出去」→擺出去給人看→〕展出，展覽，陳列，展示，顯示
exhibition	〔見上，-ion 名詞字尾〕展覽，展覽會，展示
exhibitioner	〔見上，-er 表示人〕展出者
exhibitor	〔見上，-or 表示人〕展覽會的參加者
inhibit	〔in-表示 in，hibit 持，握；"to hold in"，"to maintain in"→〕阻止，禁止，抑制
inhibition	〔見上，-ion 名詞字尾〕阻止，禁止，抑制
inhibitor	〔見上，-or 表示人或物〕阻止者，禁止者，抑制劑
prohibit	〔pro-向前，hibit 持，握；「擋住」→〕阻止，禁止
prohibition	〔見上，-ion 名詞字尾〕禁止，禁令
prohibitor	〔見上，-or 表示人〕禁止者，阻止者

✓拿──(5) lat 大

translate	〔**trans-**轉，移，越過，**lat** 持，拿；**"to carry across"**，「拿過去」→轉過去→〕翻譯；轉化
translation	〔見上，**-ion** 名詞字尾〕翻譯；譯文，譯本；轉化
translative	〔見上，**-ive**…的〕翻譯的；轉移的
translator	〔見上，**-or** 者〕翻譯者，譯員
collate	〔**col-**共同，一起，**lat** 持，拿；「拿到一起來」→〕對照；核對；校對
collator	〔見上，**-or** 者〕校對者；核對者
collation	〔見上，**-ion** 名詞字尾〕核對
ventilate	〔**venti** 風，**lat** 拿，帶；「把風帶過來」→把風送進來〕使通風
ventilator	〔見上，**-or** 表示物〕通風裝置；送風機
ventilation	〔見上，**-ion** 名詞字尾〕通風；流通空氣
legislate	〔**legis** 法，**lat** 持，拿；**"the carrying (hence passing) of a law or of laws"**→〕立法
legislation	〔見上，**-ion** 名詞字尾〕立法
legislative	〔見上，**-ive**…的〕立法的
legislator	〔見上，**-or** 者〕立法者；立法機關的成員
legislature	〔見上，**-ure** 名詞字尾〕立法機關
illation	〔**il-**表示 in，**lat** 持，拿；**"to carry (or bring) in"**，「引入」，「引來」→〕演繹（法）；推論
illative	〔見上，**-ive**…的〕演繹的；推論的
ablate	〔**ab-**離開，去，**lat** 持，拿；**"to carry away"**→〕切除

ablation	〔見上，**-ion** 名詞字尾〕〔醫學〕部分切除（術）；脫離
superlative	〔**super** 上→高，**lat** 持，拿，**-ive**…的；「擺到上層的」，「置於高處的」→〕最高的；〔語法〕（形容詞、副詞的）最高級的

✓ 拿——(6) em／am 高大

example	〔**ex-**出，外，**am** 拿；「拿出來」作樣子的東西→〕例子，實例；範例，樣本；模範，榜樣
exemplar	〔**ex-**出，外，**em** 拿；「拿出來」作典範的東西→〕模範，典型；模型，樣品；範例
exemplary	〔見上，**-ary**…的〕模範的，值得模仿的；示範的
exemplify	〔見上，**-fy** 動詞字尾〕舉例說明；作為…的例子
sample	〔由 **example** 轉成〕樣品，貨樣；實例，標本；樣本
samplar	〔見上，**-ar** 表示人或物〕樣品檢驗員；取樣員，取樣器
exempt	〔**ex-**出，**em** 拿；「拿出」，「取出」→除外，除去→〕免除，豁免；被免除的，被豁免的；被免除者，免稅人
exemption	〔見上，**-ion** 名詞字尾〕免除，豁免；免稅
exemptible	〔見上，**-ible** 可…的〕可享豁免權的
preempt	〔**pre-**先，**em** 拿，佔有，買〕（為取得先買權而）預先佔有；先佔，先取，以先買權取得
preemption	〔見上，**-ion** 名詞字尾〕先佔，先買；先買權

redeem	〔**red-**回，**(e)em** 拿，買；「拿回」，「買回」→〕贖回，買回；重獲，復得，挽回
redeemable	〔見上，**-able** 可…的〕可贖回的
redemption	〔見上〕贖回，買回；重獲，復得；挽回
irredeemable	〔**ir-**不〕不能贖回的；不能挽回的

81 推——(1) pel ⼤

propel	〔**pro-**向前，**pel** 推〕推進，推動
propeller	〔見上，**-er** 表示人或物〕推進者，推進器，螺旋槳
propellent	〔見上，**-ent**…的〕推進的；〔**-ent** 表示人或物〕推進物，推進者
expel	〔**ex-**出，外，**pel** 推；「推出」→〕逐出，趕出，驅逐，開除
expeller	〔見上，**-er** 者〕逐出者，驅逐者
expellee	〔見上，**-ee** 被…的人〕被驅逐（出國）者
expellable	〔見上，**-able** 可…的〕可逐出的
expellant	〔見上，**-ant**…的〕趕出的，驅除的
repel	〔**re-**回，**pel** 推，逐；「逐回」→〕擊退，反擊，抵抗，防
repellence	〔見上，**-ence** 表示性質〕反擊性，抵抗性
repellent	〔見上，**-ent**…的〕擊退的，擊回的，排斥的；〔**-ent** 表示物〕防護劑，防水布
dispel	〔**dis-**分散，**pel** 驅〕驅散
compel	〔**com-**加強意義，**pel** 推，驅逐，驅使；「驅之使作某事」→〕強迫，迫使
compellable	〔見上，**-able** 可…的〕可強迫的
compeller	〔見上，**-er** 者〕強迫他人者，驅使別人者

| impel | 〔im-加強意義，pel 推〕推動，激勵 |
| impeller | 〔見上，-er 表示人或物〕推動者，推動器 |

✓ 推──(2) trud / trus 〔托〕

detrude	〔de-下，trud 推〕推下，推落，推倒，推去
detrusion	〔見上，-ion 名詞字尾〕推下，推倒
intrude	〔in-入，trud 推，衝，闖；「闖入」，「衝入」→〕侵入，入侵；闖入
intruder	〔見上，-er 者〕入侵者；闖入者
intrusion	〔in-入，trus 推，衝，闖，-ion 名詞字尾〕入侵；闖入
intrusive	〔見上，-ive…的〕入侵的；闖入的
extrude	〔ex-出，trud 推；「推出」→〕逐出，趕走；擠壓出，噴出
extruder	〔見上，-er 表示物〕擠壓機
extrusion	〔見上，-ion 名詞字尾〕逐出；噴出；擠壓
extrusive	〔見上，-ive…的〕逐出的；噴出的；擠出的
protrude	〔pro-向前，trud 推；「推向前」→〕使伸出，使突出
protrusile	〔見上，-ile 可…的〕可伸出的，可突出的
protrusion	〔見上，-ion 名詞字尾〕伸出，突出；突出部分
protrusive	〔見上，-ive…的〕伸出的，突出的

82 拉，抽，引──(1) tract 〔大〕

| tractor | 〔tract 拉，-or 名詞字尾，表示物〕拖拉機 |

attract	〔**at-**=**ad-**表示 **to**, **tract** 抽, 引 →〕吸引, 誘惑
attractive	〔見上, **-ive**…的〕有吸引力的, 有誘惑力的
attraction	〔見上, **-ion** 名詞字尾〕吸引, 吸引力, 誘惑力
protract	〔**pro-**向前, **tract** 拉;「向前拉」→拉長〕延長, 伸長, 拖延
protraction	〔見上, **-ion** 名詞字尾, 表示行為〕延長, 拖延
protractile	〔見上, **-ile** 可…的〕(爪、舌 等) 可伸長的, 可伸出的
contract	〔**con-**共同, 一起, **tract** 拉;「把二者拉在一起」→使二者結合在一起→〕訂約, 締結, 契約, 合同;〔「共同拉緊」→〕收縮, (使) 縮小, 收縮了的
contraction	〔見上, **-ion** 名詞字尾〕訂約, 收縮
abstract	〔**abs-**=**ab-**離開, 去, 出, **tract** 抽;「抽去」,「抽出」→〕抽象, 抽象的, 抽取, 提取, 摘要
abstraction	〔見上, **-ion** 名詞字尾〕抽象 (化), 提取, 抽出, 分離
extract	〔**ex-**出, **tract** 抽〕抽出, 拔出, 取出
retract	〔**re-**回, **tract** 抽〕縮回, 縮進, 收回, 撤回
subtract	〔**sub-**下, **tract** 抽;「抽下」→ 抽去 →〕減, 減去, 去掉
distract	〔**dis-**分開, 離開, **tract** 抽, 引;「把注意力引開」→〕分散 (注意力), 使 (人) 分心, 弄昏, 迷惑

拉，抽，引──(2) tir 托

retire　　〔re-回，tir 拉，引；「拉回」，「引回」→〕引退，退隱，退休，退職，退卻，撤退

retired　　〔見上，-ed…的〕退休的，退職的

retirement　〔見上，-ment 名詞字尾〕退休，引退，撤退

retiree　　〔見上，-ee 表示人〕退休者，退職者，退役者

tirade　　〔tir 拉，-ade 名詞字尾；「拉長」的演說〕長篇的演說，冗長的演說

83 扭──tort 托

torture　　〔tort 扭→扭彎→折→折磨，-ure 名詞字尾〕拷打，折磨，嚴刑，痛苦；〔轉為動詞〕拷打，虐待，折磨，使痛苦；〔扭→扭歪→〕歪曲，曲解

torturer　　〔見上，-er 表示人〕拷打者，拷問者，虐待者

torment　　〔見上，tor(t)＋-ment 名詞字尾〕痛苦，折磨；曲解，歪曲

contort　　〔con-加強意義，tort 扭〕扭彎，扭歪，扭曲，曲解

contortion　　〔見上，-ion 名詞字尾〕扭彎，扭歪，曲解，扭曲

contortionist　〔見上，-ist 表示人；「扭彎身體的人」→〕善作柔體表演的雜技演員

distort　　〔dis-離，tort 扭；「扭離正形」〕弄歪（嘴、臉等）；歪曲，曲解

distortion	〔見上，-ion 名詞字尾〕弄歪，變形，歪曲
distortionist	〔見上，-ist 表示人；「扭歪身體的人」→〕柔體表演者；〔「善畫歪形的人」→〕漫畫家
extort	〔ex-出，離去，tort 扭；「扭走」，「扭去」→奪去，奪走→〕強取，逼取，敲詐，勒索
extortion	〔見上，-ion 名詞字尾〕強取，逼取，敲詐，勒索
extortioner	〔見上，-er 表示人〕強取者，勒索者
retort	〔re-回，tort 扭；「扭回」→打回→〕反擊，回報，反駁
retortion	〔見上，-ion 名詞字尾〕扭回，扭轉，報復
tortuous	〔tort 扭→扭彎→彎曲，-uous 形容詞字尾…的〕彎彎曲曲的，扭曲的
tortuosity	〔見上，-ity 名詞字尾〕曲折，彎曲
tortile	〔tort 扭，-ile 形容詞字尾…的〕扭轉的，扭彎的
torsion	〔tors＝tort 扭，-ion 名詞字尾〕扭轉，扭力
intort	〔in-內，tort 扭〕向內彎

84 投，送──(1) miss mit 托

| missile | 〔miss 投擲，發射，-ile 名詞兼形容詞字尾，表示：1.物體，2.可…的〕投擲物，發射物；導彈；飛彈；可發射的；可投擲的 |
| emissive | 〔e-外，出，miss 發，投，-ive … 的〕發出的，發射的 |

emission	〔e-外，出，miss 發，-ion 名詞字尾〕發出，發射，散發
emissary	〔e-出，miss 送，派，-ary 表示人〕派出的密使；間諜
emit	〔e-出，mit 發〕散發，放射；發行；發出
immit	〔im-入內，mit 投〕投入，注入
immission	〔im-入內，miss 投，-ion 名詞字尾〕投入，注入
intermit	〔inter-中間，mit 投，送；「中間插入」→〕間歇，中斷
intermission	〔見上，-ion 名詞字尾〕中間休息；間歇，中斷
intromit	〔intro-入內，mit 送〕送入，插入；讓…進入
intromission	〔見上，-ion 名詞字尾〕許入；插入
manumit	〔manu 手，mit 送出，放出；「以手放出」→〕釋放
manumission	〔見上，-ion 名詞字尾〕釋放
remit	〔re-回，mit 送；「送回」，「把錢發送回去」→〕寄錢，滙款
remittance	〔見上，-t 重覆字母，-ance 名詞字尾〕滙款
remittee	〔見上，-ee 人〕（滙票的）收款人
transmit	〔trans-轉，傳，mit 送，發〕傳送；播送；發送
transmission	〔見上，-ion 名詞字尾〕傳送；發射，播送
transmitter	〔見上，-er 表人和物〕傳送者；發射機，發報機

transmissible	〔見上，-ible 可…的〕能傳送的；可發射的；可播送的
commit	〔com-加強意義，mit 送，委派〕委任，委派，把…交託給
committee	〔見上〕委員會
subcommittee	〔sub-小的，次的，下級的，見上〕（委員會下的）小組委員會
commission	〔見上，-ion 名詞字尾〕委任，委派；委員會
commissary	〔見上，-ary 人〕委員，代表
dismiss	〔dis-離開，miss 送；「送出去」→〕開除，免職；解散
dismission	〔見上，-ion 名詞字尾〕開除，免職；解散
mission	〔miss 送，委派，-ion 名詞字尾，「被派送出去者」〕使節；使團；使命
missionary	〔見上，-ary 名詞兼形容詞字尾〕（被派遣出去）傳教的；傳教士

投，送──⑵ ject　　大

project	〔pro-向前，ject 擲〕拋出，投擲，發射，射出；〔投出→拿出，「提出一種設想」→〕設計，計劃，規劃
projection	〔見上，-ion 名詞字尾〕投擲，發射，投影，投影圖，設計，規劃
projector	〔見上，-or 表示人或物〕投射器，發射器，放映機，計劃人，設計者
projectile	〔見上，-ile 表示物〕拋射體，射彈；〔-ile 形容詞字尾，…的〕拋射的

inject	〔**in-**入，**ject** 投；「投入」→射入〕注入，注射
injection	〔見上，**-ion** 名詞字尾〕注射
injector	〔見上，**-or** 表示人或物〕注射者，注射器
reject	〔**re-**回，反，**ject** 擲；「擲回」→不接受→〕拒絕，抵制，駁回
rejecter	〔見上，**-er** 表示人〕拒絕者
interject	〔**inter-**中間，**ject** 投；「投入中間」→〕（突然）插入
interjection	〔見上，**-ion** 名詞字尾〕插入，插入物；〔插入句子中間的詞→〕感嘆詞，驚嘆詞
subject	〔**sub-**在…之下，**ject** 投；「投於某種管轄之下」→〕使服從，使隸屬，支配，統治；〔轉為「被統治的人」→〕臣民，臣下；〔在句子中居於支配、統治地位的詞→〕（句子的）主語，主詞
eject	〔**e-**出，**ject** 擲，拋〕逐出，噴射，吐出，發出
ejector	〔見上，**-or** 表示人或物〕逐出者，噴射器
abject	〔**ab-**離開，**ject** 拋；「被拋棄的」→〕卑賤的，可憐的，淒慘的
deject	〔**de-**下，**ject** 投，拋；「拋下」→落下→使低落→使情緒低落→〕使沮喪，使氣餒
dejected	〔見上，**-ed**…的〕沮喪的，情緒低落的
retroject	〔**retro-**向後，回，**ject** 投，拋〕向後拋，向後投射，擲回
object	〔**ob-**相對，相反，對面，**ject** 投；「投放在

對面（前面）之物」→〕對象, 目標, 物體;
〔「與主語（主詞）相對者」→〕賓語, 受
詞;〔「投向對立面」→〕反對, 抗議

objective　〔見上, 「與主體相對者」, 主體以外之物→
客體→客觀, -ive…的〕客觀的

85 放置──(1) pon　　　大托

postpone　〔post-後, pon 放;「往後放」→〕推後, 推
遲, 延期

antepone　〔ante-前, pon 放;「往前放」→〕移前

component　〔com-共同, 一起, pon 放, -ent…的;「放
在一起的」→合在一起的→〕合成的, 組成
的;〔-ent 表示物〕組成部分

compound　〔com-共同, 一起, poun＝pon 放;「放在
一起的」→〕混合的, 化合的, 混合物, 化合
物

opponent　〔op-＝ob-相反, 相對, pon 放置, -ent…
的;「置於相反位置上的」→〕對立的, 對抗
的;〔-ent 表示人〕對手, 敵手

propone　〔pro-向前, pon 放;「向前放」→向前呈出
→〕提出, 提議, 建議

proponent　〔見上, -ent 表示人〕提出者, 提議者

exponent　〔ex-出, 外, pon 放, 擺, -ent…的;「擺
出來的」→擺明的→〕說明的, 講解的;〔-
ent 表示人〕說明者

exponible　〔見上, -ible 可…的〕可說明的

放置——(2) pos　　　　　　　　　高大

expose	〔**ex-**出，外，**pos** 放，擺；「擺出來」→把…亮出來→〕揭露，揭發，使暴露
exposure	〔見上，**-ure** 名詞字尾〕揭露，揭發，暴露
compose	〔**com-**共同，一起，**pos** 放；「放在一起」→〕組成，構成，創作
composition	〔見上，**-ition** 表示物；「構成的東西」，「創作出來的東西」→〕作文，作品，樂曲
composer	〔見上，**-er** 者〕創作者，作曲者
preposition	〔**pre-**前，**pos** 放置，**-ition** 表示物；「放在（名詞）前面的詞」→〕前置詞，介詞
oppose	〔**op-**相反，相對，**pos** 放置；「置於相反位置或立場」→〕反對，反抗，對抗
opposition	〔見上，**-ition** 表示行為、情況〕反對，反抗，對立，相反
opposite	〔見上，**-ite** 形容詞字尾，…的〕相反的，對立的，對面的
dispose	〔**dis-**分開，**pos** 放；「分開放置」，「分別擺設」→〕布置，安排，配置，處理
disposal	〔見上，**-al** 名詞字尾，表示行為、事情〕布置，安排，處理
propose	〔**pro-**向前，**pos** 放置→呈；「向前呈」，「呈出」→〕提出，提議，建議
proposal	〔見上，**-al** 名詞字尾，表示事物、行為〕建議，提議；（建議等的）提出

purpose	〔**pur-**（**pro-**的變體）前面, **pos**放；「放在自己前面的…」, "that which one places before himself as an object to be attained"→ intention〕目的, 意圖, 打算, 意向
position	〔**pos**放置, **-ition**名詞字尾；「放置的地方」〕位置
interpose	〔**inter-**中間, **pos**放置；「置於其中」→〕插入, 介入其中, 干預
transpose	〔**trans-**轉換, 改變, **pos**放置〕使互換位置, 調換位置
deposit	〔**de-**下, **pos**放；「放下」→存放〕寄存, 存放, 存款, 儲蓄
depose	〔**de-**下, **pos**放；「往下放」→使降下→〕罷…的官, 廢黜

86 編織——text 大

textile	〔**text**編織, **-ile**名詞字尾, 表示物〕紡織品；〔**-ile**形容詞字尾, …的〕紡織的
texture	〔**text**編織, **-ure**名詞字尾, 表示行為的結果〕（織物的）組織, 結構, 織物；（文章的）結構
intertexture	〔**inter-**互相, 交, **text**編織, **-ure**名詞字尾〕交織, 交織物
text	〔**text**編織→編寫；「編寫成的東西」→〕課文, 本文, 正文
textual	〔見上, **-ual**…的〕本文的, 正文的, 原文的

context	〔**con-**共同，一起，**text** 編織→編寫→文字，本文；「相連在一起的文字」→〕（文章的）上下文
contextual	〔見上，**-ual**…的〕上下文的，按照上下文的
pretext	〔**pre-**先，預先，**text** 編織→編造；「預先編造的話」→〕藉口，托詞

87 舉，升——lev 　　　　　　　　　　　大

elevate	〔**e-**出，**lev** 舉，**-ate** 動詞字尾；「舉出」→舉起〕抬起，舉起，使升高
elevator	〔見上，**-or** 表示人或物〕升降機，電梯，起卸機，舉起者，起重工人
elevation	〔見上，**-ion** 名詞字尾〕提升，提高，高度
elevatory	〔見上，**-ory** 形容詞字尾，…的〕舉起的，高舉的
lever	〔**lev** 舉，**-er** 表示物；「能舉起重物之桿」→〕槓桿
leverage	〔見上，**lever** 槓桿，**-age** 表示抽象名詞〕槓桿作用
relieve	〔**re-**加強意義，**liev** ← **lev** 舉；「把壓在…上面的東西舉起」→使…減輕負擔→〕減輕，解除（痛苦等），救濟
relievable	〔見上，**-able** 可…的〕可減輕的，可解除的
relief	〔見上，**v → f**〕（痛苦、壓迫等的）減輕，解除，免除，救濟
levitate	〔**lev** 舉，升，**-it-**，**-ate** 動詞字尾〕（使）升在空中，（使）飄浮在空中

alleviate	〔**al-**加強意義，**lev** 舉；「把壓在…上面的東西舉起」→使…減輕壓力，**-i-**，**-ate** 動詞字尾〕減輕（痛苦等）
alleviation	〔見上，**-ion** 名詞字尾〕減輕痛苦
alleviatory	〔見上，**-ory**…的〕減輕痛苦的

88 握，持── tain ten tin 大

contain	〔**con-**共同，**tain** 握，持；"to hold together, to hold within fixed limits"→〕容納，包含，內裝
container	〔見上，**-er** 表示物〕容器，集裝箱
obtain	〔**ob-**加強意義，**tain** 握，持；「to get hold of by effort」→〕取得，獲得，得到，買到
obtainable	〔見上，**-able** 可…的〕可獲得的，可取得的，可買到的
sustain	〔**sus-**＝**sub-**下，**tain** 握，持；「在下面支持」→〕支持，支撐，維持，供養
sustenance	〔見上，**ten**＝**tain**，**-ance** 名詞字尾〕支持，維持，供養，糧食，食物
tenant	〔**ten** 持，握→握有，佔有，**-ant** 者；「房屋、田地等的佔有者」→〕房客，承租人，租戶，佃戶
tenancy	〔見上，**-ancy** 表示行為、情況〕，租賃，租用，租佃

maintain	〔**main＝man** 手, **tain** 握, 持；"**to hold in the hand, to keep up, to uphold**"→〕保持, 保存, 維持, 堅持, 供養
maintainable	〔見上, **-able** 可…的〕可保持的, 可維持的
maintenance	〔見上, **ten＝tain**, **-ance** 名詞字尾〕保持, 維持, 堅持
tenable	〔**ten** 持, 握, 守, 保有, **-able** 可…的〕可保持的, 可防守的, 守得住的
tenacious	〔**ten** 握, 持, 執, 守, **-acious** 形容詞字尾, …的〕緊握的, 堅持的, 固執的, 頑強的
tenacity	〔見上, **-acity** 名詞字尾, 表示性質〕緊握, 堅持, 固執, 頑強
abstain	〔**abs-＝ab-** 離 (**from**), **tain** 握, 持, 守；「**to hold (or keep) oneself from**」→〕戒, 避免, 避開
abstention	〔見上, **ten＝tain**, **-tion** 名詞字尾〕戒, 避免, 避開
continue	〔**con-** 共同, 一起, **tin** 握, 持；「把前後各種事物保持在一起」→使連在一起, 使相連→〕連續, 繼續, 使連續, 使繼續
continuation	〔見上, **-ation** 名詞字尾〕連續, 繼續, 持續, 繼續部分
continued	〔見上, **-ed**…的〕連續的, 繼續的
continent	〔**con-** 共同, 一起, **tin** 握, 持, **-ent** 表示物；「保持連在一起的陸地」→〕大陸, 陸地, 大洲
continental	〔見上, **-al**…的〕大陸的, 大陸性的

89 攀, 爬 —— scend scens 托

ascend	〔a-＝ad-表示 to, scend 爬; 「爬上」〕上升; 登高; 攀登
ascendent	〔見上, -ent…的〕上升的; 向上的
ascendency	〔見上, -ency 名詞字尾; 「升到高處」→〕優勢; 支配地位
ascension	〔見上, -ion 名詞字尾〕上升, 升高
ascensive	〔見上, -ive…的〕上升的, 使上升的
reascend	〔re-再, ascend 上升〕再上升, 再升高
descend	〔de-下, 向下, scend 爬〕下降; 傳下, 遺傳
descender	〔見上, -er 表示人和物〕下降者; 下降物
descendent	〔見上, -ent 表人; 「傳下來的人」〕子孫, 後代, 後裔
descent	〔見上〕下降, 降下
redescend	〔re-再, descend 下降〕再下降
condescend	〔con-表加強意義, descend 下降→卑→謙〕謙遜, 俯就, 屈尊
condescension	〔見上, -ion 名詞字尾〕屈尊
transcend	〔tran-＝trans-越過, 超, scend 爬, 攀行〕超出, 超過; 超越
transcendency	〔見上, ency 名詞字尾〕超越, 卓越
transcendent	〔見上, -ent 形容詞及名詞字尾〕卓越的; 卓越的人

90 寫 —— scrib script 高大

describe	〔de-加強意義，scrib 寫〕描寫，敘述，描繪
describable	〔見上，-able 可…的〕可描寫的，可描繪的
description	〔見上，-ion 名詞字尾〕描寫，敘述，描述
descriptive	〔見上，-ive…的〕描寫的，描述的
indescribable	〔in-不，見上〕描寫不出的；難以描寫的；難以形容的
misdescribe	〔mis-誤，見上〕誤寫，誤述
inscribe	〔in-入，scrib 寫；「寫入」〕寫入名單中，編入名冊，註冊；刻寫，雕
inscription	〔見上，-ion 名詞字尾〕編入名單，註冊；銘刻；銘文；碑文
manuscript	〔manu 手，script 寫〕手寫本，手稿，原稿
rescript	〔re-再，script 寫〕再寫，重寫；抄件
subscribe	〔sub-下，scrib 寫〕在…下面簽名，簽署
subscriber	〔見上，-er 者〕簽名者，簽署者
subscription	〔見上，-ion 名詞字尾〕簽名，簽署
postscript	〔post-後，script 寫〕信後的附言；（書後的）附錄；跋
transcribe	〔tran-轉，scrib 寫〕轉抄，謄寫，抄寫
transcript	〔見上〕抄本，謄寫本，副本
conscribe	〔con-共同，scrib 寫→寫入名冊中→登記→〕徵兵，徵募，招募
conscription	〔見上，-ion 名詞字尾〕徵兵，徵募；徵集
scribe	〔scrib 寫〕抄寫員；作家
scribal	〔scrib 寫，-al…的〕抄寫的；抄寫員的；作者的
script	〔script 寫〕手寫稿；手跡；筆跡
scripture	〔script 寫，-ure 名詞字尾〕手稿；文件

circumscribe　〔circum-周圍, scrib 寫→畫〕在…周圍畫線; 限制; 下定義

circumscription　〔見上, -ion 名詞字尾〕界限; 範圍; 定義

91 畫, 描繪——pict　　高

picture　〔pict 繪, -ure 名詞字尾〕繪畫, 圖畫; 畫像; 圖片

picturesque　〔見上, -esque 如…的〕如畫的

picturize　〔見上, -ize 動詞字尾〕用圖畫表現

pictorial　〔pict 繪畫, -or-, -ial 形容詞字尾…的〕繪畫的, 圖片的; 〔轉為名詞〕畫報

pictorialize　〔見上, -ize 動詞字尾〕用圖畫表示

pictograph　〔pict 繪→圖形, -o-, graph 寫→文字〕象形文字

pictographic　〔見上, -ic…的〕象形文字的

depict　〔de-加強意義, pict 繪〕描繪, 描述

depicture　〔見上〕描繪, 描述

pigment　〔pig=pict 繪畫, -ment 名詞字尾, 表示物; 「繪畫用的材料」→〕顏料

pigmental　〔見上, -al…的〕顏料的

pigmentation　〔見上, -ation 名詞字尾〕着色, 着色作用

92 擦, 刮——(1) ras / rad　　大

erase　〔e-去, 除, ras 擦, 刮〕擦去, 抹掉; 除去

erasable　〔見上, -able 可…的〕可擦掉的, 可抹掉的

eraser　〔見上, -er 表示物〕擦除器 (如黑板擦、橡皮等)

erasion	〔見上, -ion 名詞字尾〕擦去, 刮除, 抹掉
erasure	〔見上, -ure 名詞字尾〕擦掉, 刪去; 擦掉處
abrade	〔ab-離開, 去 rad 擦〕擦掉, 磨掉; 磨, 擦
abradant	〔見上, -ant 名詞及形容詞字尾〕磨擦着的; 磨擦物 (如砂紙、金剛砂等)
abrase	〔ab-離開, 去, ras 擦〕擦掉, 磨掉
abrasion	〔見上, -ion 名詞字尾〕擦掉, 磨損; 擦傷處
abrasive	〔見上, -ive…的〕有研磨作用的; 研磨料 (如砂紙等)
raze	〔raz ← ras 刮〕刮去, 削去; 鏟掉, 鏟平
razor	〔見上, -or 表物;「削刮之器」→〕剃刀

擦, 刮——(2) terg / ters 〔托〕

deterge	〔de-去, terg 擦;「擦去」污垢→〕洗淨, 去污
detergent	〔見上, -ent 名詞兼形容詞字尾〕去垢劑, 洗淨劑, 去污劑; 使乾淨的, 使清潔的
detergence	〔見上, -ence 名詞字尾〕去垢性, 去污力
detersive	〔見上, -ive 形容詞兼名詞字尾〕使乾淨的, 使清潔的; 洗滌劑, 清潔劑
detersion	〔見上, -ion 名詞字尾〕洗淨, 洗滌
absterge	〔abs-去, terg 擦;「擦去」污垢→〕擦淨, 洗滌
abstergent	〔見上, -ent 名詞兼形容詞字尾〕洗淨劑, 去污粉; 去垢的, 有潔淨作用的
abstersive	〔見上, -ive…的〕去垢的, 有潔淨作用的

93 給——⑴ dit 　　　　　　　　　　　　　　　　大

tradition	〔tra-＝trans-轉, 傳, **dit** 給, **-ion** 名詞字尾；「傳給」→〕傳統, 傳說, 口傳
traditional	〔見上, **-al**…的〕傳統的, 因襲的, 慣例的
traditionalism	〔見上, **-ism** 主義〕傳統主義
edit	〔**e-**出, **dit** 給；「給出」→發表, 出版；將稿件編好以備發表→〕編輯
editor	〔見上, **-or** 表示人〕編者, 編輯
editorial	〔見上, **-ial**…的〕編者的, 編輯的；〔編者寫的文章→〕社論
editorship	〔見上, **-ship** 名詞字尾〕編輯的職位, 編輯工作
subeditor	〔**sub-**副, **editor** 編輯〕副編輯
edition	〔**edit** 編輯, **-ion** 名詞字尾, 「編成的樣本」〕版, 版本
extradite	〔**ex-**＝**out** 出, **tra-**＝**trans-**轉, **dit** 給；「轉給」, 「轉交出」→〕引渡 (逃犯, 戰俘等), 使 (逃犯等) 被引渡
extradition	〔見上, **-ion** 名詞字尾〕(對逃犯等的) 引渡
extraditable	〔見上, **-able** 可…的〕(逃犯等) 可引渡的

給——⑵ don do 　　　　　　　　　　　　　　　　大托

pardon	〔**par** ← **per-**完全, 徹底, **don** 給, 捨給→捨棄；「捨棄他人罪過」→〕寬恕, 原諒；赦罪
condone	〔**con-**加強意義, **don** 給, 捨給→捨棄；「捨棄他人罪過」→〕寬恕, 不咎 (罪過)

condonation	〔見上，-ation 名詞字尾〕赦免，寬恕
donate	〔don 給，-ate 動詞字尾〕捐贈，贈送
donation	〔don 給，-ation 名詞字尾〕捐贈，贈送；贈品；捐款
donator	〔don 給，-ator 人〕贈給者，捐贈者
donee	〔don 給，-ee 被…的人；「被贈給者」→〕受贈人
donor	〔don 給，-or 人〕贈給者，捐獻者
dose	〔do 給，被「給」的一次用藥量→〕一劑藥，一劑
dot	〔do 給，女子出嫁時，娘家所「給」之物→〕嫁妝，妝奩
dotal	〔見上，-al…的〕嫁妝的，妝奩的
anecdote	〔an-不，未，ec-外，向外，do 給，給出→發表；「未曾向外發表過的」事→〕軼事；奇聞，趣聞
anecdotist	〔見上，-ist 人〕收集軼事者；好談軼事者
anecdotical	〔見上，-ical…的〕軼事的，奇聞的；愛談奇聞軼事的

94 觸，接觸── tact tag　大

contact	〔con-共同，tact 觸〕接觸；聯絡，聯繫
contagion	〔con-共同，tag 觸，-ion 名詞字尾〕接觸傳染；傳染病
contagious	〔見上，-ious…的〕接觸傳染的，有傳染性的
contagiosity	〔見上，-osity 名詞字尾〕接觸傳染率
contagium	〔見上，-ium 名詞字尾〕接觸傳染物

anticontagious	〔anti-反對→防止，見上〕預防傳染的
intact	〔in-不，未，tact 觸〕未經觸動的
tactile	〔tact 觸，-ile 形容詞字尾，…的〕觸覺的，有觸覺的；能觸知的
tactility	〔tact 觸，-ility 名詞字尾〕觸覺，有觸覺
tactual	〔tact 觸，-ual 形容詞字尾，…的〕觸覺器官的，觸覺的

95 抓 —— capt cup 高

capture	〔capt 拿，抓 → 抓獲，-ure 名詞字尾〕捕獲，俘獲，俘虜；徵獲品。〔轉為動詞〕捕獲，奪得
recapture	〔re-重，再，回，capture 獲得〕重獲；奪回；收復
captive	〔capt 拿，抓 → 抓獲，-ive 名詞兼形容詞字尾〕俘虜，被俘獲者；被俘獲的
captivity	〔見上，-ity 名詞字尾〕被俘；監禁
captivate	〔見上，-ate 動詞字尾；「抓住」→迷住，迷惑〕迷住；吸引
captor	〔見上，-or 者〕捕捉者，奪得者
occupy	〔oc-加強意義，cup 抓→抓獲→獲得→佔據〕佔領，佔據；佔有，佔用
occupation	〔見上，-ation 名詞字尾〕佔領，佔據；佔有，佔用
occupationist	〔見上，-ist 者〕軍事佔領者
occupant	〔見上，-ant 者〕佔用者，佔有人
occupancy	〔見上，-ancy 名詞字尾〕佔有，佔用

occupier	〔見上，-er 者〕佔用者；佔領者
preoccupy	〔pre-先，見上〕先佔，先取
unoccupied	〔un-未，見上〕未被佔用的，沒人佔的；未被佔領的

96 包，裹，捲──velop 〔高〕

envelop	〔en-表示 in，velop 包；「包入」→〕包住，裹，封
envelope	〔見上〕包裹物；封皮，信封；外殼
envelopment	〔見上，-ment 名詞字尾〕包，裹，封；封皮，封套
develop	〔de-不，相反，velop 包，裹，捲；「不包」，「不裹」；「不捲」→放開，展開→〕展開；發展；開發，使發達
development	〔見上，-ment 名詞字尾〕展開；發展，進展；開發，發達
developer	〔見上，-er 者〕開發者
developable	〔見上，-able 可…的〕可發展的，可開發的

7

脚的動作

⑨⑦行走──(1) gress 　　　　　　　　　　 高大

progress	〔pro-向前, gress 行走〕前進, 進步
progressive	〔見上, -ive…的〕前進的, 進步的
progressist	〔見上, -ist 表示人〕進步分子
retrogress	〔retro-向後, gress 行走〕後退, 退步, 退化
retrogression	〔見上, -ion 名詞字尾〕倒退, 退步, 退化
retrogressive	〔見上, -ive…的〕後退的, 退步的, 退化的
congress	〔con-共同, 一起, gress 走, 來到;「大家走到一起來」→共聚一堂→開會→會議〕(代表) 大會, 國會, 議會
congressional	〔見上〕(代表) 大會的, 國會的, 議會的
congressman	〔見上〕國會議員
aggress	〔ag-＝at, to 向, gress 走;「走向」→ 來到→逼近→闖來→進攻→〕侵略, 侵入, 攻擊
aggression	〔見上, -ion 名詞字尾〕侵略, 入侵
agressive	〔見上, -ive…的〕侵略的
agressor	〔見上, -or, 表示人〕侵略者
egress	〔e-外, 出, gress 行走〕出去, 離去, 外出
egression	〔見上, -ion 名詞字尾〕去, 離去, 外出

ingress	〔in-入內, gress 行走〕進入
ingression	〔見上, -ion 名詞字尾〕進入
transgress	〔trans-越過, gress 行走〕越過 (限度、範圍等), 越界, 違反, 犯法
transgressor	〔見上, -or 表示人〕犯法者, 違反者
digress	〔di-＝dis-離開, gress 行走;「離正道而行」→〕離主題, 入歧路
regress	〔re-回, 向後, gress 行〕退回, 返回, 退後, 退步
regression	〔見上, -ion 名詞字尾〕退後; 退行; 返, 回歸
regressive	〔見上, -ive …的〕倒退的, 退步的; 回歸的, 復歸的

行走——(2) vad vas 大

invade	〔in-入, vad 走;「走入」→闖入→〕侵入, 侵略, 侵犯
invader	〔見上, -er 表示人〕入侵者, 侵略者, 侵犯者
invasion	〔見上, vad → vas, -ion 名詞字尾, 表示行為〕入侵, 侵略
invasive	〔見上, -ive…的〕入侵的, 侵略的
evade	〔e-, 外, 出, vad 走;「走出」→逃出→〕逃避, 躲避
evasion	〔見上, -ion 名詞字尾〕逃避, 躲避, 迴避
evasive	〔見上, -ive…的〕逃避的, 躲避的

pervade	〔per-＝throughout 全，遍，vad 走；「走遍」→〕遍及，瀰漫，滲透，充滿
pervasion	〔見上，-ion 名詞字尾〕遍布，瀰漫，滲透，充滿
pervasive	〔見上，-ive …的〕遍及的，遍布的，瀰漫的，充滿的

行走──(3) ambul   托

ambulance	〔ambul 走，-ance 名詞字尾；跟隨軍隊在野外「到處行走流動」的醫院→〕野戰醫院，流動醫院
ambulant	〔ambul 走，-ant 形容詞字尾〕走動的，流動的
ambulate	〔ambul 走，-ate 動詞字尾〕行走，移動
ambulation	〔ambul 走，-ation 名詞字尾〕巡行，周遊
ambulator	〔ambul 走，-ator 名詞字尾，表人〕周遊者
circumambulate	〔circum-周圍，ambul 行走，-ate 動詞字尾〕繞…而行，環行
circumambulation	〔見上，-ation 名詞字尾〕繞行
noctambulant	〔noct 夜，ambul 走，遊-ant … 的〕夜遊的，夢行的
noctambulation	〔見上，-ation 名詞字尾〕夢行；夢行症
noctambulist	〔見上，-ist 人〕夢行者
perambulate	〔per-穿過，ambul 走，遊，-ate 動詞字尾〕走過，步行穿過；遊歷，徘徊；漫步
perambulation	〔見上，-ation 名詞字尾〕遊歷，徘徊，巡行；漫步，閒蕩

perambulator	〔見上，-ator 人〕遊歷者，巡行者；漫步者，閒蕩者
preamble	〔pre-前，ambl ← ambul 行走；「走在前面」→〕序言，前言，前文，緒論
preambulate	〔見上，-ate 動詞字尾〕作序言
somnambulate	〔somn 睡，夢，ambul 走，行，-ate 動詞字尾〕夢遊，夢行
somnambulation	〔見上，-ation 名詞字尾〕夢遊，夢行
somnambulist	〔見上，-ist 人〕夢遊者，夢行者
somnambulistic	〔見上，-istic 形容詞字尾〕夢遊者的；夢遊的

行走──(4) it   大托

exit	〔ex-出，外，it 行走；「走出」→〕出口，太平門，退出
initial	〔in-入，it 走，-ial 形容詞字尾，…的；「走入」→進入→入門→開始〕開始的，最初的
initiate	〔見上，-ate 動詞字尾，使…〕使入門，開始，創始
initiation	〔見上，-ation 名詞字尾〕開始，創始
initiative	〔見上，-ative…的〕起始的，初步的
transit	〔trans-越過，it 走；"to go across"，"to go over"→〕通過，經過，通行，運送，過渡，轉變
transitory	〔見上，-ory…的；「走過的」，「經過的」→逝去的，消逝的→〕瞬息即逝的，短暫的
transition	〔見上，-ion 名詞字尾〕過渡，轉變

itinerary	〔it 行走→旅行，-ary …的〕旅行的，旅程的，路線的；〔-ary 名詞字尾〕旅程，路線，旅行指南
itinerate	〔it 行走，-ate 動詞字尾〕巡遊，巡迴
circuit	〔circ-圓，環，-u-，it 行〕環行，周線，電路，迴路
circuitous	〔見上，-ous …的〕迂回的，繞行的
sedition	〔sed-＝se-離開，it 走，-ion 名詞字尾；「走離」→離軌→越軌→越軌的言論或行動→〕叛亂，暴動，煽動性的言論或行動
seditionary	〔見上，-ary 表示人〕煽動叛亂者，煽動分子
seditious	〔見上，-ious 形容詞字尾，…的〕煽動性的，參與煽動的

行走——(5) vag   托

extravagant	〔extra-以外，vag 走，-ant 形容詞字尾；「走出範圍以外的」→超出範圍的→〕過分的，過度的；浪費的，奢侈的
extravagance	〔見上，-ance 名詞字尾〕過分，過度；浪費，奢侈
vague	〔vag 走→流動，不固定，游移不定→（語義）不確定→不明確→〕含糊的，不明確的
vagile	〔vag 走→遊，-ile 形容詞字尾，…的〕漫遊的
divagate	〔di-＝dis-離，vag 走，-ate 動詞字尾；「走離」→〕流浪，漫遊；離題
divagation	〔見上，-ation 名詞字尾〕流浪；離題

noctivagant	〔nocti 夜，vag 走，遊，-ant … 的〕夜遊的，夜間徘徊的
vagary	〔vag 走，-ary 名詞字尾；走→走離→離開常規→異於尋常→〕異想天開；反覆無常的行為，古怪的行為
vagarious	〔見上，-ous … 的〕異想天開的；古怪的，反覆無常的
vagrant	〔vag(r) 走，流浪，-ant 名詞兼形容詞字尾〕流浪者；流浪的
vagabond	〔vag 走→流浪〕流浪的，漂泊的；流浪者
vagabondage	〔見上，-age 名詞字尾〕流浪，流浪生活

行走——(6) ced / ceed / cess ✓ 大托

precedent	〔pre- 先，前，ced 行，-ent 名詞字尾，表示物〕先行的事物，前例，先例；〔-ent 形容詞字尾，…的〕先行的，在前的
precedented	〔見上，-ed … 的〕有先例的，有前例的
unprecedented	〔un- 無，見上〕無先例的，空前的
precede	〔pre- 先，前，ced 行〕先行，領先，居先，優先
preceding	〔見上，-ing 形容詞字尾，…的〕在前的，在先的
exceed	〔ex- 以外，超出，ceed 行；「超越而行」→〕超過，越過，勝過

excess	〔**ex-**以外，超出，**cess** 行；「超出限度以外」→〕超過，越過，過分，過度
excessive	〔見上，**-ive**…的〕過分的，過度的，過多的
proceed	〔**pro-**向前，**ceed** 行〕前進，進行
procedure	〔**pro-**向前，**ced** 行，**-ure** 名詞字尾；「進行的過程」→〕過程，步驟，手續
process	〔**pro-**向前，**cess** 行〕過程，進程，程序
procession	〔見上，**-ion** 名詞字尾〕行進，行進的行列，隊伍
antecedent	〔**ante-**先，前，**ced** 行，**-ent** 形容詞及名詞字尾〕先行的，居先的，先例，前例，先行詞
antecessor	〔**ante-**先，**cess** 行，**-or** 者〕先行者，先驅者
antecede	〔**ante-**先，**ced** 行〕居…之先
successor	〔**suc-**後面，**cess** 行，**-or** 者〕後行者，繼任者，接班人，繼承人
succession	〔**suc-**後面，**cess** 行，**-ion** 名詞字尾〕相繼，接續，繼承，繼任
successive	〔見上，**-ive**…的〕相繼的，連續的，接連的
recession	〔**re-**反，回，**cess** 行，**-ion** 名詞字尾；「回行」〕後退，退回，（經濟）衰退
recede	〔**re-**反，回，**ced** 行；「往回行」→〕後退，退却，引退，退縮
retrocede	〔**retro-**向後，**ced** 行〕後退，退却
retrocession	〔**retro-**向後，**cess** 行，**-ion** 名詞字尾〕後退，退却，引退
intercede	〔**inter-**中間，…之中，**ced** 行；「介入其中」→〕居間調停，調解，代為說情，代為請求

| intercession | 〔inter-中間，…之中，cess 行，-ion 名詞字尾；「介入其中」→〕居間調停，調解，說情 |
| intercessor | 〔見上，-or 者〕居間調停者，調解者，說情者 |

98 漫遊，漫步——err 托

errant	〔err 漫遊，-ant 形容詞字尾，…的〕周遊的；漂泊的
errantry	〔見上，-ry 名詞字尾〕遊俠行為；遊俠
erratic	〔err 漫遊，-atic 形容詞字尾，…的〕飄忽不定的
error	〔err 漫遊，走→走離正道→走錯，-or 抽象名詞字尾〕錯誤，謬誤
erring	〔見上，-ing…的〕做錯了事的；走入歧途的
aberrant	〔ab-離開，err 走，-ant…的〕離開正路的，脫離常軌的
aberrance	〔ab-離開，err 走，-ance 名詞字尾〕離開正道，脫離常軌
aberration	〔見上，-ation 名詞字尾〕離開正道，脫離常軌
inerrable	〔in-不，err 走，走離正道→錯誤，-able 可…的〕不會錯的；絕對正確的
inerrancy	〔in-不，err 走離正道→錯誤，-ancy 名詞字尾〕無錯誤；絕對正確

⑨⑨跑——(1)

cur
curs
cour
cours

大

occur	〔oc-表示 to 或 towards, cur 跑；「跑來」→來臨→〕出現，發生
occurrence	〔見上，-ence 名詞字尾〕出現，發生，發生的事
occurrent	〔見上，-ent…的〕偶然發生的，正在發生的
current	〔cur 跑→行，-ent…的〕流行的，通行的，流通的
currency	〔cur 跑→行，-ency 名詞字尾〕流行，流通，流通貨幣，通貨
excurse	〔ex-外，出，curs 跑→行走；「跑出去」，「出行」→〕遠足，旅遊，旅行
excursion	〔見上，-ion 名詞字尾〕遠足，旅行，遊覽
excursionist	〔見上，-ist 表示人〕遠足者，旅遊者
course	〔cours 跑→行進〕行程，進程，路程，道路，課程
intercourse	〔inter-在…之間，cours 跑→行走→來往；「彼此之間的來往」→〕交往，交際，交流
concourse	〔con-共同，一起，cours 跑；「跑到一起來」→〕滙合，集合，合流
courser	〔cours 跑，-er 者；「善跑的人或動物」→〕跑者，追獵者，獵犬，駿馬
courier	〔cour 跑，-ier 表示人；「跑路的人」→〕送急件的人，信使

succour	〔**suc-**後，隨後，**cour** 跑；「隨後趕到」→〕救助，救援，援助
cursory	〔**curs** 跑→急行，**-ory**…的；「急行奔走的」→〕倉卒的，草率的，粗略的
cursorial	〔見上，**-ial**…的〕（動物）疾走的，善於奔馳的
cursive	〔**curs** 跑→速行，**-ive**…的；「疾行的」，「速走的」→〕（字跡）草寫的；行書，草書，草寫體
incursion	〔**in-**內，入內，**curs** 跑→行走，**-ion** 名詞字尾；「走入」，「闖入」→〕進入，侵入，入侵，侵犯
incursive	〔見上，**-ive**…的〕入侵的，進入的
precursor	〔**pre-**先，前，**curs** 跑→行，**-or** 者〕先行者，先驅者，前任，前輩
precursory	〔**pre-**先，前，**curs** 跑，**-ory**…的〕先行的，先驅的，先鋒的，前任的，前輩的
antecursor	〔**ante-**前，**curs** 跑，**-or** 者〕先行者，前驅者
concur	〔**con-**共同，**cur** 跑；「共同跑來」→〕同時發生，同意
concurrence	〔見上，**-ence** 名詞字尾〕同時發生，同意
recur	〔**re-**回，復，**cur** 跑；「跑回」→返回→重來→〕再發生，（疾病等）復發，（往事等）重新浮現
recurrence	〔見上，**-ence** 名詞字尾〕復發，再發生，重新浮現

跑——(2) drom

托

aerodrome 〔**aero** 航空→飛機, **drom** 跑;「跑飛機的地方」→〕飛機場

hippodrome 〔**hippo** 馬, **drom** 跑;「跑馬的地方」→〕馬戲場

motordrome 〔**motor** 汽車, **drom** 跑;「跑汽車的地方」→〕汽車比賽場;汽車試車場

dromedary 〔**drom** 跑;「能跑長途者」→〕善跑的駱駝;單峰駱駝

dromometer 〔**drom** 跑, **-o-**, **meter** 計〕速度計

prodrome 〔**pro-**前, **drom** 跑;「跑在前面」→〕序論;〔醫學〕前驅症狀

prodromic 〔見上, **-ic**…的〕序論的;前驅症狀的

syndrome 〔**syn-**同, **drom** 跑;「跑出來」→發生〕〔醫學〕綜合病徵,症狀群(同時發生的一群症狀)

⑩跑—— salt / sult / sail

托

saltant 〔**salt** 跳, **-ant**…的〕跳的,跳躍的,舞蹈的

saltation 〔**salt** 跳, **-ation** 名詞字尾〕跳躍,舞蹈

saltatory 〔**salt** 跳, **-atory**…的〕跳躍的,舞蹈的

insult 〔**in-**表示 **in** 或 **on**, **sult** 跳;「跳向…」,「向…跳去」→冒犯…,對…無禮→〕侮辱,凌辱,辱罵

insulting 〔見上, **-ing**…的〕侮辱的,無禮的

exult	〔ex-加強意義, (s)ult (在 x 後省略 s) 跳;「興奮地跳」,「用力地跳」→歡快地跳→〕狂喜, 歡躍, 狂歡, 歡騰
exultant	〔見上, -ant…的〕狂喜的, 歡騰的
exultance	〔見上, -ance 名詞字尾〕狂喜, 歡躍
exultation	〔見上, -ation 名詞字尾〕狂喜, 歡騰, 高興
assail	〔as-表示 to, sail 跳;「跳向…」,「向…跳去」→向…衝去→〕攻擊
assailable	〔見上, -able 可…的〕可攻擊的, 易受攻擊的
assailant	〔見上, -ant 表示人〕攻擊者
assault	〔as-表示 to, sault(=sult)跳; 見 assail〕攻擊

101 站立──(1) st sta 高大

stand	〔st 立, -and＝-end 名詞字尾兼表動詞〕站, 立
station	〔st 立, 站, -ation 名詞字尾〕車站
stage	〔st 立, -age 名詞字尾, 表場所、地點;「站立」表演的地方→〕舞台
stay	〔佇「立」〕停留
state	1.〔建「立」起來的組織→〕國家 2.〔客觀存「立」的現象→〕狀態, 情況
statue	〔「立」像〕雕像, 塑像, 鑄像
stature	〔直「立」時的高度〕身高
status	〔the way one "stands"→〕身分, 地位
static	〔停「立」不動的〕靜止的

statics	〔見上, **-ics**…學〕靜力學
stance	〔**st** 立, **-ance** 名詞字尾;「站立」的姿勢〕姿態, 態度
stanchion	〔使他物「立」而不倒之物〕支柱
stasis	〔滯「立」〕〔醫學〕壅滯, 鬱積, 停滯
stator	〔**st** 立, **-ator** 表示物; 使「立」定之物〕(發電機等的) 定子
stable	1.〔堅「立」不動的〕穩定的; 堅固的 2.〔牲畜停「立」處〕牛棚; 馬廄
stet	〔使「立」於原處〕(校對符號) 保留, 不刪,「△」
standard	〔樹「立」的榜樣〕標準, 規範
armistice	〔**arm**(**s**)武器→戰事, **-i-**, **st** 立, **-ice** 名詞字尾; 戰事停「立」→〕停戰
apostate	〔**apo-**離開; to "stand" off, 離教而「立」〕背教者; 變節者; 脫黨者
circumstance	〔**circum-**周圍, **st** 立, **-ance** 名詞字尾;「立」於周圍→〕環境
constant	〔**con-**加強意義, **st** 立, **-ant**…的; 穩「立」的〕堅定的; 不變的
constitution	〔建「立」的法規〕憲法
contrast	〔**contra-**相對, **st** 立;「相對而立」→〕對照, 對比
distance	〔**di-**分開, **st** 立, **-ance** 名詞字尾; 分「立」於兩處→〕距離
interstice	〔**inter-**中間, **st** 立, **-ice** 名詞字尾; 可「立」於其間→〕空隙, 間隙

hemostate	〔hemo 血，st 立；使血停「立」〕止血劑；止血器
obstacle	〔ob-表示 against，st 立，-acle 名詞字尾；to"stand" against →〕障礙
obstetric	〔「立」於一旁的→輔助的→〕助產的
prostate	〔pro-前；「立」於前部〕前列腺
prostitute	〔pro-前；to"stand" forward, to expose, hence to expose oneself for sexual sale. 門前（或街頭）佇「立」→〕賣淫婦，娼妓，妓女（根據 Eric Partridge 的解釋）
rest	〔re-後，st 立；「後面立者」，存「立」於後→〕其餘，剩餘者（表示「休息」的 rest 是屬於另一語源，與此不同）
system	〔sy-＝syn-共同，一起，st 立，-em 名詞字尾；「共立」於一處→綜合在一起→〕系統

站立──(2) sist 　　　　　　高

resist	〔re-相反，反對，sist 立；"to stand against"→〕反抗，抵抗，對抗
resistance	〔見上，-ance 名詞字尾〕抵抗，反抗
resistant	〔見上，-ant…的〕抵抗的；〔-ant 表示人〕抵抗者
resistible	〔見上，-ible 可…的〕可抵抗的，抵抗得住的
consist	〔con-共同，一起，sist 立；「立在一起」→組合在一起→共同組成→〕由…組成
assist	〔as-表示 at，sist 立，「立於一旁」→〕幫助，援助，輔助

assistance	〔見上，-ance 名詞字尾〕幫助，援助，輔助
assistant	〔見上，-ant 表示人〕助手，助教，助理；〔-ant…的〕輔助的，助理的
exist	〔ex-外，出，（省略 s）ist 立；「to stand forth」→ to emerge, to appear →〕存在
existence	〔見上，-ence 名詞字尾〕存在，存在物
existent	〔見上，-ent…的〕存在的
insist	〔in-加強意義，sist 立；「堅立不移」〕堅決主張，堅持
insistence	〔見上，-ence 名詞字尾〕堅決主張，堅持
persist	〔per-貫穿，從頭到尾，自始至終，sist 立〕堅持，持續
persistence	〔見上，-ence 名詞字尾〕堅持，持續
persistent	〔見上，-ent…的〕堅持的，持續的

⑩⑬來——ven   大

intervene	〔inter-之間，中間，ven 來；「來到其間」→介入其中→〕干預，干涉，介入
intervention	〔見上，-tion 名詞字尾，表示行為〕干預，干涉，介入
convene	〔con-共同，一起，ven 來；「召喚大家來到一起」→〕召集（會議），集合
convention	〔見上，-tion 名詞字尾，表示行為的結果〕集會，會議，大會
conventioneer	〔見上，-eer 表示人〕參加會議的人，到會的人
convener	〔見上，-er 表示人〕會議召集人

prevent	〔pre-前，先，ven 來；「先來」→ 趕在前面 → 預先應付→提前準備→〕預防，防止
prevention	〔見上，-ion 名詞字尾，表示行為〕預防，防止，阻止
preventive	〔見上，-ive…的〕預防的，防止的
event	〔e-＝out 出，ven 來；「出來」→ 出現→ 發生→發生的事情→〕事件，大事，事變，偶然事件
eventful	〔見上，-ful 多…的〕多事的，充滿大事的，多變故的
avenue	〔a-＝ad-表示 to，ven 來；「來時所經由的路」→〕道路，林蔭道，大街
revenue	〔re-回，ven 來；「回來」→ 收回→ 從…收回的東西→收入〕（國家的）歲收，稅收，收入
revenuer	〔見上，-er 表示人〕稅務官
circumvent	〔circum-周圍，四周，ven 來；「從四周來」→〕包圍，圍繞
circumvention	〔見上，-ion 名詞字尾，表示行為〕包圍，圍繞
circumventer	〔見上，-er 者〕包圍者，用計取勝者
supervene	〔super-上面，ven 來；「由上面來」→ 降臨→突然發生→〕意外發生
supervention	〔見上，-tion 名詞字尾，表示情況、事情〕意外發生，意外發生的事件
contravene	〔contra-＝against 反對，相反，ven 來；"to come against"→ contrary to →〕違反，觸犯，抵觸，與…相衝突，反駁

contravention 〔見上，-tion 名詞字尾〕違反，觸犯，抵觸，反駁

8

其他行為動作

⑩⑬ 坐——(1) sid　　　　　　　　　　　大

preside	〔pre-前，sid 坐；開會時「坐在前面主要位置上」→主持會議〕作會議的主席，主持，指揮，統轄
president	〔見上，-ent 表示人；「指揮者」，「統轄者」→〕總統，大學校長，會長，總裁
presidential	〔見上，-ial…的〕總統（或校長）的，總統（或校長）職務的
presidium	〔見上，-ium 名詞字尾〕主席團
reside	〔re-後，sid 坐；"to sit back"→ to stay behind，安頓下來→住下→〕居住
resident	〔見上，-ent 表示人〕居民；〔-ent…的〕居住的，居留的
residence	〔見上，-ence 名詞字尾〕居住，住宅，住處，公館
residential	〔見上，-ial…的〕居住的，住宅的
subside	〔sub-下，sid 坐；「坐下」→ 沉下〕沉降，沉澱，平息
subsidence	〔見上，-ence 名詞字尾〕沉降，沉澱，平息

dissidence	〔dis-分開, sid 坐, -ence 名詞字尾; 「與別人分開坐」→與別人不一致→持相反意見→〕意見不同, 不一致。不同意, 異議
dissident	〔見上, -ent 表示人〕不同意的人, 持異議者;〔-ent…的〕不同意的, 持異議的
assiduous	〔as-=ad-表示 at, sid 坐, -uous…的; 「能坐下來堅持工作的」→〕刻苦的, 勤奮的

坐──(2) **sed**
　　　　 sess　　　　　　　　大

session	〔sess 坐, -ion 名詞字尾; 「大家就座」, 「大家坐在一起」→開會→〕會議; 一屆會議
sessional	〔見上, -al…的〕開會的; 會議的
supersede	〔super-上, sed 坐; "to sit above"→ to be superior to → to take the place of, to replace〕代替, 取代; 接替
supersession	〔見上, -ion 名詞字尾〕代替, 取代; 接替
sediment	〔sed 坐→坐下→下沉, -i-, -ment 名詞字尾〕沉積, 沉澱; 沉積物
sedimentary	〔見上, -ary…的〕沉積的, 沉澱性的
sedimentation	〔見上, -ation 名詞字尾〕沉積 (作用)
sedentary	〔sed 坐, -ent 形容詞字尾, -ary 形容詞字尾〕坐著的; 需要 (或慣於) 久坐的
sedate	〔sed 坐→坐下→沉靜下來, 安靜下來, -ate 形容詞兼動詞字尾〕安靜的; 穩重的; 給…服鎮靜劑
sedation	〔見上, -ation 名詞字尾〕鎮靜

104 躺，臥——cub 托

cubicle	〔**cub** 臥，**-icle** 名詞字尾，表示小；「睡覺」的地方〕小臥室；小室
cubicular	〔見上，**-icular** 形容詞字尾，…的〕寢室的
incubate	〔**in-**加強意義，**cub** 臥，伏，**-ate** 動詞字尾；「伏臥於卵上」→〕孵卵，伏巢，孵化
incubation	〔見上，**-ation** 抽象名詞字尾〕孵卵，伏巢，孵化
incubative	〔見上，**-ative** 形容詞字尾〕孵卵的；潛伏期的
incubator	〔見上，**-ator** 名詞字尾，表人或物〕孵卵器；孵化員
incubus	〔**in-**加強意義，**cub** 伏，**-us** 名詞字尾；「伏於睡眠者身上的」惡魔→〕夢魘
accubation	〔**ac-**加強意義，**cub** 臥，**-ation** 抽象名詞字尾〕橫臥，偃臥；臨產，分娩
concubine	〔**con-**共同，**cub** 臥→居，**-ine** 名詞字尾；「非法與男人同居的女人」→〕姘婦，情婦，妾
concubinage	〔見上，**-age** 抽象名詞字尾〕非法同居；妾的身分

105 睡眠——(1) somn (i) 托

insomnia	〔**in-**不，無，**somn** 眠，**-ia** 表疾病〕失眠症；失眠
insomniac	〔見上，**-ac** 形容詞兼名詞字尾〕患失眠症的（人）

insomnious	〔見上，-ous…的〕失眠的，患失眠症的
somnambulate	〔somn 睡，ambul 行走，-ate 動詞字尾；「睡夢中行走」〕夢遊，夢行
somnambulation	〔見上，-ation 名詞字尾〕夢遊，夢行
somnambulist	〔見上，-ist 者〕夢遊者，夢行者
somnambulism	〔見上，-ism 表疾病〕夢行（症）
somniferous	〔somni 睡眠，fer 產生，致，-ous…的〕催眠的；麻醉的
somniloquy	〔somni 睡眠，loqu 言，說，-y 名詞字尾；「睡夢中說話」〕夢語，夢囈，說夢話
somniloquist	〔見上，-ist 人〕說夢話的人，夢囈者
somniloquous	〔見上，-ous…的〕說夢話的，夢囈的
somnipathy	〔somni 睡眠，pathy 病〕睡眠症；催眠性睡眠
somnolence	〔somn 睡眠，-o-，-lence 抽象名詞字尾，表性質、狀態〕思睡，睏倦
somnolent	〔somn 睡眠，-o-，-lent 形容詞字尾，有…性質的〕想睡的，睏倦的

睡眠──(2) hypn(o)　　　　　科

hypnic	〔hypn 睡眠，-ic…的〕催眠的；有催眠性的
hypnotic	〔hypn 睡眠，-otic 形容詞字尾〕催眠的
hypnotism	〔見上，-ism 名詞字尾，表狀態〕催眠狀態
hypnotist	〔見上，-ist 人〕施行催眠術的人
hypnotize	〔見上，-ize 動詞字尾〕使進入催眠狀態
dehypnotize	〔de-除去→解除，見上〕解除催眠狀態，使醒過來
hypnology	〔hypno 睡眠，-logy 學〕睡眠學；催眠學

hypnologic	〔**hypno** 睡眠，**-logic**…學的〕催眠學的
hypnologist	〔**hypno** 睡眠，**-logist**…學者〕催眠學者
hypnosis	〔**hypn** 睡眠，**-osis** 醫學名詞字尾〕催眠狀態
hypnotherapy	〔**hypno** 睡眠，**therapy** 療法〕催眠療法
hypnogenesis	〔**hypno** 睡眠，**gen** 產生，致，**-esis** 醫學名詞字尾〕催眠
hypnogenetic	〔**hypno** 睡眠，**gen** 產生，致，**-etic** 形容詞字尾〕催眠的
antihypnotic	〔**anti-**反對→防止，**hypn** 睡眠，**-otic** 形容詞字尾〕防止睡眠的（藥）
autohypnosis	〔**auto-**自己，**hypn** 睡眠，**-osis** 醫學名詞字尾〕自我催眠

睡眠——⑶ dorm   大

dormant	〔**dorm** 睡眠，**-ant** 形容詞字尾，…的〕休眠的，蟄伏的
dormancy	〔**dorm** 睡眠，**-ancy** 名詞字尾，表狀態〕休眠，蟄伏
dormitive	〔**dorm** 睡眠，**-ive** 名詞及形容詞字尾〕安眠的；安眠藥
dormitory	〔**dorm** 睡眠，**-ory** 名詞字尾，表場所、地點〕集體寢室，宿舍
endorm	〔**en-**使…，**dorm** 睡〕使入睡，催眠

⑩居住——habit   大托

habitable	〔**habit** 居住，**-able** 可…的〕可居住的
habitant	〔**habit** 居住，**-ant** 表示人〕居住者
habitation	〔**habit** 居住，**-ation** 名詞字尾〕居住

inhabit	〔in-表示 in，habit 居住〕居住於，棲居於
inhabitable	〔見上，-able 可…的〕可居住的
inhabitancy	〔見上，-ancy 名詞字尾〕居住，有人居住的狀態
inhabitant	〔見上，-ant 表示人〕居民，住戶，常住居民
inhabitation	〔見上，-ation 名詞字尾〕居住，棲居
cohabit	〔co-共同，habit 居住〕（男女）同居，姘居
cohabitant	〔見上，-ant 表示人〕同居者
cohabitation	〔見上，-ation 名詞字尾〕同居

107 遷移──migr　　大

migrant	〔migr 遷移，-ant 表人與物〕遷移者；候鳥（隨季節遷移的鳥）
migrate	〔migr 遷移，-ate 動詞字尾〕遷移，移居
migration	〔migr 遷移，-ation 名詞字尾〕移居外國；遷居
emigrant	〔e-外，出 migr 遷移，-ant 1.者，2.…的〕遷移者，移居國外者，移民；遷移的，移出的；移民的
emigrate	〔e-外，出 migr 遷移，-ate 動詞字尾〕移出，永久移居外國
emigration	〔見上，-ation 名詞字尾〕移居；移民出境
immigrant	〔im-入 內，migr 遷移，-ant 1.者，2.……的〕僑民，移入國內者，外來的移民；遷入國內的，（從外國）移來的
immigrate	〔見上，-ate 動詞字尾〕（從外國）移來；移居入境

immigration	〔見上，-ation 名詞字尾〕移居，移入；外來的移民
intermigration	〔inter-中間→互相之間，migr 遷移〕互相遷移
transmigrant	〔trans-轉，migr 遷移，-ant 1. 者，2. …的〕移居者，移民；移居的
transmigrate	〔見上，-ate 動詞字尾〕移居（從一國或一地移到另一國或一地）
transmigration	〔見上，-ation 名詞字尾〕移居
transmigrator	〔見上，-ator 者〕移居者，移民

108 切，割──(1) tom (y)　　科

atom	〔a-不，tom 切，割；「不能再分割的最小物質」→〕原子（較早時原子被誤認為最小物質）
atomic	〔見上，-ic…的〕原子的
atomics	〔見上，-ics 學〕原子學
atomism	〔見上，-ism 論〕原子論，原子學說
atomist	〔見上，-ist 人〕原子學家
atomize	〔見上，-ize 動詞字尾〕使分裂成原子；用原子彈轟炸
subatomic	〔sub-次的，小的，見上〕比原子更小的，遜原子的，亞原子的
polyatomic	〔poly-多，見上〕多原子的
arteriotomy	〔arteri 動脈，-o-，tomy 切〕動脈切開術
anthropotomy	〔anthropo 人，tomy 切，解剖〕人體解剖（學）
appendectomy	〔append ← appendix 闌尾〕闌尾切除術

cephalotomy	〔cephal 頭, -o-, tomy 切, 割〕 (難產時) 胎頭切碎術
craniotomy	〔crani 頭顱, -o-, tomy 切〕 頭顱切開術
enterotomy	〔enter 腸, -o-, tomy 切〕 腸切開術
neurotomy	〔neuro 神經, tomy 切〕 神經切除術, 神經解剖學
ophthalmotomy	〔ophthalmo 眼, tomy 切〕 眼球切開術
osteotomy	〔osteo 骨, tomy 切〕 骨切開術; 截骨術
tonsillectomy	〔tonsil 扁桃體, ec-出, tomy 切〕 扁桃體切除術
lithotomy	〔litho 石→結石, tomy 切〕 膀胱結石切除術
laryngotomy	〔laryngo 喉, tomy 切〕 喉切開術
gastrotomy	〔gastro 胃, tomy 切〕 胃切開術
gastrectomy	〔gastr 胃, ec-出, 外, tomy 切〕 胃切除術
glossotomy	〔glosso 舌, tomy 切〕 舌切開術
entomotomy	〔entomo 昆蟲, tomy 切, 解剖〕 昆蟲解剖 (學)
ichthyotomy	〔ichthyo 魚, tomy 切, 解剖〕 魚類解剖學
xylotomous	〔xylo 木, tom 切→鑽, 毀, -ous…的〕 (昆蟲) 能蛀木的
xylotomy	〔xylo 木, tomy 切〕 木材截片術
zootomy	〔zoo 動物, tomy 切, 解剖〕 動物解剖 (學)
zootomist	〔見上, -ist 人〕 動物解剖學家
phytotomy	〔phyto 植物, tomy 切, 解剖〕 植物解剖 (學)

切, 割──(2) sect 科

insect	〔in-入 内, sect 切, 割;「切入」, 昆蟲軀 體分節, 節與節之間宛如「切裂」、「割斷」 之狀, 故名〕昆蟲
insectarium	〔insect 昆蟲, -arium 名詞字尾, 表場所〕 養蟲室; 昆蟲館
insectology	〔insect 昆蟲, -o-, logy…學〕昆蟲學
insecticide	〔insect 蟲, -i-, cide 殺〕殺蟲藥, 殺蟲劑
insectifuge	〔insect 蟲, -i-, fug 驅散〕驅蟲劑
insectivorous	〔insect 蟲, -i-, vor 吃, -ous … 的〕食 蟲 的, 以蟲為食的
sectile	〔sect 切, -ile 易…的, 可…的〕可切的; 可 切開的
section	〔sect 切, -ion 名詞字尾〕切開, 切斷; 切下 的部分; 剖面; 一部分
sectional	〔見上, -al…的〕部分的; 剖面的, 截面的
bisect	〔bi-兩, 二, sect 切;「切 成 兩 份」〕二 等 分, 平分
bisection	〔見上, -ion 名詞字尾〕二等分, 平分
trisect	〔tri-三, sect 切〕把…分成三份; 三等分
trisection	〔見上, -ion 名詞字尾〕三等分, 分成三份
dissect	〔dis-分開, sect 切〕切開, 解剖; 仔細分析
dissection	〔見上, -ion 名詞字尾〕解剖; 分析
dissector	〔見上, -or 表人和物〕解剖者; 解剖學家; 解剖器
transect	〔tran-橫越, sect 切〕橫切, 切斷, 橫斷
transection	〔見上, -ion 名詞字尾〕橫切面; 橫切
vivisect	〔vivi 活, sect 切→解剖〕解剖 (動物活體)

切，割——(3) tail 　　　　　　　　　　　高

tailor	〔**tail** 切割→剪裁，**-or** 表示人；「剪裁者」→〕裁縫，成衣工，成衣商
tailoress	〔見上，**-ess** 表示女性〕女裁縫，女成衣工
detail	〔**de-** 加強意義，**tail** 切；「切碎的」，由整體切碎細分而成的部分→〕細節，細目，詳情，零件
detailed	〔見上，**-ed**…的〕細節的，詳細的
retail	〔**re-** 再，**tail** 切；「再切」→切碎→細分→由整變零→〕零售，零賣，零售的
retailer	〔見上，**-er** 表示人〕零售商

切，割——(4) cid / cis 　　　　　　　　　高

decide	〔**de-** 表示加強意義，**cid** 切，切斷→裁斷→裁決→〕決定，裁決，判決，下決心
decidable	〔見上，**-able** 可…的〕可以決定的
undecided	〔見上，**un-** 不，未，**decide** 決定，**-ed**…的〕未定的，未決的
decision	〔見 **decide**，字母轉換：d → s，因此：cid → cis，**-ion** 名詞字尾〕決定，決心，決議
indecision	〔**in-** 無，不，**decision** 決定〕無決斷力，猶豫不決
decisive	〔見上，**-ive**…的〕決定性的
indecisive	〔**in-** 非，不，見上〕非決定性的，不決斷的

concise	〔**con-**表示加強意義, **cis** 切; 「切短」, 「切除」不必要的部分, 刪除冗言贅語, 留下精簡扼要的部分→〕簡明的, 簡潔的, 簡要的
precise	〔**pre-**先, 前, **cis** 切; 「預先切除不清楚的部分」→〕明確的, 準確的, 精確的
precision	〔見上, **-ion** 名詞字尾〕精確性, 精密度
incise	〔**in-**入, **cis** 切; 「切入」→〕切開, 雕刻
incision	〔見上, **-ion** 名詞字尾〕切開, 切口, 雕刻
incisive	〔見 **incise**, **-ive**…的〕能切入的, 鋒利的, 尖銳的
incisor	〔見 **incise**, **-or** 表示物; 「能切斷東西者」→〕門牙, 切牙
excide	〔**ex-**出, 去, **cid** 切〕切除, 切去, 切開, 刪去
excision	〔見上, **-ion** 名詞字尾〕切除, 切去, 刪除
circumcise	〔**circum-**周圍, 環繞, **cis** 切; 「周圍切割」, 環狀切割→〕割去包皮, 進行環切

⑩⑨伸—— **tend** **tens** **tent** 高大

extend	〔**ex-**外, 出, **tend** 伸〕伸出, 伸開, 擴大, 擴展, 擴張
extension	〔見上, **tens**=**tend**, **-ion** 名詞字尾〕伸展, 擴大, 擴展
extensible	〔見上, **-ible** 可…的〕可伸展的, 可擴大的, 可擴張的

extensive	〔見上，伸展→面積擴大→廣闊，-ive…的〕廣闊的，廣泛的
attend	〔at-表示 to 向，tend 伸；"to stretch one's mind to"，「把精神或心思伸向…」→〕注意，關心；出席
attention	〔見上，tent＝tend，-ion 名詞字尾〕注意，關心，注意力
attentive	〔見上，-ive…的〕注意的
contend	〔con-共同，一起，tend 伸→伸取→追求；「與…一起伸取某物」，「與…共同追求某物」→〕競爭，鬥爭
contention	〔見上，-ion 名詞字尾〕競爭，鬥爭
tendency	〔tend 伸，-ency 名詞字尾，表示情況、性質；「伸向」→傾向〕趨向，傾向，趨勢，傾向性
tendentious	〔見上，-entious（＝-ent＋-ious）…的〕有傾向性的
tent	〔tent 伸；能夠「伸開（張開）」的東西（如皮革、帆布等），用作掩蓋、庇護之用→〕帳篷，帳棚
extent	〔ex-出，tent 伸；伸開→廣闊→〕廣度，寬度，長度，一大片（地區）
intense	〔in-加強意義，tens 伸；伸展→拉緊，繃緊→〕緊張的，強烈的，劇烈的
intensify	〔見上，-fy 動詞字尾，使…〕加劇，加強
intensification	〔見上，-fication 名詞字尾，…化〕強化，增強，加緊

intension	〔見上, -ion 名詞字尾, 表示情況、性質〕緊張, 強度
intensive	〔見上, -ive…的〕加強的, 深入的
tension	〔tens 伸→繃緊, -ion 名詞字尾〕拉緊, 繃緊, 緊張, 張力
hypertension	〔hyper-超過, tension 張力, 壓力;「血的壓力過高」→〕高血壓
tense	〔tens 伸, 伸開→拉緊〕拉緊的, 繃緊的, 緊張的
tensible	〔見上, -ible 可…的〕可伸展的, 可拉長的
tensity	〔見上, -ity 表示情況、性質〕緊張, 緊張度
distend	〔dis-散開, tend 伸, 擴〕(使) 擴張, (使) 膨脹, (使) 腫脹
distension	〔見上, -ion 名詞字尾〕擴張, 膨脹 (作用)
tender	〔tend 伸;「剛伸出的嫩芽」→〕嫩的, 柔軟的, 溫柔的
intend	〔in-入, tend 伸;「伸入」,「把心思伸向某事」→〕想要, 打算。
intention	〔見上, -ion 名詞字尾〕意圖, 意向, 打算, 目的

⑩懸掛—— pend
pens   高

depend	〔de-下, pend 懸掛;「掛在他物下面」→依附於另一物體→〕依靠, 依賴
dependent	〔見上, -ent…的〕依靠的, 依賴的, 不獨立的, 從屬的
dependence	〔見上, -ence 名詞字尾〕依靠, 依賴

dependency	〔見上, **-ency** 名詞字尾〕依賴, 從屬, 屬地, 屬國
dependable	〔見上, **-able** 可…的〕可依賴的, 可依靠的
independent	〔**in-**不, **depend** 依靠, **-ent**…的〕獨立的, 自主的
independence	〔見上, **-ence** 名詞字尾, 表示行為、情況〕獨立, 自主
independency	〔見上, **-ency**＝**-ence**〕獨立, 獨立國
pending	〔**pend** 懸掛, **-ing**…的〕懸而未決的
pendent	〔**pend** 懸掛, **-ent**…的〕懸空的, 懸而未決的;〔**-ent** 表示物〕懸垂物
suspend	〔**sus-**＝**sub-**下, **pend** 懸, 吊, 掛;「掛起來」〕掛, 懸, 中止, 暫停
suspension	〔見上, **-ion** 名詞字尾, 表示行為、情況〕懸掛, 懸而不決, 中止, 暫停
suspensive	〔見上, **-ive**…的〕懸掛的, 懸而不決的, 暫停的
suspensible	〔見上, **-ible** 可…的〕可懸掛的, 可吊的
append	〔**ap-**表示 **to**, **pend** 懸掛〕掛上, 附加
appendage	〔見上, **-age** 名詞字尾, 表示物〕附加物, 附屬物

⑾工作──oper 〔高〕

operate	〔**oper** 工作, **-ate** 動詞字尾, 做…〕工作, 操作, 運轉, 動手術
operation	〔**oper** 工作, **-ation** 表示行為〕工作, 操作, 運轉, （外科）手術

operator	〔oper 工作，操作，-ator 者〕操作人員，（外科）施行手術者
operative	〔oper 工作，操作，-ative…的〕工作的，操作的，手術的
operable	〔oper 工作，操作，-able 可…的〕可操作的，能施行手術治療的
operose	〔oper 工作→勞動，出力，-ose 形容詞字尾，…的〕費力的，用功的，勤勉的
inoperable	〔in-不，oper 工作，操作→動手術，-able 能…的〕不能施行手術的，不宜動手術的
cooperate	〔co-共同，oper 工作，-ate 動詞字尾，做…〕合作，協作
cooperation	〔見上，-ation 表示行為〕合作，協作
cooperator	〔見上，-ator 者〕合作者，合作社社員
cooperative	〔見上，-ative…的〕合作的，協作的；〔轉為名詞〕合作社

⑫ 追求——pet　　　　　　　　大

compete	〔com-共同，pet 追求；「共同追求」→〕競爭，角逐，比賽
competition	〔見上，-ition 名詞字尾，表示行為〕競爭，角逐，比賽
competitive	〔見上，-itive 形容詞字尾，…的〕競爭的，比賽的
competitor	〔見上，-itor 表示人〕競爭者，比賽者
appetite	〔ap-表示 to 向，pet 追求→渴求，渴望→〕慾望，食慾
appetence	〔見上，-ence 表示情況〕強烈的慾望，渴望

appetent	〔見上，**-ent**…的〕渴望的，有慾望的
appetizing	〔見上，**-iz(e)＋-ing**…的〕促進食慾的，開胃的
petition	〔**pet** 追求→請求，尋求，**-ition** 表示行為〕申請，請求，請願，請願書
petitionary	〔見上，**-ary**…的〕請求的，申請的，請願的
petitioner	〔見上，**-er** 者〕請求者，請願者

⑬教—— doc doct 高

doctor	〔**doct** 教→指教，**-or** 人；「指教者」→〕醫生；博士
doctoral	〔見上，**-al**…的〕博士的
doctorate	〔見上，**-ate** 名詞字尾〕博士銜，博士學位
doctrine	〔見上，**-ine** 名詞字尾〕教義，教旨，教條；主義
doctrinal	〔見上，**-al**…的〕教條的，教義的
doctrinaire	〔見上，**-aire** 名詞字尾，表示人〕教條主義者
document	〔**doc** 教，指教→指示，**-u-**連接字母，**-ment** 名詞字尾，表示物；「指示性的文件」→〕公文，文件；文獻
documental	〔見上，**-al**…的〕公文的；文獻的
documentary	〔見上，**-ary**…的〕公文的，文件的；記錄的，記實的
documentation	〔見上，**-ation** 名詞字尾〕文件的提供或使用
docile	〔**doc** 教，**-ile** 易…的〕容易管教的，馴良的
docility	〔**doc** 教，**-ility** 名詞字尾〕容易管教，馴良

indocile	〔in-不，doc 教，-ile 易…的〕難馴服的
indocility	〔見上，-ility 名詞字尾〕難馴服
docent	〔doc 教，-ent 名詞字尾，表示人〕教員；講師

114 打擊——flict　　　　　　　　　大托

afflict	〔af-表示 at, to 等意義，flict 打擊〕使苦惱，折磨
affliction	〔見上，-ion 名詞字尾〕苦惱，折磨；苦事
afflictive	〔見上，-ive…的〕使人苦惱的，折磨人的
conflict	〔con-共同，flict 打擊；「共同打」→「彼此互打」→〕衝突；戰鬥；交鋒；鬥爭
inflict	〔in-使，作，flict 打擊；「給以打擊」〕予以打擊，使遭受痛苦；加刑，處罰
infliction	〔見上，-ion 名詞字尾〕使受痛苦；處罰
inflicter	〔見上，-er 者〕予以痛苦者；加害者；處罰者
inflictive	〔見上，-ive…的〕施加痛苦的；處罰的

115 做—— fact / fac　　　　　　　　　高

factory	〔fact 作，製作，-ory 名詞字尾，表示場所、地點；「製作的場所」→〕工廠，製造廠
manufacture	〔manu 手，fact 作，製作；「用手製作」，古時生產全用手操作〕製造，加工
manufacturer	〔見上，-er 表示人〕製造者，製造商，工廠主
manufactory	〔見上，-ory 表示場所〕製造廠，工廠

benefactor	〔bene-好，**fact** 做，**-or** 表示人；「做好事者」→〕施恩者，恩人，捐助者
benefaction	〔見上，**-ion** 名詞字尾〕施恩，行善，善行，捐助物
malefactor	〔male-惡，壞，**fact** 做，**-or** 者；「做壞事者」→〕作惡者，壞分子，犯罪分子
malefaction	〔見上，**-ion** 名詞字尾〕犯罪（的行為），壞事
factitious	〔**fact** 做，**-itious** 形容詞字尾，屬於…的；「做作」出來的→〕人為的，做作的，不自然的
facsimile	〔**fac** 做，**simil** 相似；「作出相似的東西」，作出與原物相似之物→〕謄寫，摹寫，摹真本
facile	〔**fac** 做，**-ile** 形容詞字尾，易…的〕易做到的，易得到的
facility	〔見上，**-ity** 名詞字尾；「易做」→〕容易，便利
facilitate	〔見上，**-ate** 動詞字尾，使…〕使容易做，使容易，使便利，促進
fact	〔**fact** 做；「已經做出」的事→〕事實
factual	〔見上，**-ual**…的〕事實的，實情的，真實的
facture	〔**fact** 作，製作，**-ure** 名詞字尾〕製作，製作法

116 關閉── clud clus 大

| exclude | 〔ex-外，**clud** 關；「關在外面」→不許入內→〕排斥，拒絕接納，把…排除在外 |

exclusive	〔見上，-ive…的〕排外的，排他的，除外的
exclusion	〔見上，-ion 名詞字尾〕排斥，拒絕，排除，排外
exclusionism	〔見上，-ism 主義〕排外主義
include	〔in-入，內，clud 關閉；「關在裏面」，「包入」→〕包含，包括，包住，關住
inclusion	〔見上，-ion 名詞字尾〕包含，包括，內含物
inclusive	〔見上，-ive…的〕包括在內的，包括的，包含的
conclude	〔con-加強意義，clud 關閉→結束，完結〕結束，完結，終了
conclusion	〔見上，-ion 名詞字尾〕完結，結束，結局，結論
conclusive	〔見上，-ive…的〕結論的，總結性的，最後的
seclude	〔se-離，分開，clud 關閉；「關閉起來，與外界隔離」→〕使隔離，使孤立，使退隱
seclusion	〔見上，-ion 名詞字尾〕隔離，孤立，隱居，退隱
seclusive	〔見上，-ive…的〕隱居性的，愛隱居的
recluse	〔re-回，退，clus 關閉；「閉門退居」→〕退居的，隱居的；隱士，遁世者
reclusive	〔見上，-ive…的〕隱退的，隱居的，遁世的
occlude	〔oc-=against，clud 關閉；「關閉起來，不讓通過」→〕使堵塞，使閉塞
occlusion	〔見上，clud → clus，-ion 名詞字尾〕堵塞，閉塞
occlusive	〔見上，-ive…的〕閉塞的，堵塞的

preclude	〔**pre-**前，先，預先，**clud** 關閉；「預先關閉」→〕阻止，預防，排除，消除
preclusion	〔見上，**clud → clus**，**-ion** 名詞字尾〕預防，阻止，排除
preclusive	〔見上，**-ive**…的〕預防（性）的，排除的，阻止的

⑰引導── duc duct 高

educate	〔**e-**出，**duc** 引導，**-ate** 動詞字尾；「引導出來」，「把…由無知狀態中引導出來」→教導出來〕教育
education	〔見上，**-ion** 名詞字尾〕教育
educable	〔見上，**-able** 可…的〕可教育的
introduce	〔**intro-**入，**duc** 引；「引入」→〕引進，介紹
introduction	〔**intro-**入，**duct** 引，**-ion** 名詞字尾〕引進，介紹
introductory	〔見上，**-ory**…的〕介紹的，導言的
conduct	〔**con-**加強意義，**duct** 引導，領導〕引導，指導，管理，經營
conductor	〔見上，**-or** 表示人〕指導者，管理者，（樂隊等的）指揮，（電車等的）售票員；〔**duct** 引導→傳導，**-or** 表示物〕導體
semiconductor	〔**semi-**半，**conductor** 導體〕半導體
misconduct	〔**mis-**誤，錯，**conduct** 指導→辦理〕辦錯，對…處理不當

produce	〔**pro-**向前，**duc** 引導；「向前引」→引出…來→製出，產生出〕生產，出產，製造，產生，引起
product	〔見上〕產品，產物，產量，出產
production	〔見上，**-ion** 名詞字尾〕生產，製造
productive	〔見上，**-ive**…的〕生產的，生產性的
reproduce	〔**re-**再，**produce** 生產〕再生產，再造，複製
abduct	〔**ab-**離，去，**duct** 引；「引去」→〕誘拐，劫持
abduction	〔見上，**-ion** 名詞字尾〕誘拐，劫持
abductor	〔見上，**-or** 表示人〕誘拐者，拐子
seduce	〔**se-**離，去，**duc** 引；「引誘去」→〕誘惑，誘使…墮落，勾引
seducer	〔見上，**-er** 者〕引誘者，勾引者
aqueduct	〔**aque** 水，**duct** 引導；「引導水流之物」〕導水管，引水渠，溝渠，高架渠
viaduct	〔**via** 道路，**duct** 引導；「把路引導過去」→〕高架橋，跨線橋，旱橋，棧道
ventiduct	〔**venti** 風，**duct** 引導；「引導風的」管道→〕通風管，通風道
reduce	〔**re-**回，向後，**duc** 引；「引回」，「向後引」→退縮，減退〕減少，減縮
reduction	〔見上，**-ion** 名詞字尾〕減少，減小，縮減
reductor	〔見上，**-or** 表示物〕減速器，減壓器

118 掩蓋——tect 　大

| detect | 〔**de-**除去，取消，**tect** 掩蓋；「除去掩蓋」→揭露秘密→查明真相→〕偵查；發覺 |

detectable	〔見上，**-able** 可…的〕可察覺的，易發覺的
detection	〔見上，**-ion** 名詞字尾〕偵查；發覺
detective	〔見上，**-ive** 形容詞兼名詞字尾〕偵探的，偵察的；偵探
detector	〔見上，**-or** 表示人或物〕察覺者，發覺者；探測器
detectaphone	〔**detect** 偵察，**-a-** 連接字母，**phon** 聲音，電話〕偵聽電話機，偵聽器，竊聽器
protect	〔**pro-** 在前面，**tect** 掩蓋；「在前面護蓋」→〕保護
protection	〔見上，**-ion** 名詞字尾〕保護，護衛；防護物
protectionism	〔見上，**-ism** 主義〕保護（貿易）主義
protective	〔見上，**-ive** …的〕保護的；防護的
protector	〔見上，**-or** 表示人或物〕保護者；保護器
unprotected	〔**un-** 無，**protect** 保護，**-ed** … 的〕無掩護的；沒有防衛的，未設防的

⑪⑨耕，栽培，培養──cult　　　　　　大

cultivate	〔**culti** 耕，培養，**-ate** 動詞字尾〕耕作；養殖；培養，教養
cultivable	〔見上，**-able** 可 … 的〕可耕作的；可栽培的；可教養的；可教化的
cultivation	〔見上，**-ation** 抽象名詞字尾〕耕作；栽培；教養
cultivator	〔見上，**-ator** 人〕耕作者，栽培者
culture	〔**cult** 培養，教養，**-ure** 名詞字尾；「由教養所形成的」→〕文化
cultural	〔見上，**-al** …的〕文化的，文化上的

aquiculture	〔aqu 水, -i-, cult 養, -ure 名詞字尾〕飼養水棲動物, 水產養殖
agriculture	〔agri 田地, cult 耕, -ure 抽象名詞字尾;「耕種田地」→〕農業; 農藝; 農學
agricultural	〔見上, -al 形容詞字尾〕農業的; 農藝的; 農學的
agriculturist	〔見上, -ist 人〕農學家
apiculture	〔api 蜜蜂, cult 養, -ure 名詞字尾〕養蜂, 養蜂業
apiculturist	〔見上, -ist 人〕養蜂者, 養蜂家
arboriculture	〔arbor 樹木, cult 培養, -ure 名詞字尾〕樹木栽培 (學)
arboriculturist	〔見上, -ist 人〕樹木栽培家
aviculture	〔avi 鳥, cult 培養, -ure 名詞字尾〕養鳥, 鳥類飼養
floriculture	〔flori 花, cult 培養, -ure 抽象名詞字尾〕養花, 種花, 花卉栽培, 花藝
floricultural	〔見上, -al…的〕養花的, 花卉栽培的
floriculturist	〔見上, -ist 人〕養花者, 花匠; 花卉栽培家
pisciculture	〔pisci 魚, cult 養, -ure 名詞字尾〕養魚, 魚類養殖, 養魚業; 養魚術, 養魚學
piscicultural	〔見上, -al…的〕養魚的, 養魚術的
pisciculturist	〔見上, -ist 人〕養魚專家

⑫⓪製造, 塑造, 虛構—— fict fig 大托

| fiction | 〔fict 虛構, 杜撰, -ion 名詞字尾〕虛構, 杜撰; 捏造; 〔虛構的事→〕小說 |

fictionist	〔見上，-ist 人〕小說家
fictional	〔見上，-al…的〕小說的；虛構的
fictionalize	〔見上，-ize 動詞字尾〕把…編成小說；使小說化
fictitious	〔fict 虛構，杜撰，-itious 形容詞字尾，…的〕虛構的，杜撰的；非真實的
fictive	〔fict 虛構，-ive…的〕非真實的；假裝的
fictile	〔fict 塑造，-ile 形容詞兼名詞字尾〕塑造的；可塑造的；陶製的；陶製品
figment	〔fig 虛構，臆造，-ment 名詞字尾〕虛構的事；臆造的事物
figure	〔fig 塑造，製作，-ure 名詞字尾；「製作出來」的樣子，「塑造成」的形狀→〕外形，輪廓；塑像；形象
figurable	〔見上，-able 能…的〕能成形的，能定形的
figural	〔見上，-al…的〕具有人（或動物）的形象的
figuration	〔見上，-ation 名詞字尾〕成形，定形；外形，輪廓
figurine	〔見上，-ine 名詞字尾，表示物〕小塑像；小雕像
configure	〔con-加強意義，figure 形象〕使成形，使具形體
configuration	〔見上，-ation 名詞字尾〕構造，結構；形狀，外形
disfigure	〔dis-取消，毀，figure 外形〕毀…的外形（或容貌）
disfigurement	〔見上，-ment 名詞字尾〕毀形，毀容

prefigure	〔**pre-**先，前，**figure** 形象；「預先以形象顯示」→〕預示；預兆
prefiguration	〔見上，**-ation** 名詞字尾〕預示；預兆
transfigure	〔**trans-**轉變，改換，**figure** 外形〕使變形；使改觀
transfiguration	〔見上，**-ation** 名詞字尾〕變形；改觀

⑫⑴聚集，群集，群——greg 〔托〕

gregarious	〔**greg** 群，**-ous**…的〕群居的；群集的
aggregate	〔**ag-**加強意義，**greg** 集合，**-ate** 動詞兼形容詞字尾〕合計，總計；聚集的；合計的
aggregation	〔見上，**-ation** 名詞字尾〕聚集；聚集物
congregate	〔**con-**共同，**greg** 集合，**-ate** 動詞兼形容詞字尾〕(使) 集合；集合在一起的；集體的
congregation	〔見上，**-ation** 名詞字尾〕集合；會合；集會；人群
congregational	〔見上，**-al**…的〕集合的
egregious	〔**e-**出，外，**greg** 群，眾，**-ious** … 的；「出眾的」→〕異乎尋常的
segregate	〔**se-**分開，離開，**greg** 群，**-ate** 動詞字尾；「離群」，「離開集體」→〕(使) 分離，(使) 分開；使隔離；受隔離
segregation	〔見上，**-ation** 名詞字尾〕分開；離群；隔離
segregationist	〔見上，**-ist** 者〕(種族) 隔離主義者

⑫⑵消化—— peps pept 〔托〕

pepsine	〔**peps** 消化，**-ine** 素〕消化素，胃液素，胃蛋白酶
peptic	〔**pept** 消化，**-ic**…的〕消化的，助消化的；消化劑
peptone	〔**pept** 消化，**-one** 化學名詞字尾〕消化蛋白質，腺
peptonize	〔見上，**-ize** 使化為…〕使化為消化蛋白質，使腺化
dyspepsia	〔**dys-**不良，**peps** 消化，**-ia** 表疾病〕消化不良
dyspepsy	同 **dyspepsia**
dyspeptic	〔見上，**-ic**…的〕消化不良的
eupepsia	〔**eu-**好，優良，**peps** 消化，**-ia** 醫學名詞字尾〕消化良好
eupeptic	〔見上，**-ic**…的〕消化良好的

123 命令──(1) emper . imper 　高

emperor	〔**emper** 命令，**-or** 者;「發布命令者」→統治者→〕皇帝
emperorship	〔見上，**-ship** 名詞字尾〕皇帝的身分或地位
empress	〔**emper**＋**-ess** 表示女性;「女統治者」→〕女皇; 皇后
empire	〔**empire** ← **emper** 命令→統治→〕帝國; 帝權
imperative	〔**imper** 命令，**-ative** 形容詞字尾，…的〕命令的，強制的;〔語法〕祈使的

imperial	〔imper 命令→發布命令→統治，-ial…的〕皇帝的；帝國的
imperialism	〔見上，-ism 主義〕帝國主義
imperialist	〔見上，-ist 者〕帝國主義者；〔轉作形容詞〕帝國主義的
imperious	〔imper 命令，-ious 形容詞字尾，…的；「發號施令的」→〕專橫的；老爺式的

命令──(2) mand　　高

command	〔com- 表示 with，mand 命令〕指揮，統帥；命令；控制；指揮權；指揮部；指令
commander	〔見上，-er 表示人〕指揮員，指揮官，司令員
commandant	〔見上，-ant 表示人〕指揮官，司令
commandeer	〔見上，-eer 動詞字尾；「用命令強制…」→〕徵用；強徵…入伍
demand	〔de- 加強意義，mand 命令→吩咐→〕要求
demander	〔見上，-er 表示人〕要求者
demandable	〔見上，-able 可…的〕可要求的
demandant	〔見上，-ant 表示人〕提出要求者；（法律）原告
mandate	〔mand 命令，委派〕訓令，命令；委任，記管
mandator	〔見上，-or 者〕命令者；委任者
mandatory	〔見上，-ory…的〕命令的，訓令的；強制性的

124 罰—— pun pen 高

punish	〔pun 罰，-ish 動詞字尾〕懲罰，處罰
punishment	〔見上，-ment 名詞字尾〕罰，懲罰，處罰；刑罰
punisher	〔見上，-er 者〕懲罰者，處罰者
punishable	〔見上，-able 可…的〕可受懲罰的，該罰的
punitive	〔pun 罰，-itive 形容詞字尾，…的〕給予懲罰的，懲罰性的
impunity	〔im-不，pun 罰，-ity 名詞字尾〕不受懲罰，免罪
penal	〔pen 罰，-al…的〕（當）受刑罰的；刑事的
penalize	〔見上，-ize 動詞字尾〕對…處以刑事懲罰，處罰
penalty	〔見上，-ty 名詞字尾〕處罰，懲罰；刑罰

125 傷害，懲罰—— damn demn 大

damage	〔dam ← damn 傷害，-age 名詞字尾〕損害，毀壞；損失，〔轉作動詞〕損害，毀壞
damageable	〔見上，-able 可…的〕可損害的
damn	〔damn 懲罰〕罰…入地獄；詛咒，指罵，指責
damnation	〔見上，-ation 名詞字尾〕罰入地獄；指責
damnatory	〔見上，-atory 形容詞字尾，…的〕指責的
damned	〔見上，-ed…的〕打入地獄的；該死的

damnify	〔damn 傷害，-i-，-fy 動詞字尾〕損傷，損害
condemn	〔con-加強意義，demn 懲罰〕譴責；宣告…有罪，判（某人）刑
condemnable	〔見上，-able 可…的〕應受譴責的，應定罪的
condemned	〔見上，-ed…的〕已被定罪的
condemnation	〔見上，-ation 名詞字尾〕譴責；定罪，宣告有罪
indemnify	〔in-不，demn 傷害，-i-，-fy 動詞字尾，使…；「使不受傷害」→〕保障，保護；使免於受罰；補償
indemnification	〔見上，-fication 名詞字尾〕保障，保護；免罰
indemnity	〔見上，-ity 名詞字尾〕保障，保護；赦免
endamage	〔en-使，damage 損害〕使受損害，損壞

126 連接──junct   大

junction	〔junct 連接，-ion 名詞字尾〕連接，接合；接合點
juncture	〔junct 連接，-ure 名詞字尾〕接合；接合點；交界處
conjunct	〔con-共同，junct 連接〕連接的；聯合的；結合的
conjunction	〔見上，-ion 名詞字尾〕連接；聯合；結合；（事件的）同時發生；連接詞
conjunctive	〔見上，-ive…的〕連接的；聯合的
disjunct	〔dis-不，junct 連接〕不連接的，斷離的

disjunction	〔見上, **-ion** 名詞字尾〕分離, 分裂, 折斷
disjunctive	〔見上, **-ive**…的〕分離的, 分離性的
adjunct	〔**ad-**表示 **to, junct** 連接;「連接在他物之上」→〕附屬物, 附屬品; 附加語, 修飾語; 附屬的
adjunctive	〔見上, **-ive**…的〕附屬的; 附加語的
adjunction	〔見上, **-ion** 名詞字尾〕附加, 添加

⑫⑦醫治—— medic
med 科

medicine	〔**medic** 醫治, **-ine** 名詞字尾〕醫學, 醫術; 內科學; 藥
medicinal	〔見上, **-al**…的〕治療的; 藥用的; 藥的
medical	〔**medic** 醫治, **-al**…的〕醫學的; 醫療的; 醫藥的
medicable	〔見上, **-able** 可…的〕可治療的
medicate	〔見上, **-ate** 動詞字尾〕用藥治療
medication	〔見上, **-ation** 名詞字尾〕藥療法
medicaster	〔見上, **-aster** 表示人, 卑稱〕江湖醫生, 庸醫
remedy	〔**re-**回, **med** 醫治; "a medical tending that brings back health"→〕醫治, 治療; 療法; 補救; 藥物
remediable	〔見上, **-able** 可…的〕可補救的
remediless	〔見上, **-less** 無, 不〕醫不好的, 不可救藥的
remedial	〔見上, **-al**…的〕治療的; 治療上的; 補救的
aeromedicine	〔**aero** 航空, **medicine** 醫學〕航空醫學
aeromedical	〔見上〕航空醫學的

premedical	〔**pre-**先，預先〕（美國）醫科大學預科的

128 測量——mens 托

immense	〔**im-**不，無，**mens** 測量；「無法測量」其大小的，「不能測量」的→〕廣大無邊的，巨大的，無限的
immensity	〔見上，**-ity** 名詞字尾〕廣大，巨大，無限
dimension	〔**di-**=**dia-**貫穿，透，遍及，**mens** 測量，**-ion** 名詞字尾；「量遍」，「量透」，「長、寬、高都測量」→〕尺寸，尺度；大小
dimensional	〔見上，**-al**…的〕有尺寸的，有尺度的，可量的
mensurable	〔**mens** 測量，**-able** 可…的〕可測量的
mensuration	〔見上，**-ation** 名詞字尾〕測量，測定；量法
commensurate	〔**com-**共同，相同，**mens** 測量，**-ate**…的〕同量的，等量的，同大小的；相稱的
commensuration	〔見上，**-ation** 名詞字尾〕等量，同量；相稱

129 威脅—— min men 大

menace	〔**men** ← **min** 威脅，**-ace** 名詞字尾〕威脅，恐嚇；〔轉為動詞〕威脅，恐嚇
menacer	〔見上，**-er** 者〕威脅者，恐嚇者
minatory	〔**min** 威脅，**-atory** 形容詞字尾，…的〕威脅性的，恐嚇的
minacious	〔**min** 威脅，**-acious** 形容詞字尾，…的〕威脅性的，恐嚇的

minacity	〔min 威脅，-acity 名詞字尾〕威脅性，恐嚇性
commination	〔com-加強意義，min 威脅，-ation 名詞字尾〕恐嚇
comminatory	〔見上，-atory 形容詞字尾，…的〕恐嚇的

⑬結，繫── nect nex 高

connect	〔con-共同，一起，nect 結，繫；「結在一起」→〕連結，連接；把…聯繫起來
connector	〔見上，-or 表示人或物〕連接者；連接物
connection	〔見上，-ion 名詞字尾〕聯繫；連接
connective	〔見上，-ive…的〕連結的，連接的
connected	〔見上，-ed…的〕連結的，連接的；關聯的
unconnected	〔un-不〕不連接的，分離的
disconnect	〔dis-不，「不連接」→〕拆開，分離，撕開
disconnection	〔見上，-ion 名詞字尾〕分離，分開
annex	〔an-表示 to，nex 結；「連結在一起」，「結合起來」→〕合併，併吞，兼併（領土等）；附加
annexation	〔見上，-ation 名詞字尾〕合併，併吞；附加；併吞物；附加物
annexment	〔見上，-ment 表示物」併吞物；附加物
reannex	〔re-再，annex 合併〕再合併

⑬選──opt 大

| adopt | 〔ad-表示 to，opt 選 → 選取，選用 →〕採用，採納，採取；選定 |

adoptable	〔見上，**-able** 可⋯的〕可採用的，可選用的
adoption	〔見上，**-ion** 名詞字尾〕採用，採取
adoptive	〔見上，**-ive**⋯的〕採用的
opt	選擇，抉擇
option	〔**opt** 選，**-ion** 名詞字尾〕選擇；選擇權；（供）選擇的事物
optional	〔見上，**-al**⋯的〕可任意選擇的，隨意的，非強制的
optant	〔**opt** 選，**-ant** 表示人〕選擇者，抉擇者
co-opt	〔**co-**表示 **together**，**opt** 選；"**to choose together**"→〕（某一組織的原有成員）增選（某人）為成員
co-optation	〔見上，**-ation** 名詞字尾〕（原有成員對新成員的）增選

⑬²裝飾──orn　　　　　　　　　　大

adorn	〔**ad-**加強意義，**orn** 裝飾〕裝飾，打扮，使生色
adornment	〔見上，**-ment** 名詞字尾〕裝飾；裝飾品
ornate	〔**orn** 裝飾，**-ate** 形容詞字尾，⋯的〕裝飾華麗的，過分裝飾的
ornament	〔**orn** 裝飾，**-a-**，**-ment** 名詞字尾〕裝飾物，裝飾品
ornamental	〔見上，**-al**⋯的〕裝飾的，作裝飾用的；裝飾品
ornamentalist	〔見上，**-ist** 表示人〕裝飾家
ornamentation	〔見上，**-ation** 名詞字尾〕裝飾，修飾；裝飾術；裝飾品

suborn	〔**sub-**下，底下→暗地裏，秘密地，**orn** 裝飾 →裝備→供給；「秘密地供給財物」→〕賄賂；唆使
subornation	〔見上，**-ation** 名詞字尾〕賄賂，唆使
suborner	〔見上，**-er** 者〕唆使者
inornate	〔**in-**不，**orn** 裝飾，**-ate**…的〕不加修飾的，樸素的

133 賣——pol(y) 托

monopoly	〔**mono-**獨，**poly** 賣；「獨家專賣」→〕獨佔，壟斷，專利，專營
monopolist	〔見上，**-ist** 者〕壟斷者，獨佔者，專利者，專賣者
monopolism	〔見上，**-ism** 主義〕壟斷主義；壟斷制度
monopolize	〔見上，**-ize** 動詞字尾〕壟斷，獨佔，專營
monopolization	〔見上，**-ization** 名詞字尾〕壟斷，獨佔，專營
duopoly	〔**duo** 兩，**poly** 賣；「兩家專賣」→〕市場由兩家賣主壟斷的局面
bibliopoly	〔**biblio** 書，**poly** 賣〕書籍販賣
bibliopole	〔**biblio** 書，**pol** 賣〕書商
oligopoly	〔**oligo** 少，少數，**poly** 賣〕（在有大量買主的情況下）少數製造商對市場的控制

9

現象，情況

[134] 沉，浸 —— merg / mers   托

emerge	〔e-外，出，merg 沉；「由水中浮出」〕浮現；出現
emergence	〔見上，-ence 名詞字尾〕浮現；出現
emergent	〔見上，-ent 形容詞字尾〕浮現的；出現的；突然出現的；緊急的，意外的
emergency	〔見上，-ency 名詞字尾〕突然出現的情況；突然事件，意外之變；緊急情況
immerge	〔im-入內，merg 沉〕沉入，浸入
submerge	〔sub-下，merg 沉〕沉下，沉於水中，沒入水中
submergence	〔sub-下，merg 沉，-ence 名詞字尾〕沉沒，浸沒
submergible	〔sub-下，merg 沉，-ible 可…的〕可沉入水中的
demersal	〔de-向下，mers 沉，-al…的〕居於水底的
emersed	〔e-外，出，mers 沉，-ed…的；「由水中浮出的」〕（水生植物等）伸出水面的
emersion	〔見上，-ion 名詞字尾〕浮現；出現

immerse	〔im-入內，mers 沉〕沉浸
immersible	〔見上，-ible 可…的〕可沉於水中的
immersion	〔見上，-ion 名詞字尾〕沉浸，浸沒
submersed	〔sub-下，mers 沉，-ed … 的；「沉在水下的」〕在水下的；〔植物〕生於水下的，水生的
submersible	〔sub-下，mers 沉，-ible 可…的〕可沉於水中的
submersion	〔見上，-ion 名詞字尾〕沉沒，沒入，浸沒

√ 135 浮游——nat 〔托〕

natant	〔nat 浮游，-ant …的〕（在水上）漂浮的，游泳的
natation	〔nat 浮游，-ation 名詞字尾〕游泳，游泳術
natatory	〔見上，-ory …的〕游泳的，用於游泳的
natatorial	同 natatory
natatorium	〔見上，-orium 表示場所、地點〕游泳池

√ 136 升起——ori 〔大〕

orient	〔ori 升起；原義為「太陽升起的地方」→〕東方，東方的
oriental	〔見上，orient 東方，-al …的〕東方的
orientate	〔orient 東方，-ate 動詞字尾，做…事〕指向東方，定方位，指示方向
orientation	〔見上，-ion 名詞字尾，表示行為〕向東，定向，定位，指示方向
disorient	〔dis-離開，orient 東方，方向〕使迷失方向（或方位）

disorientate	〔見上，**-ate** 動詞字尾〕不辨方向，迷向
disorientation	〔見上，**-ion** 名詞字尾〕不辨方向
reorientation	〔**re-**再，**orientation** 定方向〕再定方向，重定方向
origin	〔**ori** 升起→發生，發起→起源〕原始，起源，由來，出身
original	〔見上，**-al**…的〕起源的，原始的，最初的
originate	〔見上，**-ate** 動詞字尾〕發起，發生，起源

137 降落——(1) cid　　　　大

occident	〔**oc-**加強意義，**cid** 降；「太陽降落的地方」→〕西方
occidental	〔見上，**-al**…的〕西方的
Occidentalism	〔見上，**-ism** 表特性〕西方人（或西方文化）的特徵
Occidentalist	〔見上，**-ist** 人〕西方文化愛好者
deciduous	〔**de-**表示加強意義，**cid** 落，**-uous**…的〕（葉等）脫落的
indeciduous	〔**in-**不，見上〕不落葉的，常綠的
accident	〔**ac-**加強意義，**cid** 降；「偶然降臨的事」→〕偶然的事，意外的事
accidental	〔見上，**-al**…的〕偶然的，意外的
incident	〔**in-**加強意義，**cid** 降；「突然降臨的事」→〕事變；事件
incidental	〔見上，**-al**…的〕偶然碰到的
coincide	〔**co-**共同，**in-**加強意義，**cid** 降；「同時降臨」→〕同時發生，相合，符合，重合，一致

coincident 〔見上，**-ent**…的〕同時發生的，重合的，一致的

coincidence 〔見上，**-ence** 名詞字尾〕巧合；巧合的事物；符合，一致

降落——(2) cad cas 大

decadence 〔**de-**下，**cad** 落，**-ence** 名詞字尾〕墮落，衰落，頽廢

decadent 〔見上，**-ent** 形容詞字尾，…的〕頽廢的

case 〔**cas** 降；「突然降臨的」、「偶然發生的」情況→〕情況，情形，狀況

casual 〔**cas** 降，**-ual** 形容詞字尾；「突然降臨的」→〕偶然的，未意料到的

casualty 〔見上，**-ty** 名詞字尾；「偶然之事」，「突然」→〕傷亡

occasion 〔**oc-**加強意義，**cas** 降，**-ion** 名詞字尾；「偶然降臨的」→〕時機，機會；場合

occasional 〔見上，**-al**…的〕偶然的，非經常的

occasionalism 〔見上，**-ism**…論〕偶因論

occasionality 〔見上，**-ity** 名詞字尾，表性質〕偶然性

138 傾——clin 托

decline 〔**de-**加強意義，**clin** 傾〕傾斜，下傾；衰落，衰退

declension 〔**de-**加強意義，**clen** ← **clin** 傾，（音變：i—e），**-sion** 抽象名詞字尾〕傾斜；衰落，衰退

declinal	〔見 decline, -al…的〕傾斜的, 下傾的
declinate	〔見上, -ate…的〕傾斜的, 下傾的
declination	〔見上, -ation 抽象名詞字尾〕傾斜, 下傾; 衰落, 衰微
declinometer	〔declin 傾→偏, -o-連接字母, meter 計〕磁偏計
incline	〔in-加強意義, clin 傾〕傾斜; 傾向於; 偏愛, 喜愛
inclination	〔見上, -ation 抽象名詞字尾〕傾斜; 傾向; 愛好, 偏愛
inclinable	〔見上, -able…的〕傾向於…的; 贊成…的
disincline	〔dis-不, incline 傾向, 偏愛〕使不愛, 使不願
disinclination	〔見上, -ation 抽象名詞字尾〕不喜愛, 不願; 厭惡
isoclinal	〔iso 相等, clin 傾斜, -al…的〕等斜的, 等傾的; 等傾線
recline	〔re-向後, clin 傾斜〕使向後靠; 斜倚; 躺
reclination	〔見上, -ation 抽象名詞字尾〕斜倚; 躺

⑬轉——(1)　vert
　　　　　　　vers　　　　　大托

advertise	〔ad-表示 to 向, vert 轉, -ise 動詞字尾, 使…; 「使(人的注意力)轉向…」→使人注意到…→引起人注意→〕登廣告, 為…做廣告, 大肆宣揚
advertisement	〔見上, -ment 名詞字尾, 表示行為、行為的結果〕廣告, 登廣告

anniversary	〔ann 年, -i-連接字母, vers 轉, -ary 名詞字尾;「時間轉了一年」〕周年紀念日, 周年紀念;〔-ary…的〕周年紀念的, 周年的	
✓ subvert	〔sub-下, 由下, vert 轉, 翻轉;「由下翻轉」→〕推翻, 顛覆	
✓ subversion	〔見上, vert → vers, -ion 名詞字尾〕推翻, 顛覆	
subversive	〔見上, -ive…的〕顛覆性的	
✓ divert	〔di-=dis-分開, 離, vert 轉;「由學習或工作中轉移開」→〕娛樂, 使消遣;〔轉離→〕轉向, 使轉移	
diversion	〔見上, -ion 名詞字尾〕娛樂, 消遣, 轉向, 轉移	
✓ adverse	〔ad-表示 to, vers 轉;「轉過來」→反轉→相反→敵對→〕(在位置或方向上) 逆的, 相反的;〔引申為〕敵對的	
adversity	〔見上, advers(e)逆的, -ity 表示情況、狀態〕逆境, 不幸, 苦難	
adversary	〔見上, advers(e)敵對的, -ary 表示人〕對手, 敵手	
divorce	〔di-=dis-分開, 散, vorc=vers 轉; "to turn apart"→〕離婚, 分離, 脫離	
reverse	〔re-回, 反 → 倒, vers 轉〕倒轉, 翻轉, 回轉, 逆轉	
reversion	〔見上, -ion 名詞字尾〕倒轉, 翻轉, 回復, 反向	
reversible	〔見上, -ible 可…的〕可倒轉的, 可逆的	
irreversible	〔ir-不, 見上〕不可倒轉的, 不可逆的	

introvert	〔intro-向內，vert 轉〕使（思想）內向，內省，使內彎，內向性格的人
introversion	〔見上，-ion 名詞字尾〕內向，內省，內彎
extrovert	〔extro-＝extra-外，vert 轉，轉向〕外向性格的人
convert	〔con-加強意義，vert 轉→轉變〕變換，轉變
conversion	〔見上，-ion 名詞字尾〕變換，轉化
versatile	〔vers 轉，-atile 形容詞字尾，可…的〕可轉動的，多方面的，多才多藝的

轉——(2) rot 　　　　　　　大

rotary	〔rot 輪，轉，-ary 名詞及形容詞字尾〕旋轉的，轉動的；旋轉運行的機器
rotate	〔rot 輪，轉，-ate 動詞字尾〕旋轉；輪流；循環
rotation	〔rot 輪，轉，-ation 名詞字尾〕旋轉，轉動；輪流，循環
rotative	〔rot 輪，轉，-ative … 的〕旋轉的；輪流的，循環的
rotator	〔見上，-ator 表示物〕旋轉器；旋轉反射爐
rotatory	〔見上，-ory…的〕（使）旋轉的；（使）輪流的，（使）循環的
rotor	〔見上，-or 表示物〕旋轉體，轉動體；（直升飛機的）水平旋翼
circumrotate	〔circum-周圍，rot 轉，-ate 動詞字尾〕周轉，回轉
circumrotatary	〔見上，-ary…的〕周轉的，回轉的
levorotation	〔levo 左，rot 旋轉，-ation 名詞字尾〕左旋

levorotatory	〔見上，-ory…的〕左旋的
• dextrorotation	〔dextro 右，rot 旋轉，-ation 名詞字尾〕右旋
dextrorotatory	〔見上，-ory…的〕右旋的

轉——(3) trop　　　　　　　　　　　　科

tropic	〔trop 轉，-ic 名詞及形容詞字尾；「轉」→「回轉」→太陽到此往回轉→〕回歸線；熱帶的
tropical	〔見上，-al…的〕熱帶的，位於熱帶的
subtropic	〔sub-亞，次，tropic 熱帶的〕亞熱帶的
peritropal	〔peri-周圍，trop 轉，-al…的〕周轉的，循環的
geotropic	〔geo 地，trop 轉→轉向，-ic…的〕向地性的
geotropism	〔見上，-ism 表性質〕〔生物〕向地性
heliotropic	〔helio 太陽，日，trop 轉→轉向，-ic…的〕〔植物〕向日性的，向光的
• heliotropism	〔見上，-ism 表性質〕〔植物〕向日性，趨日性
hydrotropic	〔hydro 水，trop 轉→轉向，-ic…的〕〔植物〕向水性的
hydrotropism	〔見上，-ism 表性質〕〔植物〕向水性
hemitropous	〔hemi-半，trop 轉→轉倒〕〔植物〕橫生的，半倒生的
morphotropy	〔morph 形，-o-，trop 轉→轉變→變化，-y 名詞字尾〕〔物理〕變形性

thermotropism 〔thermo 溫，熱，trop 轉→轉向，-ism 表性質〕〔生物〕向熱性，向溫性

轉──(4) gyr(o) 科

gyral 〔gyr 旋轉，-al 形容詞字尾，…的〕旋轉的，回旋的

gyrate 〔gyr 旋轉，-ate 動詞字尾〕旋轉，回旋

gyration 〔gyr 旋轉，-ation 名詞字尾〕旋轉，回旋

gyrograph 〔gyro 旋轉，graph 寫→記錄〕轉數記錄器

gyroidal 〔gyr 旋轉，-oidal 形容詞字尾，如…的〕回轉的；螺旋形的

gyroscope 〔gyro 旋轉，scop 看，觀測→觀測儀〕旋轉儀，回旋儀

gyrocompass 〔gyro 旋轉，compass 羅盤〕回旋羅盤

gyroplane 〔gyro 旋轉，plane 飛機〕旋翼機

autogyro 〔auto-自己，gyro 旋轉〕自轉旋翼飛機（一種直升飛機），旋翼機

levogyrate 〔levo 左，gyr 旋轉，-ate 形容詞字尾，…的〕左旋的

140 流──(1) flu 高大

fluent 〔flu 流，-ent 形容詞字尾，…的〕流動的，流暢的，（語言）流利的

fluency 〔flu 流，-ency 名詞字尾〕流利，流暢

influence 〔in-入，flu 流，-ence 名詞字尾；「流入」→波及→對周圍事物產生影響→〕，影響，感動，勢力；〔轉為動詞〕感化，影響，對…有作用，左右

influential	〔見上，**-ial**…的〕有影響的，施以影響的
uninfluential	〔**un-**不，無，見上〕不產生影響的，沒有影響的
influenza	〔見上，影響→感染〕流行性感冒
confluent	〔**con-**共同，**flu** 流，**-ent**…的〕合流的，滙合的
confluence	〔見上，**-ence** 名詞字尾〕合流，滙合，合流點，滙合處，滙流而成的河
fluid	〔**flu** 流，**-id** 形容詞字尾，…的〕流動的，流體的，液體的；〔轉為名詞〕流體，液
fluidity	〔見上，**-ity** 名詞字尾〕流動性，流度
refluent	〔**re-**回，反，**flu** 流，**-ent**…的〕倒流的，退潮的
refluence	〔見上，**-ence** 名詞字尾〕倒流，逆流，回流，退潮
defluent	〔**de-**向下，**flu** 流，**-ent**…的〕向下流的
circumfluent	〔**circum-**周圍，**flu** 流，**-ent**…的〕周流的，環流的
effluent	〔**ef-**外，出，**flu** 流，**-ent**…的〕流出的，發出的
superfluous	〔**super-**超過→過多，**flu** 流，**-ous**…的〕過剩的，多餘的
superfluity	〔見上，**-ity** 名詞字尾〕過剩，多餘，奢侈
superfluid	〔**super-**超，**fluid** 流體〕超流體

流——(2) fus 　　　　　　高大

refuse	〔**re-**回，**fus** 流；「流回」→倒灌，倒流→退回→不接納→〕拒絕，拒受

refusal	〔見上，**-al** 名詞字尾〕拒絕
confuse	〔**con-**共同，合，**fus** 流；「合流」，「流到一處」→混在一起→〕使混雜，混亂，混淆，使迷亂
confusion	〔見上，**-ion** 名詞字尾〕混亂，混亂狀態，騷亂
transfuse	〔**trans-**越過，轉移，**fus** 流，注入；「轉流過去」，「移注過去」→〕移注，灌輸，輸（血），給…輸血（將某人血液移注於另一人）
transfusion	〔見上，**-ion** 名詞字尾〕移注，輸血
infuse	〔**in-**入，內，**fus** 流，灌注；「流入」〕（向…）注入，灌輸
diffuse	〔**dif-**分開，散開，**fus** 流；「分開流」，「散開流」→到處流〕散布，傳播，（使）散開，（使）擴散
diffusion	〔見上，**-ion** 名詞字尾〕散開，擴散，瀰漫，傳布
interfuse	〔**inter-**中間，**fus** 流；「流入其中」→〕混合，融合，使滲入
perfuse	〔**per-**貫穿，全，**fus** 流〕潑灑，灌注，使充滿
profuse	〔**pro** 向前，**fus** 流，瀉；「隨意傾瀉了的」，「流走了的」，「流掉了的」→〕浪費的，揮霍的，過多的，充沛的
profusion	〔見上，**-ion** 名詞字尾〕浪費，奢侈，揮霍，豐富，充沛
effuse	〔**ef-**外，出，**fus** 流〕流出

effusion 〔見上，-ion 名詞字尾〕流出；瀉出

effusive 〔見上，-ive…的〕流出的，溢出的，噴出的

141 動——(1) mot 高大

motion 〔mot 動，-ion 名詞字尾，表示行為、情況〕運動，動

motive 〔mot 動，-ive…的〕發動的，運動的；〔轉為名詞〕動機

promote 〔pro-向前，mot 移動；「使向前移動」→〕推進，促進，提升，升級

promotion 〔見上，-ion 名詞字尾，表示行為〕促進，推進，提升，升級

promoter 〔見上，-er 表示人〕促進者，推進者

demote 〔de-向下，mot 移動；「使向下移動」→〕使降級

demotion 〔見上，-ion 名詞字尾，表示行為〕降級

remote 〔re-回，離，mot 移動；「移走的」，"removed to a distance"，遠離的→〕遙遠的

commotion 〔com-加強意義，mot 動，-ion 名詞字尾，表示行為；「激烈的動盪」→〕騷動，動亂

locomotive 〔loc 地方，-o-，mot 移動，-ive…的；「能由一個地方移動至另一個地方的」〕移動的，運動的；〔轉為名詞，「能牽引他物，由一地方移動至另一地方的機器」→〕機車，火車頭

locomote 〔見上〕移動，行進

motor 〔mot 動，-or 表示物〕發動機，機動車

| automotive | 〔**auto-**自己, **mot** 動, **-ive** …的〕自動的, 機動的 |

動——⑵ mob   大

mobile	〔**mob** 動, **-ile** 形容詞兼名詞字尾〕活動的, 可動的; 運動的; 汽車
mobility	〔**mob** 動, **-ility** 易…性〕易動性; 運動性; 變動性
mobilize	〔見上, **-ize** 動詞字尾〕動員
mobilization	〔見上, **-ization** 名詞字尾〕動員
demobilize	〔**de-**相反; 「與動員相反」→〕使復員
demobilization	〔見上〕復員
immobile	〔**im-**不, **mobile** 動的〕不動的, 固定的
immobility	〔見上〕不動性, 固定性
automobile	〔**auto-**自己, **mob** 動; 「自動車」→〕汽車
mob	〔**mob** 動→動亂, 暴動→暴動的人〕暴民; 一群暴徒
mobbish	〔見上, **mob** 暴民, 暴徒, **-ish** …的〕暴徒般的, 暴亂的
✓ mobocracy	〔見上, **-mob** 暴民, 暴徒, **-o-**, **cracy** 統治〕暴民政治, 暴徒統治
✓ mobocrat	〔見上, **-crat** 統治者〕暴民領袖, 暴徒首領
✓ mobster	〔**mob** 動→暴動, **-ster** 表示人〕暴徒, 匪徒

⒁破——⑴ rupt   大

| rupture | 〔**rupt** 破, **-ure** 名詞字尾, 表示情況、狀態〕破裂, 裂開, 決裂; 〔轉為動詞〕使破裂, 裂開 |

interrupt	〔inter-在…中間，rupt 破→斷〕中斷，打斷
interruption	〔見上，-ion 名詞字尾〕中斷，打斷
disrupt	〔dis-分開，rupt 破裂〕分裂，瓦解，使崩裂
disruptive	〔見上，-ive…的〕分裂的，瓦解的
disruption	〔見上，-ion 名詞字尾〕分裂，瓦解
bankrupt	〔bank＝bench 長凳，原指錢商用的長凳或台板，最初是作為錢商的櫃台，rupt 破，斷；「錢商的櫃台斷了」→生意破產了→〕破產的，破產者，使破產
✓bankruptcy	〔見上，-cy 名詞字尾，表示狀態〕破產
corrupt	〔cor-表示加強意義，rupt 破→壞→敗壞，腐壞→〕腐壞，腐爛，敗壞，墮落，腐敗，貪污的
corruption	〔見上，-ion 名詞字尾〕敗壞，腐壞，腐化，貪污
corruptible	〔見上，-ible 易…的〕易腐壞的
corruptive	〔見上，-ive 有…作用的〕引起腐壞的
incorrupt	〔in-不，未，見上〕未腐蝕的，未敗壞的，廉潔的
incorruptible	〔見上，-ible 易…的〕不易敗壞的，不易腐蝕的
✓ irrupt	〔ir-＝in-入，內，rupt 破；「破門而入」→〕闖入，侵入
irruption	〔見上，-ion 名詞字尾〕侵入，闖入，闖進
irruptive	〔見上，-ive…的〕侵入的，闖進的
✓erupt	〔e-外，出，rupt 破裂；「爆裂出來」→〕爆發，噴出，冒出，噴發
eruption	〔見上，-ion 名詞字尾〕爆發，噴發，噴出物

eruptive	〔見上，-ive…的〕爆發的，噴出的，噴發的

破——(2) frag fract 〔托〕

fragile	〔**frag** 破，碎，**-ile** 形容詞字尾，易…的〕易破的，易碎的
fragility	〔**frag** 破，**-ility** 名詞字尾〕易碎性，脆性，脆弱
fragment	〔**frag** 破，**-ment** 名詞字尾，表示物〕碎片，破片，碎塊
fragmentary	〔見上，**-ary**…的〕碎片的，破片的，碎塊的
fragmentate	〔見上，**-ate** 動詞字尾，使…〕（使）裂成碎片
fragmentation	〔見上，**-ation** 名詞字尾〕破碎，裂成碎片；分裂
fracture	〔**fract** 破，折，**-ure** 名詞字尾〕破碎，折斷；骨折
fraction	〔**fract** 破，折，**-ion** 名詞字尾〕碎片；片斷；小部分。
fractional	〔見上，**-al**…的〕碎片的；零碎的；部分的；小數的

⑭分裂—— fiss fid 〔科〕

fissate	〔**fiss** 裂，**-ate** 形容詞字尾〕裂的，有裂隙的
fissile	〔**fiss** 裂，**-ile** 形容詞字尾，易…的〕易裂的；可分裂的

fissility	〔**fiss** 裂, **-ility** 抽象名詞字尾〕易裂性；可裂變性	
fission	〔**fiss** 裂, **-ion** 抽象名詞字尾〕分裂, 裂開；裂變；分裂生殖	
fissionable	〔見上, **-able** 可…的〕可分裂；可裂變的	
fissionability	〔見上, **-ability** 名詞字尾, 可…性〕可裂變性	
fissiparous	〔**fiss** 裂, **-i-**, **par** 生殖, **-ous**…的〕分裂生殖的；分體生殖的；有分裂傾向的	
fissiparity	〔見上, **-ity** 名詞字尾〕分裂生殖, 分裂繁殖	
fissiped	〔**fiss** 裂, **-i-**, **ped** 足〕裂足的；裂足動物	
fissure	〔**fiss** 裂, **-ure** 名詞字尾〕裂縫, 裂紋；裂隙	
bifid	〔**bi-**兩, **fid** 裂〕裂成兩半的；兩裂的	
trifid	〔**tri-**三, **fid** 裂〕三分裂的	
quadrifid	〔**quadri-**四, **fid** 裂〕四分裂的	
quinquefid	〔**quinque-**五, **fid** 裂〕五分裂的	
multifid	〔**multi-**多, **fid** 裂〕多裂的	

144 變化, 變換——(1) vari　　　　大

various	〔**vari** 變化→多樣, **-ous**…的〕各種各樣的, 不同的
variety	〔**vari** 變化, **-ety** 名詞字尾, 表示情況、性質〕變化, 多樣化, 種種
variable	〔**vari** 變化, **-able** 可…的, 易…的〕可變的, 反覆不定的
invariable	〔**in-**不, 見上〕不變的, 恒定的
vary	〔**vari** 變化, **i → y**〕改變, 變化, 變更
varied	〔**-ed**…的〕多變化的, 各種各樣的, 不同的

unvaried	〔un-不，見上的〕不變的，經常的，一貫的
variant	〔vari 變化，-ant…的〕變異的，不同的，有差別的
invariant	〔in-不，見上〕不變的，恒定的
variance	〔vari 變化，-ance 名詞字尾，表示性質〕變化，變動，變異
invariance	〔in-不，見上〕不變性
variation	〔vari 變化，-ation 名詞字尾〕變化，變動，變更
varicoloured	〔vari 變化→多樣，colour 顏色，-ed…的〕雜色的，五顏六色的
variform	〔vari 變化→多樣，form 形狀〕有各種形狀的，形形色色的
varisized	〔vari 變化→多樣，size 大小，-ed…的〕各種大小的，不同尺寸的

變化，變換——(2) mut　　托

mutable	〔mut 變換，-able 可…的〕可變的；易變的；不定的
mutability	〔mut 變，-ability 可…性〕可變性；易變性
immutable	〔im-不，見上〕不可改變的；永遠不變的
immutability	〔見上〕不變性
mutant	〔mut 變，-ant…的〕變異的；變異所引起的
mutation	〔mut 變，-ation 名詞字尾〕變化，變異，更換，轉變
intermutation	〔inter-互相，mutation 變換〕互換，交換，交替

mutual	〔**mut** 變換→交換→相互之間，**-ual**…的〕互相的，彼此的
mutuality	〔見上，**-ity** 名詞字尾〕相互關係
mutualize	〔見上，**-ize** 動詞字尾，使…〕使相互之間發生關係；使成共有
mutualism	〔見上，**-ism** 表示「論」、狀態、現象〕互助論；〔生物〕互惠共生（現象）
mutualist	〔見上，**-ist** 者〕互助論者；依生生物
commute	〔**com-**共同，**mut** 變換〕變換；用…交換
commutable	〔見上，**-able** 可…的〕可以交換的；可以變換的
commutability	〔見上，**-ability** 可…性〕可交換性；可變換性
commutate	〔見上，**-ate** 動詞字尾〕變換（電流的）方向；變交流電為直流電
commutator	〔見上，**-ator** 表示物〕轉換器；交換機；整流器
commutation	〔見上，**-ation** 名詞字尾〕交換；代償，〔電〕轉換，變換；轉向，整流
commutative	〔見上，**-ative**…的〕交換的；代替的
incommutable	〔**in-**不，見上〕不能變換的；不能交換的
permute	〔**per-**加強意義，**mut** 變〕變更；交換
permutation	〔見上，**-ation** 名詞字尾〕變更；交換
transmute	〔**trans-**轉，**mut** 變〕（使）變形；（使）變質
transmutable	〔見上，**-able** 可…的〕可變形的；可變質的；可變的

transmutation 〔見上，-ation 名詞字尾〕變形；變質；演變，衍變

transmutationist 〔見上，-ist 者〕生物演變論者

⑭黏著──hes her 托

hesitate 〔hes 黏著，-it-，-ate 動詞字尾；「黏著」在固定地方→躊躇不前，裹足不前〕躊躇；猶豫

hesitation 〔見上，-ation 名詞字尾〕躊躇；猶豫

hesitant 〔見上，-ant 形容詞字尾〕躊躇的；猶豫的

hesitancy 〔見上，-ancy 名詞字尾〕躊躇；猶豫

adhere 〔ad-表示 at, to, her 黏〕黏附，膠著；依附

adherent 〔見上，-ent…的〕黏著的；附著的

adhesion 〔ad-表示 at, to, hes 黏〕黏著；黏合；附著

adhesive 〔見上，-ive 有…的〕有黏合性的，黏著的

adhesiveness 〔見上，-ness 名詞字尾〕附著性，黏著力

cohere 〔co-共同，一起，her 黏；「黏在一起」〕黏著，附著；黏合

coherent 〔見上，-ent…的〕黏著的；附著的；相連的

coherence 〔見上，-ence 名詞字尾〕黏著；黏合性的；相連，連貫

cohesible 〔co-共同，一起，hes 黏，-ible 可…的〕可黏著的

cohesion 〔見上，-ion 名詞字尾〕黏著；黏合；結合

cohesive	〔見上，-ive…的〕黏著的；黏合的；緊密結合在一起的
incoherent	〔in-不，coherent 黏著的〕無凝聚力的；鬆散的
incoherence	〔見上，-ence 名詞字尾〕無凝聚性；鬆散；支離破碎
inhere	〔in-加強意義，her 黏；「黏在一起」→相連，並存→原來就存在〕生來就存在於，原來就有
inherent	〔見上，-ent…的〕生來的，固有的，原有的
inherence	〔見上，-ence 名詞字尾〕固有（性）

146 混雜——misc　　　　　　　大托

miscellaneous	〔misc 混雜，-aneous 形容詞字尾，…的〕混雜的，混合的，雜項的，各種各樣雜在一起的
miscellany	〔見上〕混雜；雜物；雜集，雜錄
miscellanist	〔見上，-ist 者〕雜集作者，雜文家
miscible	〔misc 混雜，混合，-ible 可…的〕可混合的，易混合的
miscibility	〔misc 混雜，混合，-ibility 名詞字尾〕可混合
immiscible	〔im-不，見上〕不能混合的
promiscuous	〔pro-加強意義，misc 混雜，-uous…的〕混雜的；雜亂的
promiscuity	〔見上，-ity 名詞字尾〕混雜（性）；雜亂
miscegenation	〔misc 混雜，-e-，gen 生殖→種族，-ation 名詞字尾〕人種混雜，混血

147 光——(1) luc 大

lucent	〔**luc** 光，**-ent** 形容詞字尾〕發亮的；透明的
lucency	〔**luc** 光，**-ency** 名詞字尾〕發亮；透明
lucid	〔**luc** 光，**-id** 形容詞字尾〕透明的；〔詩〕光輝的，明亮的
lucidity	〔見上，**-ity** 名詞字尾〕明白；透明；光明
elucidate	〔**e-**加強意義，**lucid** 明白，**-ate** 動詞字尾；「使明白」→〕闡明，解釋
elucidation	〔見上，**-ation** 名詞字尾〕闡明；解釋
elucidative	〔見上，**-ative**…的〕闡明的；解釋的
lucimeter	〔**luci** 光，**meter** 測量器〕光度測量器
noctiluca	〔**nocti** 夜，**luc** 光，**-a** 名詞字尾〕夜光蟲
noctilucent	〔**nocti** 夜，**luc** 光，**-ent**…的〕夜間發光的
translucent	〔**trans-**穿過，**luc** 光，**-ent** … 的；「光線能透過的」→〕半透明的
translucence	〔見上，**-ence** 名詞字尾〕半透明（性）

光——(2) lumin 大

illuminate	〔**il-**加強意義，**lumin** 光，**-ate** 動詞字尾〕照亮，照明；闡明，使明白
illumination	〔見上，**-ation** 名詞字尾〕照亮，照明；闡明，解釋
illuminator	〔見上，**-ator** 表示人或物〕發光器，照明裝置；啟發者
illuminant	〔見上，**-ant** 名詞兼形容詞字尾〕發光物；發光的，照明的
illuminance	〔見上，**-ance** 名詞字尾〕照度，施照度

illuminable	〔見上，**-able** 可…的〕可被照明的
luminary	〔**lumin** 光，**-ary** 表示人或物〕發光體；傑出人物
luminesce	〔**lumin** 光，**-esce** 動詞字尾〕發光
luminescent	〔**lumin** 光，**-escent** 形容詞字尾〕發光的
luminescence	〔**lumin** 光，**-escence** 名詞字尾〕放光，發光
luminiferous	〔**lumin** 光，**-i-**，**fer** 帶有，產生，**-ous** …的〕有光的，發光的
luminous	〔**lumin** 光，**-ous**…的〕發光的，發亮的
luminosity	〔**lumin** 光，**-osity** 名詞字尾〕光明，光輝
relumine	〔**re-**再，**lumin** 光→照〕重新點燃；使重新照亮

光——(3) phot(o) phos 科

photograph	〔**photo** 光，影，**graph** 寫→記錄；「把實物的影子錄下來」→〕照相，拍照，攝影；相片
photographer	〔見上，**-er** 者〕攝影師；攝影者
photochrome	〔**photo** 光，影→相片，**chrom** 色〕彩色照片
photochromy	〔見上，**-y** 名詞字尾〕彩色照相術
photochemistry	〔**photo** 光，**chemistry** 化學〕光化學
photic	〔**phot** 光，**-ic**…的〕光的；發光的；感光的
photism	〔**phot** 光，**-ism** 表疾病〕光幻覺
photoprint	〔**photo** 光→影，**print** 印〕影印；影印畫
photogenic	〔**photo** 光，**gen** 產生，**-ic** …的〕〔生物〕發光的；發磷光的
photoelectric	〔**photo** 光，**electric** 電的〕光電的
photoelectron	〔**photo** 光，**electron** 電子〕光電子

photometer	〔photo 光, meter 計〕光度計
photon	〔phot 光, -on 名詞字尾, 表物質〕〔物理〕光子
photophobia	〔photo 光, phobia 怕〕畏光, 羞明
photosensitive	〔photo 光, sensitive 敏感的〕感光性的, 光敏的
photosynthesis	〔photo 光, synthesis 綜合, 合作〕光合作用
phototherapy	〔photo 光, therapy 療法〕光線療法
phototoxis	〔photo 光, tox 毒害〕光線損害; 放射線損害
phototube	〔photo 光, tube 管〕光電管
phosphor	〔phos 光, phor 帶, 具有;「帶光的物體」〕黃磷; 磷光體
phosphorous	〔見上, -ous…的〕磷的; 含磷的
phosphorus	〔見上, -us 名詞字尾〕磷; 磷光體
phosphoresce	〔見上, -esce 動詞字尾〕發磷光; 發磷火
phosphorescent	〔見上, -escent 形容詞字尾〕發磷光的
astrophotometer	〔astro 星, 天體, photo 光, meter 計〕天體光度計
holophote	〔holo 全, phot 光〕全光反射裝置; (燈塔等的) 全射鏡

148 空——(1) vac　　高大

vacation	〔vac 空, -ation 名詞字尾, 表示情況、狀態;「空閒的狀態」→無課業, 無工作→〕休假, 假期
vacationist	〔見上, -ist 表示人〕休假者, 度假者

vacant	〔vac 空，-ant…的〕空的，空白的，未被佔用的
vacancy	〔vac 空，-ancy 表示情況、狀態〕空，空白，空處，空虛
• vacate	〔vac 空，-ate 動詞字尾，使…〕使空出，騰出，搬出
evacuate	〔e-外，出，vacu 空，-ate 動詞字尾，使…；「使某地方空出來」→〕撤走，撤空，疏散居民，撤離（某地）
evacuation	〔見上，-ation 名詞字尾〕疏散，撤走，撤空
evacuee	〔見上，-ee 被…的人〕被疏散的人員
vacuous	〔vacu 空，-ous…的〕空的，空洞的，空虛的
vacuity	〔vacu 空，-ity 名詞字尾，表示情況、狀態〕空，空白，空虛
vacuum	〔vacu 空，-um 名詞字尾〕真空，真空狀態，真空度
vacuumize	〔見上，-ize 動詞字尾，使…〕使成真空，真空包裝

空──⑵ van   大

vanish	〔van 空，無，-ish 動詞字尾〕突然不見；逐漸消散；消失
vanity	〔van 空，-ity 名詞字尾〕空虛，虛誇，虛榮心
evanesce	〔e-表示 out，van 空，無→消失，-esce 動詞字尾，表示逐漸成為…〕逐漸消失；消散，消失
evanescence	〔見上，-escence 名詞字尾〕消失，消散

| evanescent | 〔見上，-escent 形容詞字尾〕很快消失的 |
| evanish | 〔見上，-ish 動詞字尾〕消失，消散 |

⑭149 裸——gymn(o)　　　　　　　　　　　托

gymnast	〔gymn 裸，-ast 名詞字尾，表示人；「赤膊光腿，鍛鍊身體的人」→〕體育家；體操家
gymnastic	〔見上，-astic 形容詞字尾，…的〕體育的；體操的
gymnasium	〔見上，-ium 表示場所、地點〕體育館，健身房
gymnanthous	〔gymn 裸，anth 花，-ous … 的〕裸花的，無花冠的
gymnocarpous	〔gymno 裸，carp 果實，-ous…的〕〔植物〕裸果的
gymnosperm	〔gymno 裸，sperm 種子〕裸子植物
gymnospermous	〔見上，-ous…的〕裸子的，裸子植物的

⑮150 混亂，騷擾——turb　　　　　　　　　大

disturb	〔dis-加強意義，turb 擾亂〕擾亂；打擾
disturber	〔見上，-er 者〕擾亂者；打擾者
disturbance	〔見上，-ance 名詞字尾〕騷動，動亂；干擾
undisturbed	〔un-不，未，見上〕沒受到干擾的；寧靜的
perturb	〔per-加強意義，turb 擾亂〕使紊亂，擾亂；煩擾
perturbance	〔見上，-ance 名詞字尾〕紊亂，擾亂；煩擾
perturbative	〔見上，-ative 形容詞字尾，…的〕擾亂性的；煩擾性的

perturbation	〔見上，-ation 名詞字尾〕紊亂，擾亂；不安，煩擾
perturbational	〔見上，-al…的〕騷亂的；不安的
turbulent	〔turb 擾亂，騷亂 -u-連接字母，-lent 形容詞字尾，…的〕騷亂的；騷動的
turbulence	〔見上，-lence 名詞字尾〕騷亂；騷動

151 振動──vibr 托

vibrance	〔vibr 振動，-ance 名詞字尾〕振動
vibrant	〔vibr 振動，-ant 形容詞字尾，…的〕〕振動的；顫動的
vibraphone	〔vibr 振動，-a-，phon 聲音〕一種電顫振打擊樂器
vibrate	〔vibr 振動，-ate 動詞字尾，使…〕使顫動；使振動；使震動
vibration	〔vibr 振動，-ation 名詞字尾〕震動；顫動；振動
vibratile	〔vibr 振動，-atile 形容詞字尾，…的〕適用於振動（或震動）動作的；顫動性的；能振動的
vibratility	〔見上，-ity 名詞字尾〕震動性；顫動性；振動性
vibrative	〔vibr 振動，-ative 形容詞字尾，…的〕振動的
vibrator	〔vibr 振動，-ator 表示人或物〕顫動者；振動器
vibrograph	〔vibr 振動，-o-，graph 寫 → 記錄〕震動計，示振器

152 聲音——(1) ton

tonal	〔ton 音，-al…的〕音調的
tonality	〔ton 音，-ality 名詞字尾〕音調
tone	〔ton 音〕音；音調，調子
toneless	〔見上，-less 無〕缺乏聲調的；單調的
tonetic	〔ton 音，-etic 形容詞字尾，…的〕聲調的
tonetics	〔見上，-ics…學〕聲調學
monotone	〔mono-單一，ton 音調〕單調；單調的
monotonic	〔mono-單一，ton 音調，-ic…的〕單調的
monotonous	〔見上，-ous…的〕單調的；單音調的
monotony	〔見上，-y 表抽象名詞〕單音，單調；無變化
atonal	〔a-無，ton 音調，-al…的〕無調的；不成調的
atony	〔見上，-y 表抽象名詞〕無聲調；無重讀音
baritone	〔bari 重，ton 音；「重音」→〕男中音
diatonic	〔dia-貫穿，全，ton 音，-ic…的〕全音階的
intone	〔in-構成動詞，表示做…，見上〕發長音；吟誦，吟咏
intonation	〔見上，-ation 名詞字尾〕聲調；語調
microtone	〔micro 微，ton 音〕微分音
orthotone	〔ortho 正，ton 音〕正音的；正音字
semitone	〔sem-半，ton 音〕半音；半音休止
undertone	〔under-下，低，小，ton 音〕低音；小聲

聲音——(2) son

sonic	〔son 聲音，-ic…的〕聲音的，音速的
supersonic	〔super-超，son 聲音，-ic…的〕超音速的

subsonic	〔sub-亞，次，son 聲音，-ic…的〕亞音速的
stereosonic	〔stereo-立體，son 聲音，-ic…的〕立體聲的
unison	〔uni 單一，son 聲音；「同一聲音」→〕同音，齊唱，一致，調和
unisonant	〔見上，-ant…的〕同音的，一致的
dissonant	〔dis-分開 → 不同，son 聲音，-ant…的；「不同聲音的」〕不和諧的，不一致的
dissonance	〔見上，-ance 名詞字尾〕不和諧，不一致
resonant	〔re-回，son 聲音，-ant…的〕回聲的，反響的
resonance	〔見上，-ance 名詞字尾〕回聲，反響
resonate	〔見上，-ate 動詞字尾〕回聲，反響，共鳴，共振
resonator	〔見上，-or 表示物〕共鳴器，諧振器
ultrasonic	〔ultra-超，son 聲音，-ic…的〕超聲的，超音速的；〔轉作名詞〕超聲波
sonics	〔son 聲音，-ics…學〕聲能學
stereosonic	〔stereo-立體，son 聲音，-ic…的〕立體聲的
sonorous	〔son 聲音，-or-，-ous…的〕響亮的，洪亮的

聲音──(3) phon 高大

| microphone | 〔micro-微小，phon 聲音；「把微小聲音放大」的儀器→〕擴音器，麥克風，話筒 |
| telephone | 〔tele 遠，phon 聲音；「由遠處（通過電波）傳來的聲音」→〕電話 |

phone	〔telephone 的縮略形式〕電話
videophone	〔video 電視，phone 電話〕電視電話
otophone	〔oto 耳，phon 聲音〕助聽器
symphony	〔sym-共同→互相，phon 聲音，音響，-y 名詞字尾，表示事物〕交響樂
symphonic	〔見上，-ic…的〕交響樂的
phonetic	〔phon 聲音→語音，-etic…的〕語音的
phonetics	〔見上，-ics…學〕語音學
phonetist	〔見上，-ist 表示人〕語音學家
electrophone	〔electro 電，phon 聲音〕電子樂器
stereophone	〔stereo 立體，phon 聲音〕立體音響
gramophone	〔gram 寫→記錄，-o-，phon 聲音；「記錄聲音」的儀器→〕留聲機
phonology	〔phon 音→音韻，-o-，-logy…學〕音韻學
euphonious	〔eu-優美，好，phon 音，-ious…的〕聲音好聽的
cacophonous	〔caco 惡，phon 音，-ous…的〕音調不和諧的

153 燃燒── ard / ars 托

ardent	〔ard 燒→熱，-ent…的〕熾熱的；熱情的，熱烈的；烈性的
ardency	〔ard 燒→熱，-ency 名詞字尾〕熾熱；熱情，熱烈
ardour	〔ard 燒→熱，-our 名詞字尾〕熱情，熱心；熾熱

ardometer	〔ard 燒 → 熱，高溫，-o-，meter 測量器，計〕高溫計
arson	〔ars 燒，-on 名詞字尾〕放火，縱火
arsonist	〔見上，-ist 者〕放火犯，縱火者

154 分，解，溶，散——lys lyt 〔科〕

analyse	〔ana- 再，又，lys 解，分；「再解」，「再分」→〕分析，分解；解析
	(全句空)
analyser	〔見上，-er 者〕分析者，分解者
analysis	〔見上，-sis＝-osis 名詞字尾〕分析，分解；解析
analysable	〔見上，-able 可…的〕可分析的；可解析的
analytics	〔見上，-ics…學〕分解學；解析法
analytical	〔見上，-ical…的〕分析的，分解的；解析的
paralysis	〔para- 類似，近似，lys 散，解 → 解體；「近乎解體」→〕癱瘓，麻痺
paralyse	〔見上〕使癱瘓，使麻痺
paralysation	〔見上，-ation 名詞字尾〕陷於癱瘓狀態
paralytic	〔見上，-ic…的〕癱瘓的，麻痺的
lysimeter	〔lys 溶 → 溶度，-i-，meter 計〕溶度（估定）計
lysis	〔lys 散 → 消散〕（病的）消散，漸退；細胞溶解
lysol	〔lys 溶 → 溶液，-ol 化學名詞字尾〕煤酚皂溶液，植物皂溶液（俗稱來蘇兒），一種消毒劑
electrolyse	〔electro- 電，lys 解，分解〕電解

electrolytic	〔electro-電, lyt 解, -ic … 的〕電解的；電解質的
thermolysis	〔thermo 熱, lys 解〕熱（分）解作用，散熱作用
hemolysis	〔hemo 血, lys 溶〕溶血（作用），血球溶解
hemolysin	〔見上, -in 素〕溶血素

155 突出，伸出——min 托

prominent	〔pro-向前, min 突出, -ent…的〕突出的，顯著的，傑出的，卓越的，著名的
prominence	〔見上, -ence 名詞字尾〕突出，顯著，傑出，卓越，聲望
eminent	〔e-出，外, min 突出, -ent…的〕傑出的，突出的，著名的
eminence	〔見上, -ence 名詞字尾〕傑出，卓越，著名
supereminent	〔super-超，非常, eminent 突出的〕非常突出的，十分卓越的
preeminent	〔pre-前, eminent 突出的；「突出於眾人之前的」〕卓越的，傑出的
preeminence	〔見上, -ence 名詞字尾〕卓越，傑出
imminent	〔im-加強意義, min 突出, -ent…的；「突出的」→異於尋常的→非常的→〕急迫的，危急的；迫近的
imminence	〔見上, -ence 名詞字尾〕急迫，危急；迫近的危險

156 折疊，重——plic 托

complicate	〔com-共同, plic 折, 重覆 → 複雜, -ate 動詞字尾〕使複雜; 變複雜; 複雜的
complication	〔見上, -ation 名詞字尾〕複雜; 混亂; 糾紛
complicated	〔見上, -ed…的〕複雜的; 難解的
complicacy	〔見上, -acy 名詞字尾〕複雜 (性); 複雜的事物
explicate	〔ex-出, 外, plic 折, -ate 動詞字尾; 折疊 → 包藏 → 隱藏 → 深藏 → 深奧; 「揭出深奧之處」, "to unfold the meaning of"→〕解釋, 說明, 闡明
explication	〔見上, -ation 名詞字尾〕解釋, 說明
explicatory	〔見上, -atory…的〕解釋的, 說明的
explicit	〔見上, 「被詳細解釋的」→〕詳述的, 明晰的, 清楚的
implicate	〔im-入, plic 折疊 → 包, -ate 動詞字尾; 「包入」, 「包進」→包含→〕含有…之意, 含蓄; 使牽連於…
implication	〔見上, -ation 名詞字尾〕含蓄; 牽連
implicit	〔見上〕含蓄的, 內含的
supplicate	〔sup-下, plic 折, 彎, -ate 動詞字尾; 「彎下身」, 「折腰」→「卑躬屈膝」而求→〕懇求, 哀求
supplication	〔見上, -ation 名詞字尾〕懇求, 哀求
supplicatory	〔見上, -atory…的〕懇求的, 哀求的
replica	〔re-再, plic 重覆, -a 名詞字尾; 「重製的東西」→〕複製品; 拷貝; 完全一樣的事物
replicate	〔見上, -ate 動詞字尾〕重製, 複製; 折轉

replication	〔見上，-ation 名詞字尾〕複製（過程）；複製品
duplicate	〔du 二，plic 重，重覆〕二重的，二倍的；複製的；複製品；副本；複製
duplication	〔見上，-ation 名詞字尾〕成倍，成雙；重覆，複製
duplicity	〔見上，-ity 名詞字尾〕二重性；表裡不一
triplicate	〔tri-三，plic 重〕重覆三次的；一式三份的
triplicity	〔見上，-ity 名詞字尾〕三重，三倍；三位一體
quadruplicate	〔quadru-四，plic 重〕四重的；一式四份的
quadruplicity	〔見上，-ity 名詞字尾〕四重；四重性
multiplicate	〔multi-多，plic 重，-ate …的〕多重的；多倍的；多樣的
multiplicity	〔見上，-ity 名詞字尾〕多重性，多倍；多樣；複雜

157 重疊，重——plex 〔大〕

complex	〔com-共同，plex 重疊，重覆，多重 → 複雜〕複雜的，綜合的
complexity	〔見上，-ity 名詞字尾〕複雜（性）
simplex	〔sim 來自拉丁語 sem 單一，一次，plex 重；「一重的」→〕單一的，單純的
duplex	〔du 二，plex 重〕二重的；二倍的；雙的
triplex	〔tri-三，plex 重〕三重的；三倍的；三層的
quadruplex	〔quadru-四，plex 重〕四重的；四倍的
multiplex	〔multi-多，plex 重〕多重的；多樣的，複合的

perplex　　　　　　〔**per-**完全，**plex** 重疊，重覆，多重→複雜〕
　　　　　　　　　　　使複雜化，使糾纏不清；困惑
perplexity　　　　　〔見上，**-ity** 名詞字尾〕糾纏；困惑；窘困

10

狀態，性質

158 清楚，明白——clar 高

declare	〔de-加強意義，clar＝clear 清楚，明白；"to make clear"，「使明白」，「講明白」→〕表明，聲明，宣告，宣布
declarer	〔見上，-er 者〕宣告者，聲明者
declaration	〔見上，-ation 名詞字尾〕聲明，宣言，宣布
declarative	〔見上，-ative 形容詞字尾，…的〕宣言的，公告的，說明的
clarify	〔clar＝clear 清楚，明白，-i-，-fy 動詞字尾，使…；「使明白」→〕講清楚，闡明，澄清
clarification	〔見上，-fication 名詞字尾〕闡明，澄清
clarity	〔clar＝clear 清澈，明白，-ity 名詞字尾〕清澈，透明

159 真實——ver(i)  大

| very | 〔ver 真實，-y 形容詞字尾，…的〕真實的，真正的，真的；十足的 |
| verily | 〔veri 真實，-ly 副詞字尾，…地〕真正地；肯定地；真實地；忠實地 |

veracious	〔ver 真實，-acious 形容詞字尾，…的〕真實的；準確的；講實話的；誠實的
veracity	〔ver 真實，-acity 抽象名詞字尾〕真實性；確實；準確（性）；誠實；講實話
inveracity	〔in-不，veracity 真實，確實〕不真實，不確實
verify	〔veri 真實，-fy 動詞字尾〕證實；核實；查證
verifiable	〔見上，-able 可…的〕可證實的；可核實的；可檢驗的
verification	〔veri 真實，-fication 抽象名詞字尾〕證實；核實；證明
verifier	〔見上，-fier 表示人或物〕核實者；檢驗者；核實器；檢驗器
verisimilar	〔veri 真實，similar 相似〕似乎是真的；貌似真實的
verisimilitude	〔veri 真實，simil 相似，-itude 抽象名詞字尾〕逼真；貌似真實；逼真的事物；貌似真實的事物
verism	〔ver 真實，-ism 主義〕真實主義
verity	〔veri 真實，-ty 抽象名詞字尾〕真實性；事實
veritable	〔見上，-able…的〕確實的；真正的；名符其實的

160 和平，太平──paci 〔高〕

| pacific | 〔paci 和平，-fic 形容詞字尾，…的〕和平的，太平的，平靜的 |

pacify	〔**paci** 和平，**-fy** 動詞字尾，使…〕使和平，使平靜，使平定，撫慰
pacifier	〔見上，**-er** 表示人〕平定者，平息者，撫慰者
pacification	〔見上，**-fication** 名詞字尾，表示行為、情況〕平定，平息，綏靖，太平
pacificator	〔見上，**-ator** 者〕平定者
pacifism	〔見上，**-ism** 主義〕和平主義，不抵抗主義
pacifist	〔見上，**-ist**…主義者〕和平主義者，不抵抗主義者
repacify	〔**re-**再，**pacify** 平定〕再平定，再平息

⑯清，純，淨──pur 〔大〕

purify	〔**pur** 純淨，**-i-**，**-fy** 使…〕使純淨，使潔淨
purifier	〔**pur** 純淨，**-i-**，**-fier** 使成…的人或物〕使潔淨的人（或物）
purification	〔**pur** 純淨，**-i-**，**-fication** 名詞字尾，…化，化成…〕純化，淨化
purity	〔**pur** 純淨，**-ity** 名詞字尾，表示性質〕純淨，潔淨，純正
impurity	〔**im-**不，見上〕不純，不潔
depurate	〔**de-**加強意義，**pur** 純淨，**-ate** 動詞字尾，使成…〕使淨化，淨化，提純
depuration	〔見上，**-ation** 名詞字尾，表示行為、情況〕淨化，提純
depurative	〔見上，**-ative**…的〕淨化的
depurator	〔見上，**-ator** 表示物〕淨化劑，淨化器
depurant	〔見上，**-ant** 表示物〕淨化劑，淨化器

purism	〔pur 純淨，-ism 表示主義、流派〕（藝術上的）純粹派，純粹主義
Puritan	〔purit(y)清淨，純，-an 表示人〕清教徒（基督教新教的一派），〔-an…的〕清教徒的
Puritanism	〔見上，-ism 主義〕清教主義，清教徒的習俗和教義
puritanize	〔見上，-ize 使成…，變成…〕（使）變成清教徒

⑯相等──(1) equ(i) 高

adequate	〔ad-含有 to 之意，equ 相等，-ate … 的；「與所需要的數量相等的」→能滿足需要的→〕足夠的，充分的；適當的
adequacy	〔見上，-acy 名詞字尾〕足夠，充分；適合
equal	〔equ 相等，-al…的〕相等的；平等的；相同的
equality	〔見上，-ity 名詞字尾〕同等；平等；均等
egualitarian	〔見上，-arian 形容詞及名詞字尾〕平均主義的；平均主義者
equalitarianism	〔見上，-ism 主義〕平均主義
equalize	〔見上，-ize 動詞字尾，使…〕使相等；使均等；使平等，相等
equalizer	〔見上，-er 表人與物〕使相等者；使平均者；平衡器
equalization	〔見上，-ation 名詞字尾〕相等；平均；均等
subequal	〔sub-接近，幾乎，equ 相等，-al…的〕幾乎相等的

unequal	〔un-不，equ 相等，-al…的〕不相等的；不平等的
equate	〔equ 相等，-ate 動詞字尾〕使相等，使等同
equation	〔equ 相等，-ation 名詞字尾〕平衡，均衡；平均；相等；〔數學〕方程式；等式
equator	〔equ 相等，-ator 名詞字尾；「均分地球為南北兩半球的緯線」→〕赤道
equatorial	〔見上，-ial…的〕赤道的；赤道附近的
equiangular	〔equi 相等，angular 角的〕等角的
equidistance	〔equi 相等，distance 距離〕等距離
equilateral	〔equi 相等，later 邊，-al…的〕〔數學〕等邊的
equivocal	〔equi 相等，等同→兩者均可，voc 語言，-al…的；「一語作兩種解釋均可的」→〕多義的，歧義的；模稜兩可的
equivocate	〔見上，-ate 動詞字尾〕支吾，含糊其詞
equivocator	〔見上，-ator 表示人〕含糊其詞的人
unequivocal	〔un-不，見上〕（語義）不含糊的，明確的
equivalent	〔equi 相等，val＝value 價值，-ent…的〕等價的，等值的，相等的；〔-ent 表示物〕等值物，相等物
equivalence	〔見上，-ence 名詞字尾〕等價，等值，相等，均等

相等──(2) par ✓ 大

parity	〔par 相等，-ity 名詞字尾〕相等，同等；相齊；相同
disparity	〔dis-不，見上〕不相等；不齊；差異；懸殊

imparity	〔im-不, 見上〕不等, 不均衡; 不同, 差異
nonpareil	〔non-無;「無相等的」,「無相比的」〕無比的, 無上的
compare	〔com-共同, par 相等→對比〕對比, 相比, 比較, 對照
comparable	〔見上, -able 可…的〕可相比的, 可比較的
incomparable	〔in-不, 見上〕不可比較的; 無比的, 無雙的
comparative	〔見上, -ative 形容詞字尾, …的〕比較的
comparison	〔見上, -ison＝-ation 名詞字尾〕比較, 對照
omniparity	〔omni-全, parity 相等〕全平等, 一切平等

⑯重——grav 托

gravid	〔grav 重, -id … 的;「負重的」,「重身子」"heavy with child"→〕懷孕的, 妊娠的
gravidity	〔見上, -idity 抽象名詞字尾〕懷孕, 妊娠
gravida	〔見上, -a 名詞字尾〕孕婦
grave	〔grav 重〕重大的; 嚴重的
gravity	〔見上, -ity 抽象名詞字尾〕嚴重, 嚴重性; 莊重; 重力, 重量
gravimeter	〔garv 重, -i-, meter 計〕比重計; 重差計; 測重器
gravimetry	〔見上, -y 名詞字尾〕重量測定法, 重量測定
gravitate	〔grav 重, 重力, -ate 動詞字尾〕受重力作用
gravitation	〔grav 重力, -ation 名詞字尾〕重力, 地心吸力, 萬有引力

gravitative	〔grav 重力, -ative…的〕受重力作用的；重力的
aggravate	〔ag-加強意義, grav 重, -ate 動詞字尾〕加重
aggravation	〔見上, -ation 名詞字尾〕加重, 加劇

164 正常──norm 〔大〕

normal	〔norm 正規, -al…的〕正規的, 正常的
normality	〔見上, -ity 名詞字尾〕正規狀態, 正常狀態
normalize	〔見上, -ize…化〕正常化, 使正常化
normalization	〔見上, -ization 名詞字尾, …化〕正常化
abnormal	〔ab-離開, normal 正常的〕反常的, 變態的, 不規則的
abnormality	〔見上, -ity 名詞字尾〕反常, 變態, 不規則
abnormalist	〔見上, -ist 人〕不正常的人, 畸形人
abnormity	〔見上, -ity 名詞字尾〕異常, 畸形
enormous	〔e-外, 出, norm 正常, -ous…的；「超出正常之外的」→〕巨大的, 龐大的
enormity	〔見上, -ity 名詞字尾〕巨大, 龐大
subnormal	〔sub-低, 下, normal 正規的, 正常的〕低於正常的
subnormality	〔見上, -ity 名詞字尾〕低於正常狀態
supernormal	〔super-超過, normal 正常的〕超常態的, 在一般以上的

165 滿足, 飽── sat / satis / satur 〔高〕〔大〕

sate	使充分滿足；使飽享
satiable	〔sat 滿, -i-, -able 可…的〕可使滿足的；可使飽的
insatiable	〔in-不，見上〕不能滿足的；貪得無饜的
insatiability	〔見上，-ability 抽象名詞字尾〕不能滿足；貪得無饜
satiate	〔sat 滿, -i-, -ate 動詞字尾，使…〕使充分滿足；使飽享
satiation	〔見上，-ation 抽象名詞字尾〕充分滿足，飽享
insatiate	〔in-不，見上〕不滿足的
satiety	〔sat 飽, -i-, -ety 抽象名詞字尾〕飽足；厭膩
satisfy	〔satis 滿, -fy 動詞字尾，使…〕使滿足，使滿意
satisfaction	〔satis 滿, -faction 抽象名詞字尾〕滿足，滿意
satisfiable	〔見上，-able 能…的〕能滿足的
satisfactory	〔見上，-ory…的〕令人滿意的
dissatisfy	〔dis-不，見上〕使不滿，使不平
dissatisfied	〔見上〕不滿的，顯出不滿的
dissatisfaction	〔見上，-faction 抽象名詞字尾〕不滿，不平
dissatisfactory	〔見上，-ory…的〕令人不滿的，使人不平的
unsatisfactory	〔un-不，見上〕不能令人滿意的，不得人心的
unsatisfied	〔un-不，未，見上〕未得到滿足的，不滿意的
saturable	〔satur 飽, -able 可…的〕可飽和的

saturant	〔**satur** 飽，**-ant** 形容詞及名詞字尾〕飽和的；飽和劑
saturate	〔**satur** 飽，**-ate** 動詞及形容詞字尾〕使飽和；飽和的
saturated	飽和的
saturation	〔**satur** 飽，**-ation** 抽象名詞字尾〕飽和（狀態）
supersaturate	〔**super-**超過，過度，**saturate** 使飽和〕使過度飽和
supersaturation	〔見上，**-ation** 抽象名詞字尾〕過飽和（現象）
unsaturated	〔**un-**不，未，非，見上〕不飽和的，未飽和的，非飽和的

166 單獨——sol 大

sole	單獨的，唯一的
solo	〔**sol** 單獨，**-o** 名詞字尾，表音樂術語〕獨唱；獨奏（曲）
soloist	〔見上，**-ist** 者〕獨唱者；獨奏者
solitude	〔**sol** 單獨，**-itude** 抽象名詞字尾〕孤獨；隱居；寂寞
solitary	〔見上，**-ary**…的〕單獨的；獨居的
soliloquy	〔**sol**(**i**)獨，**loqu** 言，語，**-y** 名詞字尾〕獨白；自言自語
soliloquize	〔見上，**-ize** 動詞字尾〕自言自語地說；用獨白說
soliloquist	〔見上，**-ist** 者〕獨白者；自言自語者

soliped	〔sol(i) 獨，ped 足→蹄〕〔動物〕單蹄的；單蹄獸
desolate	〔de- 表加強意義，sol 單獨，孤寂，-ate 動詞、形容詞字尾；原義為："to leave alone, to make lonely, hence to depopulate, to forsake."〕使孤寂；使荒涼，使荒蕪，使無人煙；荒涼的
desolation	〔見上，-ation 名詞字尾〕孤寂；荒涼；渺無人煙

⒃⒎ 自由──liber   大

liberate	〔liber 自由，-ate 動詞字尾，使…；「使自由」〕使獲自由，釋放
liberation	〔見上，-ion 名詞字尾〕釋放
liberator	〔見上，-or 者〕釋放者
liberty	〔liber 自由，-ty 名詞字尾〕自由，自由權
liberticide	〔liberty (y → i) 自由，cid 殺〕扼殺自由（者），扼殺自由的
liberal	〔liber 自由，-al 形容詞字尾，…的〕自由的，自由主義的；Liberal（英國等的）自由黨的
liberalism	〔見上，-ism 主義〕自由主義
liberalist	〔見上，-ist 者〕自由主義者；〔-ist …的〕自由主義的
liberalize	〔見上，-ize 使…化〕（使）自由化，（使）自由主義化
Liberia	〔liber 自由，-ia 名詞字尾；義為「自由之國」〕賴比瑞亞（非洲一國家名）

168 強──val 大

invalid	〔**in-**不，**val** 強，**-id** 形容詞字尾，…的；「不強壯的」→〕病弱的；傷殘的；病人；傷病員
invalidity	〔見上，**-ity** 名詞字尾〕（因病殘而）喪失工作能力
invalidism	〔見上，**-ism** 表情況、狀態〕久病；傷殘
valour	〔**val** 強→勇，**-our** 表抽象名詞〕勇猛，英勇
valorous	〔見上，**valor** ← **valour**（音變 o-ou），**-ous**…的〕勇猛的，英勇的
convalesce	〔**con-**用作加強意義，**val** 強→健康，**-esce** 動詞字尾，表示動作開始或正在進行〕漸癒，恢復健康
convalescence	〔見上，**-escence** 名詞字尾〕逐漸恢復健康
convalescent	〔見上，**-escent** 形容詞字尾〕恢復健康的，漸癒的

169 確實──cert 高

certify	〔**cert** 確實，**-i-**，**-fy** 動詞字尾，使…〕證實，證明
certifier	〔見上，**-er** 者〕證實者，證明者
certified	〔見上，**-ed**…的〕被證實了的，被證明了的
certification	〔見上，**-fication** 名詞字尾〕證明；證明書
certifiable	〔見上，**-able** 可…的〕可證實的，可證明的
certificate	〔見上，**-ate** 名詞字尾〕證明書
certitude	〔**cert** 確實，**-itude** 名詞字尾〕確實性，確信，必然性

incertitude	〔**in-**不，見上〕不確定，不肯定，無把握
certain	〔**cert** 確實，**-ain** 形容詞字尾〕確實的，確信的，一定的
certainly	〔見上，**ly** 副詞字尾，…地〕確實地，一定地，當然地
certainty	〔見上，**-ty** 名詞字尾〕確實，必然，肯定；必然的事
✓ ascertain	〔**as-**加強意義，**certain** 確實〕確定，查明（真實情況）
ascertainable	〔見上，**-able** 可…的〕可確定的，可查明的
ascertainment	〔見上，**-ment** 名詞字尾〕確定，查明
uncertain	〔**un-**不，見上〕不確定的，靠不住的
uncertainty	〔見上，**-ty** 名詞字尾〕不確定，靠不住

170 美──beaut 高

beauty	〔**beaut** 美，**-y** 名詞字尾〕美麗，美；美人；美好的事物
beautiful	〔見上，**-ful**…的〕美麗的，美好的，優美的
beautify	〔見上，**-fy** 動詞字尾，使…〕使美麗，美化；裝飾
beautifier	〔見上，**-fier** 表人〕美化者，裝飾者
beautification	〔見上，**-fication** 名詞字尾〕美化，裝飾
beautician	〔見上，**-ician** 表人〕美容師
beautorium	〔見上，**-orium** 表場所、地點〕美容院
beauteous	〔見上，**-eous** 形容詞字尾，…的〕美的

171 快速──celer 科

| ✓ celerity | 〔**celer** 快，**-ity** 名詞字尾〕迅速，敏捷 |

accelerate	〔ac-加強意義，celer 快，-ate 動詞字尾〕加快，加速
acceleration	〔見上，-ation 名詞字尾〕加速；加速度；加速作用
accelerator	〔見上，-ator 表人或物〕加速者；加速器；加速劑
accelerative	〔見上，-ative…的〕加速的
accelerometer	〔見上，meter 測量器，計〕加速儀，加速計
decelerate	〔de-除去，取消，celer 快速，-ate 動詞字尾〕使減速，降低速度
deceleration	〔見上，-ation 名詞字尾〕減速（度）
decelerator	〔見上，-ator 表人或物〕減速者；減速器
decelerometer	〔見上，meter 測量器，計〕減速儀，減速計

172 假，錯—— fall / fals 大

fallacious	〔fall 假，錯，-acious 形容詞字尾，…的〕謬誤的；虛妄的
fallacy	〔fall 假，錯，-acy 名詞字尾〕謬誤，謬論，謬見；欺詐
fallible	〔fall 錯，-ible 易…的〕易犯錯誤的；難免有錯誤的
fallibility	〔fall 錯，-ibility 名詞字尾〕易錯，虛妄
infallible	〔in-不，無，見上〕沒有錯誤的，無過失的，不會犯錯誤的；確實可靠的
false	假的，虛偽的，不真實的，謬誤的
falsehood	〔見上，-hood 名詞字尾〕謬誤，不真實；說謊，謊言

falsify	〔**fals** 假，錯，謊，**-i-**，**-fy** 動詞字尾〕偽造，歪曲；搞錯；說謊；證明…是假的
falsification	〔見上，**-fication** 名詞字尾〕弄虛作假，偽造；證明是假
falsifier	〔見上，**-fier** 表示人〕弄虛作假者，偽造者，說謊者
falsity	〔見上，**-ity** 名詞字尾〕虛假，不真實；欺詐；謊言

⑰ 密，濃——dens　　　　　　大

dense	密集的；稠密的；濃厚的
densify	〔**dens** 密，**-fy** 動詞字尾〕使增加密度
density	〔**dens** 密，**-ity** 名詞字尾〕密集（度），稠度（度），密度
condense	〔**con-** 加強意義，**dens** 密，濃〕濃縮，壓縮，縮短；使凝結
condensable	〔見上，**-able** 可…的〕可壓縮的；可凝結的
condenser	〔見上，**-er** 表示物〕凝結器，冷凝器
condensation	〔見上，**-ation** 名詞字尾〕凝結（作用）；（文章的）壓縮；經縮短的作品

⑰ 相似—— im　　　　　　高
imit

image	〔**im** 相似→與原物相似→〕影像，圖象，映象，形象；肖像，像；作…的像
imagine	〔見上；「在頭腦中形成與…相似之物（或情況）」→〕想像，設想，料想
imaginable	〔見上，**-able** 可…的〕可以想像到的

imaginary	〔見上，**-ary** …的〕想像中的；假想的
imagination	〔見上，**-ation** 名詞字尾〕想像；想像力；空想
imitate	〔**imit** 相似，**-ate** 動詞字尾，使…；「使與原樣（原物）相似」→〕模仿，仿效，摹擬，仿製
imitator	〔見上，**-ator** 表示人〕模仿者，仿造者
imitation	〔見上，**-ation** 名詞字尾〕模仿，摹擬；仿造（物）
imitable	〔見上，**-able** 可…的〕可模仿的；值得模仿的
imitative	〔見上，**-ative** 形容詞字尾，…的〕模仿的，摹擬的；仿造的

⑰⑤無──nihil 〔托〕

annihilate	〔**an-** 加強意義，**nihil** 無，不存在→消亡，**-ate** 動詞字尾，使…；「使消亡」→〕消滅，殲滅
annihilator	〔見上，**-ator** 者〕消滅者
annihilation	〔見上，**-ation** 名詞字尾〕消滅，殲滅
nihilism	〔**nihil** 無→虛無，**-ism** 主義〕虛無主義
nihilist	〔見上，**-ist** 者〕虛無主義者
nihilistic	〔見上，**-istic** …的〕虛無主義的
nihility	〔見上，**-ity** 名詞字尾〕無，虛無；毫無價值的事物

⑰⑥多── plur plus 〔高〕

plural	〔**plur** 多→多數→複數，**-al** 形容詞兼名詞字尾〕（語法）複數的；複數，複數形式
pluralism	〔見上，**-ism** 名詞字尾〕複數，多種；多元論；〔多種職務→〕兼職
pluralist	〔見上，**-ist** 者〕多元論者；兼職的人
pluralistic	〔見上，**-istic** …的〕多元論的；兼職的
plurality	〔見上，**-ity** 名詞字尾〕複數；較大數；許多，眾多；兼職
pluralize	〔見上，**-ize** 動詞字尾，使…〕使成複數；以複數形式表示；兼職
plus	〔**plus** 多→更多→增加〕加，加上
surplus	〔**sur-** 超過，**plus** 多；「過多」→〕過剩，剩餘（物資）；剩餘額；多餘的，過剩的
surplusage	〔見上，**-age** 名詞字尾〕多餘的東西，過剩（物資）；剩餘額

177 少——olig(o) 科

O oigo 寡精(?)

oligarch	〔**olig** 少，寡，**arch** 統治者〕寡頭政治的執政者
oligarchy	〔**olig** 少，寡，**archy** 統治，政治〕寡頭政治
oligarchic	〔見上，**-ic** …的〕寡頭政治的
oligemia	〔**olig** 少，**em** 血，**-ia** 表疾病〕血量減少
oligophagous	〔**oligo** 少，**phag** 吃，**-ous** …的〕〔動物〕寡食性的
oliguria	〔**olig** 少，**ur** 尿，**-ia** 表疾病〕尿少，少尿症

178 個人，私自——priv 高

private	〔priv 個人，私自，-ate 形容詞字尾，…的〕私人的，個人的，私有的；非公開的
privilege	〔priv 個人，私有，-i-, leg 法，法律；「個人的法」，「私有的法」→特殊的法→〕特權
privileged	〔見上，-ed…的〕有特權的；特許的
deprive	〔de-除去→奪去，priv 個人，私有；「奪去私人所有物」→〕剝奪，奪去；使喪失
deprivation	〔見上，-ation 名詞字尾〕剝奪；喪失
deprivable	〔見上，-able 可…的〕可剝奪的，可奪去的
privacy	〔priv 個人，私自，-acy 名詞字尾；「私自」→不公開→與他人隔絕→〕隱退，隱居，獨處；秘密，私下
privy	〔priv 個人，-y 形容詞字尾；…的〕個人的，私人的；秘密的，隱蔽的
privily	〔見上，-ly 副詞字尾〕私下地，秘密地
privity	〔見上，-ity 名詞字尾〕私下知悉，默契；參與秘密

⑰原始，粗野──rud ← root 托

rude	原始（階段）的，未開化的，粗野的
rudeness	〔見上，-ness 名詞字尾〕原始，粗野
rudiment	〔rud 原始→開始，起初，初步，-i-, -ment 名詞字尾〕初步，入門；基礎，基本原理
rudimental	〔見上，-al…的〕初步的，基本的，起碼的
erudite	〔e-除去，rud 粗野，-ite…的；「去掉粗野無知」→〕有學問的人，博學的；有學問的
erudition	〔見上，-ition 名詞字尾〕博學

11

實物，物質，器具

⑱棍、棒、槓——bar ［高］

bar	棍、棒、槓、杆
barracks	〔bar 棒、棍；用「棒、棍、木杆等」搭起的臨時木屋→〕兵營，營房；棚屋，木板房，臨時工棚
barrier	〔bar 棒，棍，-ier 表示物；用「棒、棍等」做成的防禦物→〕柵欄，屏障，障礙，障礙物
embarrass	〔em- 表示 in，bar 棒，槓；"to put a bar in (or into)"，「插進一槓子」，橫木攔道→設置障礙→〕使困惱，使麻煩，使為難，使窘迫，妨礙，使（問題）複雜化
embarrassment	〔見上，-ment 名詞字尾〕使人為難的事物，窘迫，麻煩
embarrassing	〔見上，-ing…的〕使人為難的，麻煩的

⑱紙—— cart
chart ［大］

carton	〔cart 紙，-on 名詞字尾，表示物〕紙板，紙盒

cartoon	〔**cart** 紙，**-oon** 名詞字尾，表示物；「紙上畫的」→圖形→〕草圖；漫畫；卡通，卡通片
cartoonist	〔見上，**-ist** 表示人〕漫畫家；動畫片畫家
cartology	〔**cart** 紙→圖紙，圖，**-o-**，**-logy**…學〕海圖學，地圖學
cartel	〔**cart** 紙，**-el** 名詞字尾，表示物；「紙上寫的」→文字，文件→〕挑戰書；交換戰俘協議書
card	〔音變：**t → d**，**cart → card** 紙〕紙牌；卡片；名片
chart	〔**chart** 紙；「紙上畫的」→圖形→〕圖表；海圖；航海圖
chartist	〔見上，**-ist** 者〕製圖者
charter	〔**chart** 紙，**-er** 表示物；「紙上寫的」→文字，憑證→〕憲章；證書；特許狀，憑照

⑱線——fil 托

filar	〔**fil** 線，**-ar** 形容詞字尾，…的〕線的；線狀的，如絲的
filament	〔**fil** 線，**-a-**，**-ment** 名詞字尾〕細線；絲；線狀物
filamentary	〔見上，**-ary**…的〕細線的；細絲的；纖維的
filamentous	〔見上，**-ous**…的〕如絲的；纖維的
file	〔**fil** 線；「人或物排列成一條線」→〕行列，縱列
defile	〔**de-** 加強意義，**fil** 線→行列〕縱列行軍，單列前進

profile	〔**pro-**向前, **fil** 線→線條;「用線條勾畫」→〕描畫…的輪廓; 外形, 輪廓; 側面像
filiform	〔**fil** 線, **-i-**, **-form** 如…形狀的〕線狀的; 絲狀的
multifil	〔**multi-**多, **fil** 線→絲〕複絲; 多纖絲
unifilar	〔**uni** 單一, **fil** 線, **-ar** …的〕(使用) 單根線的

183 纖維——fibr   科

fibre	纖維, 纖維質
fibriform	〔**fibr** 纖維, **-i-**, **-form** 如…形狀的〕纖維狀的
fibril	〔**fibr** 纖維, **-il**=**-ile** 表示物〕原纖維; 小纖維
fibrillose	〔**fibril** 小纖維, **-ose** 具有…的〕有原纖維的; 由原纖維組成的
fibrin	〔**fibr** 纖維, **-in** 化學名詞字尾〕纖維蛋白, 纖維素
fibrinous	〔見上, **-ous**…的〕纖維蛋白的, 纖維素的
fibroblast	〔**fibr** 纖維, **-o-**, **blast** 胚, 細胞〕成纖維細胞
fibrocyte	〔**fibr** 纖維, **-o-**, **cyt** 細胞〕纖維細胞
fibroid	〔**fibr** 纖維, **-oid** 如…的〕纖維樣的; 纖維性的; 由纖維組成的
fibroma	〔**fibr** 纖維, **-oma** 名詞字尾, 表示腫, 瘤〕纖維瘤
fibrosis	〔**fibr** 纖維, **-osis** 生物學名詞字尾, 表示生理現象的形成過程〕纖維化, 纖維變性

fibrositis	〔見上，**-itis** 炎症〕纖維組織炎
fibrous	〔**fibr** 纖維，**-ous** …的〕含纖維的；纖維狀的；纖維構成的

⑱184 車—— char / car 〔高〕

chariot	〔**char** 車，**-ot** 名詞字尾，表物〕戰車；輕便四輪馬車
charioteer	〔見上，**-eer** 名詞字尾，表人〕駕駛戰車（或馬車）者
charge	〔**char** 車→用車載，用車裝→裝載，負擔，承受→〕裝（滿），使充（滿）；使承擔（任務、責任）。〔使負擔費用→〕要（價），收（費），要（人）支付費用；負荷，電荷；費用
chargeable	〔見上，**-able** 形容詞字尾〕應付費的；應由某人負責的；可記在某人賬上的
discharge	〔**dis-** 取消，除去，相反動作，**charge** 裝載；「與裝載動作相反」，「取消裝載」→〕卸（貨物等）；卸脫；放（電）
car	車，車輛；汽車，小汽車；（火車）車廂
carsick	〔**car** 車，**sick** 病〕暈車的
carry	〔**car** 車，→用車運→〕運載，運送；攜帶；傳送
carrier	〔見上，**-er** 表人或物〕載運者；運載工具；載體；航空母艦
carriage	〔見上，**-age** 名詞字尾〕馬車；（火車）車廂

career　〔**car** 車→車輛所走的道路→（喻）人生的歷程，**"course of a person's life"**→〕生涯，經歷，歷程；職業

⑱牆——mur　　　　　　　　　　托

mural　〔**mur** 牆壁，**-al** 形容詞及名詞字尾〕牆壁的；牆壁上的；壁畫

muralist　〔**mural** 壁畫，**-ist** 人〕壁畫師，壁畫家

murage　〔**mur** 牆→城牆，**-age** 名詞字尾，表示費用；「為修築城牆所徵收的捐稅」〕城牆修築捐

mure　〔**mur** 牆；「用牆圍起來」→〕監禁，禁錮

antemural　〔**ante-** 前，**mur** 牆，**-al** 表物；「城牆前面的牆」→〕城牆的外壁

countermure　〔**counter-** 相對，**mure** 城牆；「與城牆相對的牆壁」→〕（城牆的）支壁，副壁

extramural　〔**extra-** 外，**mur** 牆，**-al** …的〕牆外的；城外的；大學之牆以外的

intermural　〔**inter-** 中間，**mur** 牆，**-al** …的〕壁間的，牆間的

intramural　〔**intra-** 內，**mur** 牆，**-al** …的；「牆內的」〕內部的，（國家、城市、團體等）自己範圍內的

immure　〔**im-** 內，入內，**mure** 牆；「置於牆內」→〕監禁，禁閉

immurement　〔見上，**-ment** 名詞字尾〕監禁，禁閉

⑱石——⑴ petr(o)　　　　　　　　　　托

petroleum	〔petr 石, ol(e)油, -um 名詞字尾〕石油
petrolic	〔petr 石, ol(e)油, -ic…的〕石油的
petroliferous	〔petr 石, ol(e)油, -i-, fer 具有, -ous …的〕含石油的; 產石油的
petrolize	〔petrol 石油, -ize 動詞字尾〕用石油處理
petrology	〔petro 石, -logy…學〕岩石學
petrological	〔petro 石, -logical…學的〕岩石學的
petrologist	〔petro 石, -logist…學家〕岩石學家
petrify	〔petri 石, -fy 使…化〕使石化
petrification	〔petri 石, -fication 名詞字尾, 化〕石化作用
petrogeny	〔petro 石, gen 產生, -y 名詞字尾〕岩石發生學
petrography	〔petro 岩石, graphy 寫, 圖, 相〕岩相學
petrochemistry	〔petro 石→石油, chemistry 化學〕石油化學
petrous	〔petr 石, -ous…的〕岩石 (似) 的; 硬的

石——(2) lith　　　　　　　　　科

aerolith	〔aero 空中, lith 石; 「從天空中落下的石頭」→〕隕石
aerolithology	〔見上, -logy 學〕隕石學
acrolith	〔acro 頂上, 上部, lith 石; 「上部是石製」下部是木製的像〕石頭石肢木身的雕像
paleolith	〔paleo 舊, 古, lith 石〕舊石器
paleolithic	〔見上, -ic…的〕舊石器時代的
neolith	〔neo-新, lith 石〕新石器時代的石器
neolithic	〔neo-新, lith 石, -ic…的〕新石器時代的

entomolith	〔**entom** 昆蟲，**-o-**，**lith** 石〕昆蟲化石
carpolith	〔**carpo** 果實，**lith** 石〕果實化石
hippolith	〔**hippo** 馬，**lith** 石〕馬腹中的結石，馬寶，馬糞石
zoolith	〔**zoo** 動物，**lith** 石〕動物化石
zoolithic	〔**zoo** 動物，**lith** 石，**-ic**…的〕動物化石的
monolith	〔**mono-**單獨，一個，**lith** 石〕獨石；獨石柱；獨石像；獨石碑
bilith	〔**bi-**兩個，**lith** 石〕以二石組成的紀念碑
trilith	〔**tri-**三個，**lith** 石〕三石塔
megalith	〔**mega** 大，**lith** 石〕大石塊，巨石
megalithic	〔見上，**-ic**…的〕巨石的；巨石製的
chromolitho-graph	〔**chromo** 色，**litho** 石，**graph** 寫 → 印〕彩色石印圖畫
lithic	〔**lith** 石，**-ic**…的〕石（製）的；結石的
lithiasis	〔**lith** 石，**-iasis** 名詞字尾，表示疾病〕結石病，結石
lithification	〔**lith** 石，**-i-**，**-fication** 名詞字尾，表示化為…〕石化，化成石
lithograph	〔**litho** 石，**graph** 寫，→ 印〕平版印刷，石版印刷
lithographer	〔見上，**-er** 人〕平版印刷工，石版印刷工
lithographic	〔見上，**-ic**…的〕平版畫的，石版畫的
lithocarp	〔**litho** 石，**carp** 果實〕果實化石
lithoglyph	〔**litho** 石，**glyph** 雕刻〕寶石雕刻
lithoid	〔**lith** 石，**-oid** 如……的〕如石的；似石質的
lithology	〔**litho** 石，**-logy** 學〕岩石學
lithologist	〔**litho** 石，**-logist**…學者〕岩石學者

lithological	〔litho 石，-logical…學的〕岩石學的
litholatry	〔litho 石，latry 崇拜】岩石崇拜；拜石教
litholatrous	〔litho 石，latr 崇拜，-ous…的〕拜石的
lithophagous	〔litho 石，phag 吃，-ous…的〕吃石頭的
lithophyte	〔litho 石，phyt 植物〕石生植物（生於石頭表面的植物）
lithoscope	〔litho 石，scop 觀看，檢查〕〔醫學〕結石檢查器
lithosphere	〔litho 石，sphere 圓體，圈〕岩石圈（地球的堅硬部分）
lithotomy	〔litho 石，tomy 切，割〕膀胱結石割除術
lithotomize	〔litho 石，tom 切，割，-ize 動詞字尾〕切除膀胱結石，給…做（膀胱）切石手術
lithotomist	〔litho 石，tom 切，割，-ist 人，專家〕切除膀胱結石專家，（膀胱）切石專家

石──(3) lite 　　　　　　　　科

aerolite	〔aero 空中，lite 石；「從天空中落下的石頭」→〕隕石
amphibiolite	〔amphibio 兩棲動物，lite〕兩棲動物化石
antholite	〔antho 花，lite 石〕花的化石，花殛石
argillite	〔argil 黏土，lite 石〕黏土板石；厚層泥岩
oolite	〔oo 卵，lite 石〕卵石，卵形石，鯔狀岩
entomolite	〔entom 昆蟲，-o-，lite 石〕昆蟲化石
ichthyolite	〔ichthy 魚，-o-，lite 石〕魚化石
ornitholite	〔ornith 鳥，-o-，lite 石〕鳥化石，鳥石
ovulite	〔ov 卵，-u-，lite 石〕卵的化石
heliolite	〔helio 日，太陽，lite 石〕日輪石

pharmacolite	〔pharmaco 藥，lite 石〕毒石
microlite	〔micro 微小，lite 石〕微晶，細晶石
cryolite	〔cryo 冷，lite 石〕冰晶石
phonolite	〔phono 聲音，lite 石〕響石，響岩
carpolite	〔carpo 果實，lite 石〕果實化石
zoolite	〔zoo 動物，lite 石〕動物化石

石──(4) lapid　　　　托

lapidary	〔lapid 石，-ary 形容詞兼名詞字尾〕寶石工；寶石商；寶石的；寶石雕刻術的
lapidate	〔lapid 石，-ate 動詞字尾〕用石頭投擲；用石頭把…擊斃
lapidation	〔lapid 石，-ation 名詞字尾〕以石投擊的刑罰；投擲亂石
lapidescence	〔lapid 石，-escence 名詞字尾〕成為石頭，石化
lapidescent	〔lapid 石，-escent 形容詞字尾〕成為石頭的，化為石頭的
lapidify	〔lapid 石，-i-，-fy 動詞字尾〕（使）化為石頭
lapidific	〔lapid 石，-i-，-fic…的〕化為石頭的
lapidification	〔見上，-fication 名詞字尾〕石化

187 木──xyl(o)　　　　托

xyloid	〔xyl 木，-oid 似…的〕似木質的；木質的
xylophagous	〔xylo 木，phag 吃，-ous…的〕（昆蟲的幼蟲等）食木的，蛀蝕木的，毀木的

xylophagan	〔xylo 木, phag 吃, -an 名詞字尾〕蛀木蟲, 食木蟲
xylophone	〔xylo 木, phon 聲音;「木製的發音器」→〕木琴
xylophonic	〔見上, -ic…的〕似木琴聲音的
xylose	〔xyl 木, -ose 名詞字尾, 表示糖〕〔化學〕木糖
xylotomous	〔xylo 木, tom 切→鑽, 毀, -ous…的〕(昆蟲) 能鑽木的, 能蛀木的
xylotomy	〔xylo 木, tomy 切〕木材截片術
xylograph	〔xylo 木, graph 寫→畫, 刻〕木刻, 木版印畫
xylographer	〔見上, -er 人〕木刻師
xylographic	〔見上, -ic…的〕木刻的; 木版畫的, 木版 (印刷) 的
xylography	〔見上, -y 名詞字尾〕木刻術; 木版 (印刷) 術; 木版畫印畫法
chromoxylograph	〔chromo 色, xylograph 木版畫〕彩色木版畫
pyroxylin	〔pyro 火→焦, xyl 木, -in 素〕〔化學〕焦木素, 火棉

188 油──ole(o) 托

petroleum	〔petr 石, ole 油, -um 名詞字尾〕石油
petrolic	〔petr 石, ol(e) 油, -ic…的〕石油的
oleate	〔ole 油, -ate 名詞字尾, 表鹽類〕油酸鹽
oleic	〔ole 油, -ic…的〕油的; 油酸的
oleiferous	〔ole 油, -i-, fer 產生, -ous…的〕產油的

olein	〔ole 油, -in 精, 素〕油精
oleograph	〔oleo 油, graph 寫, 畫〕石印油畫
oleoresin	〔oleo 油, resin 樹脂〕含油樹脂
oleometer	〔oleo 油, meter 計〕驗油計
oleosaccharum	〔oleo 油, sacchar 糖, -um 名詞字尾〕油糖

[189] 鹽──sal 　　　　　　　　　　　　　　高

salary	〔sal(＝salt) 鹽, -ary 名詞字尾, 表示物; 原為古羅馬士兵所領取的「買鹽的錢」, 作為生活津貼, 由此轉為「工資」〕薪金, 工資
salaried	〔見上, salary (y → i) ＋-ed 有…的〕有工資的, 拿薪水的
salad	〔sal 鹽, -ad 名詞字尾, 表示物〕沙拉, 一種用鹽調拌的涼菜
salify	〔sal 鹽, -i-, -fy 使成…〕使成鹽, 使變鹹
salification	〔見上, -fication 名詞字尾〕(化學) 成鹽作用
saline	〔sal 鹽, -ine 形容詞字尾, …的〕含鹽的, 鹹的;〔轉為名詞〕鹽湖, 鹽漬地, 鹽碱灘
salinity	〔見上, -ity 表示性質、情況〕含鹽量, 鹽濃度, 鹹度
salina	〔見上, -a 名詞字尾, 表示物〕鹽碱灘, 鹽沼區
salt	鹽
saltish	〔salt 鹽, -ish 略…的〕略有鹹味的
salty	〔salt 鹽, -y…的, 有…的〕鹽的, 含鹽的, 鹹的
saltern	〔salt 鹽, -ern 表示場所, 地點〕(製) 鹽場

190 書——bibli(o) 大

bibliophilist	〔biblio 書, phil 愛, -ist 人〕書籍愛好者
bibliophil(e)	＝bibliophilist
bibliomania	〔見上, -mania 狂〕書狂, 藏書癖
bibliophobia	〔biblio 書, phob 怕, 憎惡, -ia 名詞字尾〕憎惡書籍
bibliopole	〔biblio 書, pol 賣〕書商
bibliolatry	〔biblio 書, latry 崇拜〕書籍崇拜
bibliolater	〔biblio 書, later 崇拜者〕書籍崇拜者
bibliolatrous	〔biblio 書, latr 崇拜, -ous…的〕崇拜書籍的
Bible	聖經
bibliographer	〔biblio 書, graph 寫, -er 人〕書目提要編著人
bibliographic	〔見上, -ic 形容詞字尾〕屬於書目提要的
bibliographize	〔biblio 書, graph 寫, -ize 動詞字尾〕編寫書目提要
bibliography	〔見上, -y 名詞字尾〕書目提要；文獻目錄

191 屋, 家——dom 大

dome	圓屋頂；大廈（詩歌用語）
domical	〔見上, -al…的〕圓屋頂的
semidome	〔semi-半, dome 圓屋頂〕半圓屋頂
domestic	〔dom 屋, 家, -tic 形容詞字尾, …的〕家裏的；（引伸為）國內的
domesticate	〔見上, -ate 動詞字尾〕使喜家居；使野生動物成為家養動物, 馴養（動物）；使歸化

domestication	〔見上，**-ation** 名詞字尾〕馴養，馴化；歸化
domesticator	〔見上，**-ator** 者〕馴養者，馴化者；使歸化者
domesticable	〔見上，**-able** 可…的〕可馴養的，可馴化的；習慣於家居的
domesticity	〔見上，**-ity** 名詞字尾〕家庭生活
domicile	〔見上，**-ile** 名詞字尾〕住處；戶籍
domiciliary	〔見上，**-ary**…的〕住處的；戶籍的
domiciliate	〔見上，**-ate** 動詞字尾〕定居；使定居

⑫ 天平，秤—— liber libr　大

deliberate	〔**de-** 加強意義，＝**thoroughly**，**liber** 秤，稱量→衡量，**-ate** 動詞兼形容詞字尾；「仔細衡量」→認真考慮→〕仔細考慮；深思熟慮的，審慎的；故意的
deliberately	〔見上，**-ly** 副詞字尾〕深思熟慮地；故意地
deliberation	〔見上，**-ation** 名詞字尾〕考慮，細想；謹慎；故意
deliberative	〔見上，**-ative**…的〕考慮過的，慎重的
equilibrate	〔**equi** 均等，**libr** 天平，秤，**-ate** 動詞字尾〕（使）均衡，（使）平衡；（使）相稱；（使）平均
equilibration	〔見上，**-ation** 名詞字尾〕平衡，均衡；相稱
equilibrator	〔見上，**-ator** 表示物〕平衡器
equilibrist	〔見上，**-ist** 表示人〕使自己保持平衡的人（如表演走鋼絲者）
equilibrant	〔見上，**-ant** 名詞字尾〕平衡力，均衡力

| librate | 〔**libr** 天平，**-ate** 動詞字尾〕（如天平在平衡前的）擺動；保持平衡 |
| libratory | 〔**libr** 天平，**-atory** 形容詞字尾，…的〕保持平衡的；擺動的 |

⑬床——clin 　　　　　　　　　　大

clinic	〔**clin** 床，**-ic** 名詞字尾；「病床」，「臨床」→〕診所，門診所；臨床，臨診；臨床講授，臨床課；會診
(情狀)	
clinical	〔見上，**-al** 形容詞字尾〕臨床的，臨診的
clinician	〔見上，**-ian** 表人〕臨床醫生，臨診醫生，臨床講授者
clinicist	〔見上，**-ist** 表人〕臨床研究者
polyclinic	〔**poly-** 多，**clinic** 診所，醫院〕多科醫院，綜合醫院

⑭麵包——pan （時引）ベン 　　　高

companion	〔**com-** 共同，**pan** 麵包，食品→吃，進餐，**-ion** 名詞字尾；「同吃」，「共餐」→同伴→伙伴→〕同伴，同事，伴侶，伙伴
companionship	〔見上，**-ship** 名詞字尾〕同伴關係，友誼
company	〔見上，**-y** 名詞字尾〕同伴，朋友；一群，一伙；〔一伙人所組成的團體→〕公司
accompany	〔**ac-** 表示 to，**company** 同伴→陪同〕陪同，伴隨，陪伴；伴奏
accompanist	〔見上，**-ist** 者〕伴奏者，伴唱者
pantry	〔**pan** 麵包，食品，**-ry** 表示地方〕食品室

panification	〔pan 麵包, -i-, -fication 名詞字尾, 表示「製做」〕做麵包, 製作麵包
panivorous	〔pan 麵包, -i-, vor 吃, -ous…的〕吃麵包的
appanage	〔ap-表示 to, pan 麵包, 糧食→供以糧食, 供養, -age 表示地方;「供養王子的領地」→〕(封建時代) 王子的封地, 皇族食邑; 屬地

12

天上，地上

195 太陽──(1) sol 大

solar	〔sol 太陽，-ar 形容詞字尾，…的〕太陽的，日光的
solarium	〔sol 太陽，-arium 名詞字尾，表示場所〕日光浴室，日光治療室
solarize	〔見上，-ize 動詞字尾〕曬；使經受日曬作用
insolate	〔in-使…，sol 太陽，-ate 動詞字尾〕曝曬
insolation	〔見上，-ation 名詞字尾〕曝曬；日射；日光浴
turnsole	〔turn 轉向，sol 日〕向日性植物；向日葵；燈台草
circumsolar	〔circum-周圍，sol 太陽，-ar…的〕圍繞太陽的，近太陽的
extrasolar	〔extra-以外，sol 太陽，-ar…的〕太陽系以外的
lunisolar	〔lun 月，-i-，sol 日，-ar…的〕月和日的
subsolar	〔sub-下面，sol 太陽，-ar…的〕在太陽正下面的；地（球）上的；塵世的
parasol	〔para-防，sol 太陽；「防止日曬之物」→〕遮陽傘

太陽——(2) heli(o)　　　科

heliacal	〔heli 太陽, -acal 形容詞字尾, …的〕太陽的; 與太陽同時出沒的
heliocentric	〔helio 太陽, centr 中心, -ic …的〕以太陽為中心的, 日心的
heliogram	〔helio 太陽, gram 寫→記號, 信號〕日光反射信號器發射的信號, 回光信號
heliolatry	〔helio 太陽, latry 崇拜〕太陽崇拜
heliometer	〔helio 太陽, meter 測量器〕〔天文〕量日儀
helioscope	〔helio 太陽, scope 鏡〕〔天文〕望日鏡, 太陽鏡
heliosis	〔heli 太陽, -osis 名詞字尾, 表疾病〕日射病, 中暑
heliotherapy	〔helio 太陽, therapy 治療〕日光療法
heliotropic	〔helio 太陽, trop 轉向, -ic …的;「轉向太陽的」→〕〔植物〕向日性的, 向光的
heliotropism	〔helio 太陽, trop 轉向, -ism 表特性〕〔植物〕向日性, 趨日性
parhelion	〔par-＝para-相似, 假的, heli 太陽, -on 名詞字尾〕幻日, 假日 (日暈上的光輪)
perihelion	〔peri-靠近, heli 太陽, -on 名詞字尾〕近日點
aphelion	〔ap-＝apo-離開, heli 太陽, -on 名詞字尾;「遠離太陽」〕遠日點

196 月亮——(1) lun　　　大

lunar	〔**lun** 月亮，**-ar** 形容詞字尾，…的〕月亮的，似月的，新月形的
semilunar	〔**semi-**半，**lun** 月亮，**-ar**…的〕半月形的，月牙形的
demilune	〔**demi-**半，**lun** 月亮〕半月，新月，彎月
plenilune	〔**plen** 滿，全，**-i-**，**lun** 月亮〕滿月，望月，月滿之時
luniform	〔**lun** 月亮，**-i-**，**-form** 如…形的〕月形的
lunate	〔**lun** 月亮，**-ate**…的〕新月形的
lunet	〔**lun** 月亮，**-et** 名詞字尾，表示小〕小月
lunitidal	〔**lun** 月亮，**-i-**，**tidal** 潮汐的〕月潮的，太陰潮的
superlunar	〔**super-**上，在…之上，**lun** 月亮，**-ar**…的〕在月球上的，世外的，天上的
sublunar	〔**sub-**下，在…之下，**lun** 月亮，**-ar**…的〕在月下的，地上的，塵世的
circumlunar	〔**circum-**周圍，環繞，**lun** 月亮，**-ar**…的〕環月的，繞月的
interlunar	〔**inter-**中間，…之間，**lun** 月，**-ar**…的；「介於新月與舊月之間的」，舊月已沒，新月尚未出現之時〕無月期間的，月晦的
translunar	〔**trans-**超過〕超過月球的，月球外側的

月亮──(2) selen(o)　　　科

selenology	〔**seleno** 月球，**-logy**…學〕月球學
selenologist	〔**seleno** 月球，**-logist**…學者〕月球學學者
selenograph	〔**seleno** 月球，**graph** 寫，畫→圖〕月面圖

selenography	〔見上，**-y** 名詞字尾，…學〕月面學，月球地理學
selenographer	〔見上，**-er** 人〕月面學家
Selene	〔希臘神話中的〕月神
Selenite	〔**selen** 月球，**-ite** 表示人〕（想像中的）月球居民
selenocentric	〔**seleno** 月球，**centric** 中心的〕以月球為中心的；月心的
selenotropic	〔**seleno** 月球，**trop** 轉，**-ic**…的；「轉向月亮的」→〕〔植物〕向月性的
paraselene	〔**para-**偽，假，**selen** 月〕幻月（月暈的光輪）

197 星星——(1)　astro
aster　　托

astrology	〔**astro** 星，**-logy**…學〕星占學，占星術
astrologer	〔**astro** 星，**-loger**…學者〕星占學家，占星術家
astronomy	〔**astro** 星，星辰→星空→天文，**nomy** 學〕天文學
astronomer	〔見上，**-er** 表示人〕天文學家
astronomize	〔見上，**-ize** 動詞字尾〕研究天文，觀測天文
astrospace	〔**astro** 星→星空，宇宙，**space** 空間〕宇宙空間
astro-engineer	〔**astro** 星→星空，天空→航天，**engineer** 工程師〕航天工程師
astrobiology	〔**astro** 星→星空，太空，**biology** 生物學〕太空生物學

astrodog	〔**astro** 星→太空，**dog** 狗〕太空狗
astromouse	〔**astro** 星→太空，**mouse** 鼠〕太空鼠
astronaut	〔**astro** 星→星空→宇宙，**naut** 船→航行者〕宇宙航行員
astronautess	〔見上，**-ess** 表示女性〕女宇航員，女太空人
astronautics	〔見上，**-ics**…學〕宇宙航行學
astrochemistry	〔**astro** 星→太空，天體，**chemistry** 化學〕天體化學，太空化學
astrophysics	〔**astro** 星→太空，天體，**physics** 物理學〕天體物理學，太空物理學
astrocompass	〔**astro** 星，星象，**compass** 羅盤〕星象羅盤
astronavigation	〔**astro** 星→星空，宇宙，**navigation** 航行〕宇宙航行，天文導航
astral	〔**astr** 星，**-al** 形容詞字尾，…的〕星的，星狀的
asterism	〔**aster** 星，**-ism** 名詞字尾〕星群，星座
asterisk	〔**aster** 星，**-isk** 表示小〕小星記號，星標，星號
asteroid	〔**aster** 星，**-oid** 似…的〕似星的，星狀的
disaster	〔**dis-**不，**aster** 星；「星位不正」，古羅馬人認為「星位不正」便是「災星」，意味著大難→〕災難，災禍

星星——(2) stell 　托

stellar	〔**stell** 星，**-ar** 形容詞字尾，…的〕星的，星球的；星形的，似星的
stellate	〔**stell** 星，**-ate** 形容詞字尾，…的〕星形的，放射線狀的

stellated	同上
stelliferous	〔stell 星, -i-, fer 具有, 帶有, -ous…的〕有星的; 多星的
stelliform	〔stell 星, -i-, -form 有…形狀的〕星形的
stellify	〔stell 星, -i-, -fy 使成為…〕使成星狀; 使成明星
stellular	〔stell 星, -ular 形容詞字尾〕小星形的, 像星形放射的
✓ constellate	〔con-共同, 在一起, stell 星, -ate 動詞字尾, 使…; 「使群星在一起」→〕(使) 形成星座; (使) 群集
✓ constellation	〔見上, -ation 名詞字尾〕星座; (如明星般的) 一群
constellatory	〔見上, -ory 形容詞字尾〕星座的; 如星座的
interstellar	〔inter-中間, 際, stell 星, -ar … 的〕星際的

198 宇宙──cosm(o)　　托

cosmic	〔cosm 宇宙, -ic…的〕宇宙的
cosmism	〔cosm 宇宙, -ism 論〕宇宙論, 宇宙進化論
cosmics	〔cosm 宇宙, -ics…學〕宇宙學
cosmography	〔cosmo 宇宙, graphy 寫, 記, 誌〕宇宙誌
cosmographic	〔見上, -ic…的〕宇宙誌的
cosmographer	〔見上, -er 人〕研究宇宙誌者
cosmology	〔cosmo 宇宙, -logy…學〕宇宙學, 宇宙論
cosmologic	〔cosmo 宇宙, -logic…學的〕宇宙學的, 宇宙論的
cosmologist	〔cosmo 宇宙, -logist…學者〕宇宙論學者

cosmonaut	〔cosmo 宇宙，naut 船→航行者〕宇宙航行員
cosmonautics	〔見上，-ics…學〕宇宙航行學；宇宙航行術
cosmoplastic	〔cosmo 宇宙，plast 形成，-ic…的〕宇宙構成的
cosmos	宇宙
acosmism	〔a-無，cosm 宇宙，-ism 論〕無宇宙論
• acosmist	〔見上，-ist 人〕無宇宙論者

199 地──(1) terr　　　　　　　　　　高大

territory	〔terr 土地，-it-，-ory 名詞字尾〕領土；領地
territorial	〔見上，-al…的〕領土的
exterritorial	〔ex-外，見上；「領土之外的」〕治外法權的
exterritoriality	〔見上，-ity 名詞字尾〕治外法權
mediterranean	〔medi 中間，terr 土地，陸地〕（海等）在陸地中的，被陸地包圍的
Mediterranean	〔見上〕地中海
subterrane	〔sub-下，terr 土地，-ane 名詞字尾〕地下洞穴；地下室
subterraneous	〔sub-下，terr 土地，-aneous 形容詞字尾〕地下的
superterrene	〔super-上面，見上〕地面上的，地上的
terrace	〔terr 土地，-ace 名詞字尾〕台地；地坪；平台，陽台
terrain	〔terr 土地，-ain 名詞字尾〕地面；地帶，地域；地形

terraneous	〔**terr** 土地, **-aneous** 形容詞字尾〕地上生長的, 陸生的
terramycin	〔**terr** 土, **-a-**, **myc** 菌→霉, **-in** 素〕土霉素
terraqueous	〔**terr** 土, 陸地, **aqu** 水, **-eous** … 的〕由水陸形成的, 水陸的
terrestrial	〔**terr** 地→地球〕地球（上）的, 陸上的
extraterrestrial	〔**extra-**外, 見上〕地球外的
inter	〔**in-**入, 內, **ter**＝**terr** 地, 土地;「埋入地中」,「埋入土內」〕埋葬
interment	〔見上, **-ment** 名詞字尾〕埋葬, 葬禮
disinter	〔**dis-**不, 相反, **inter** 埋葬;「與埋葬相反」→〕挖出, 發掘出
disinterment	〔見上, **-ment** 名詞字尾〕挖出, 掘出物

地——(2) geo　　科

geography	〔**geo** 地, 大地, **graph** 寫→論述, **-y** 名詞字尾;「關於大地的論述」→〕地理學, 地理
geographer	〔見上, **-er** 者〕地理學者, 地理學家
geometry	〔**geo** 地, 土地, **metry** 測量;「土地（面積）測量法」——幾何學的來源〕幾何學
geometrician	〔見上, **-ician** 名詞字尾, 表示人〕幾何學家
geology	〔**geo** 地, 地球, **-logy**…學〕地質學
geologist	〔見上, **-ist** 表示人〕地質學者
geologize	〔見上, **-ize** 動詞字尾〕研究地質學
geophysics	〔**geo** 地, 地球, **physics** 物理學〕地球物理學
geoscience	〔**geo** 地, 地球, **science** 科學〕地球科學
geopolitics	〔**geo** 地, **politics** 政治學〕地緣政治學

geomagnetic	〔geo 地，magnetic 磁的〕地磁的
geospace	〔geo 地，地球，space 空間〕地球空間（軌道）
geostrategy	〔geo 地，地球，strategy 戰略〕地緣戰略學
geothermal	〔geo 地，therm 溫，-al…的〕地溫的，地熱的
geocide	〔geo 地，地球，cid 殺 → 殺死 → 死亡，毀滅〕地球末日

地——(3) hum 　　　大

inhume	〔in-入 內，hum 地；「埋入地下」→〕埋葬，土葬
inhumation	〔見上，-ation 名詞字尾〕埋葬
exhume	〔ex-外，出，hum 地；「從地下挖出來」→〕掘出；發掘；掘墓
exhumation	〔見上，-ation 名詞字尾〕掘出，發掘
humble	〔hum 地，地下 → 低，卑，-ble…的〕謙卑的，卑下的；恭順的；地位低下的
humiliate	〔hum 地，地下 → 低下，-ate 使…；「使低下」→〕使丟臉，使屈辱，羞辱
humility	〔hum 地，地下 → 低下，-ty 名詞字尾〕謙卑
posthumous	〔post-在…之後，hum 地，地下 → 埋葬 → 死〕死後的，身後的；父死後出生的；作者死後出版的

200 農田，田地——agri 　　　高

| agriculture | 〔agri 田地，農田，cult 耕作，-ure 名詞字尾〕農業，農藝 |

agricultural	〔見上，**-al** 形容詞字尾，…的〕農業的，農藝的
agriculturist	〔見上，**-ist** 表示人〕農學家
agricorporation	〔**agri** 農田→農業，**corporation** 公司〕農業綜合公司
agrimotor	〔**agri** 農田→農業，**motor** 機器〕農用拖拉機
agronomy	〔**agro** 農田→農業，**nomy**…學〕農學，農藝學，作物學
agronomic	〔見上，**-ic** 形容詞字尾，…的〕農學的，農藝學的
agronomist	〔見上，**-ist** 表示人〕農學家
agrology	〔**agro** 田地，**-logy**…學〕農業土壤學
agrobiology	〔**agro** 田地→農業，**biology** 生物學〕農業生物學
agrotechnique	〔**agro** 田地→農業，**technique** 技術〕農業技術
agro-town	〔**agro** 農田→農村，**town** 城鎮〕建在農村地區的城鎮
agrochemicals	〔**agro** 農田，**chemicals** 化學藥品〕農藥
agro-industry	〔**agro** 農田→農業，**industry** 工業〕農業工業
agrarian	〔**agr** 田地，**-arian** 形容詞字尾，…的〕土地的，耕地的
agrestic	〔**agr** 田地→鄉村→鄉野〕鄉間的，鄉野的，粗野的

〔201〕山──oro　　科

| orology | 〔**oro** 山，**-logy**…學〕山理學，山岳成因學 |

orological	〔見上，**-logical**…學的〕山理學的
orologist	〔見上，**-logist**…學家〕山理學家
orometer	〔**oro** 山，**meter** 測量器，計〕山岳氣壓計，山岳高度計
orogeny	〔**oro** 山，**gen** 產生，**-y** 名詞字尾；「山的產生」→山的形成〕造山作用，造山運動
orogenic	〔見上，**-ic**…的〕造山的
orography	〔**oro** 山，**graphy** 寫，論述〕山岳形態學，山誌學

202 河──potam 托

potamic	〔**potam** 河，**-ic**…的〕河流的，江河的
potamology	〔**potam** 河，**-o-**，**-logy**…學〕河流學，河川學
potamological	〔見上，**-logical**…學的〕河流學的
potamometer	〔**potam** 河流→水流，**meter** 測量器〕水力計
hippopotamus	〔**hippo** 馬，**potam** 河，**-us** 名詞字尾〕河馬
Mesopotamia	〔**meso** 中間，**potam** 河，**-ia** 名詞字尾；「兩河之間」〕美索不達米亞（西南亞的底格里斯河與幼發拉底河兩河流域地區）

203 海──mar 大

marine	〔**mar** 海，**-ine** 形容詞字尾，…的〕海的，海上的，航海的
mariner	〔見上，**-er** 表示人〕海員，水手
submarine	〔**sub-**在…下面，**mar** 海，**-ine**…的〕海面下的，海底的；〔轉為名詞：「潛入海面下之物」→〕潛水艇

supersubmarine	〔super-超，超級，submarine 潛水艇〕超級潛水艇
antisubmarine	〔anti-反，見上〕反潛艇的
aeromarine	〔aero 空中，航空，飛行，marine 海上的〕海上飛行的
transmarine	〔trans-越過，見上；「越過海的」→〕來自海外的，海外的
ultramarine	〔ultra-以外，見上〕海外的，在海那邊的
maritime	〔來自拉丁語 maritimus，英語寫作 maritime〕海的，海上的，海事的，海運的，沿海的
mariculture	〔mar 海→水產，-i-，culture 培養，養殖〕水產物的養殖
marigraph	〔mar 海，-i-，graph 寫，記錄〕海潮記錄儀，驗潮計

√204 島——(1) insul　　　大托

peninsula	〔pen-相似，相近，似乎，insul 島，-a 名詞字尾；「和島相似」，「似乎是一個島」→不完全是一個島→〕半島
peninsular	〔見上，-ar…的〕半島的；〔-ar 名詞字尾〕半島的居民
insular	〔insul 島，-ar…的〕島的，島國的，島民的，思想狹隘的，偏狹的
insularism	〔見上，-ism 表示特性〕島國特性，狹隘性
insularity	〔見上，-ity 表示特性〕島國性，孤立性，偏狹性

insulate	〔**insul** 島→孤立→與外界隔絕，**-ate** 動詞字尾，使…；「使成島狀」→使孤立，使與…隔絕→〕隔離，使孤立，使絕緣
insulation	〔見上，**-ation** 名詞字尾〕隔絕，孤立，絕緣
insulator	〔見上，**-ator** 表示人或物〕隔絕者，絕緣體
insulin	〔**insul** 島，**-in** 名詞字尾，表示「素」〕胰島素

島——⑵ isol　　　　　大 托

isolate	〔**isol**（＝island）島，**-ate** 動詞字尾，使…；「使成島狀」→使與外界隔絕→使孤立〕隔離；孤立；使脫離；使絕緣
isolation	〔見上，**-ation** 名詞字尾〕隔離；孤立；分離；絕緣
isolationism	〔見上，**-ism** 主義〕孤立主義
isolationist	〔見上，**-ist** 者〕孤立主義者；孤立主義的
isolator	〔見上，**-ator** 表示人或物〕隔離者；隔離物；絕緣體
isolated	〔見上，**-ed**…的〕孤立的；絕緣的

205 城市——⑴ urb　　　　　大

suburb	〔**sub-** 下，靠近，**urb** 城市；「城下」，「靠近城」→城外→〕郊區，郊外，近郊
suburban	〔見上，**-an**…的〕郊區的；〔**-an** 表示人〕郊區居民
suburbanite	〔見上，**-ite** 表示人〕郊區居民
suburbanize	〔見上，**-ize** 使…化〕（使）市郊化
urban	〔**urb** 城市，**-an**…的〕城市的，都市的

urbanite	〔見上，**-ite** 表示人〕城市居民
urbane	〔**urb** 城市，**-ane**（=**-an**）形容詞字尾，表示有…性質的，原義來自「城市的人比鄉村的人文雅」→〕文雅的，有禮貌的
urbanity	〔見上，**-ity** 名詞字尾，表示性質〕文雅，溫文爾雅
√ **inurbane**	〔**in-**，不，見上〕不文雅的，粗野的，不禮貌的
inurbanity	〔見上，**-ity** 名詞字尾〕不文雅，粗野
urbanize	〔見上，**-ize** 使…化〕使都市化
urbanization	〔見上，**-ization**…化〕都市化
urbanology	〔**urban** 城市，**-o-**，**-logy**…學〕城市學，都市學
exurb	〔**ex-**外，**urb** 城市；「遠在城市之外」→〕城市遠郊地區
exurban	〔見上，**-an**…〕城市遠郊的
exurbanite	〔見上，**-ite** 表示人〕城市遠郊區居民
interurban	〔**inter-**在…之間，**urb** 城市，**-an**…的〕城市與城市之間的
conurbation	〔**con-**共同，**urb** 城市，**-ation** 名詞字尾；「幾個城市共同組成的大城市」〕集合城市（擁有衛星城市的大都市，如倫敦等）

城市──(2) polis   托

metropolis	〔**metro** 母→主要的，**polis** 城；「母城」→主要的城〕大城市，大都會，首府
metropolitan	〔見上，**s → t**，**-an** 形容詞字尾，…的〕大城市的，大都會的

metropolitanize	〔見上，-ize…化〕使大城市化，使大都會化
cosmopolis	〔cosmo 世界，polis 城市〕國際都市
cosmopolitan	〔見上，s → t，-an … 的；「國際城市的」→〕世界主義的；全世界的
cosmopolitanism	〔見上，-ism 主義〕世界主義
megalopolis	〔megalo 特大，polis 城〕特大的城市
megalopolitan	〔見上，s → t，-an…的〕特大城市的
necropolis	〔necro 死屍，polis 城；「死者之城」→〕墳地
acropolis	〔acro 高，polis 城；「高城」〕（古希臘城市的）衛城

206 農村—— rur rus　大

rural	〔rur 鄉村，農村，-al…的〕農村的；田園的
rurality	〔見上，-ity 名詞字尾〕農村景色；田園風味
ruralize	〔見上，-ize 動詞字尾〕使農村化；在農村居住
rustic	〔rus 鄉村，-tic…的〕鄉村的，農村的；鄉村式的，莊稼人樣子的
rusticity	〔見上，-ity 名詞字尾〕鄉村風味，鄉村特點，質樸
rusticate	〔見上，-ate 動詞字尾〕下鄉；過鄉村生活
rustication	〔見上，-ation 名詞字尾〕鄉居，下鄉；過鄉村生活

207 路——(1) vi(a)　大

obvious	〔ob-表示 in(or on)，vi 路，-ous … 的；「擺在大路上的」→大家都看得見的→〕明顯的，顯而易見的，顯著的
obviously	〔見上，-ly 副詞字尾，…地〕明顯地，顯著地
previous	〔pre-先，前，vi 路→走路，-ous…的；「going before」→〕以前的，先前的
trivial	〔tri-三，vi 路，-al…的；「三岔路口上的」→隨處都可見到的→極普通的→〕平凡的，平常的，不重要的，輕微的，瑣細的
triviality	〔見上，-ity 名詞字尾〕瑣事，瑣碎，平凡
deviate	〔de-離開，vi 道路→正道，-ate 動詞字尾〕背離（正道），偏離
deviation	〔見上，-ion 名詞字尾〕背離，偏離，偏向，偏差
deviationist	〔見上，-ist 表示人〕叛離正道者，（政黨的）異端分子
devious	〔de-離開，vi 道路→大道，正道，-ous … 的〕遠離大路的，偏遠的，偏僻的，離開正道的，誤入歧途的
via	〔via 道路→經過…道路，by the way of →〕取道，經由
viatic	〔via 道路，-tic 形容詞字尾，…的〕道路的，旅行的
viameter	〔via 道路→路程，meter 測量儀，計，儀表〕路程計，車程表

viaduct	〔via 道路, duct 引導; 「把路引導過去」→ 使路跨越過去→〕高架橋, 跨線橋, 旱橋, 棧橋

路——(2) voy 高

voyage	〔voy 路→行程, 航程, -age 名詞字尾〕航程; 航行, 航海; 旅行
voyager	〔見上, -er 者〕航行者, 航海者; 旅行者
voyageable	〔見上, -able 可…的〕可航行的
convoy	〔con-同, 一起, voy 路程; 「同路」, 「同行」→〕護送, 護航; 護送隊, 護航隊
envoy	〔en-表示 in, voy 路; 「送…上路」, 「派遣…出去」→被派遣出去的人→〕使節, 使者, 公使
envoyship	〔見上, -ship 表示身分〕使節身分

路——(3) od 高

period	〔peri-周圍, 環, od 路; 「環路」→環行, 循環→〕周期, 期; 時期
periodic	〔見上, -ic…的〕周期的, 定期的; 循環的
periodicity	〔見上, -icity 名詞字尾〕周期性; 定期性
periodical	〔見上, -ical…的〕周期的; 定期的; 〔轉為名詞〕期刊
odograph	〔od 路, 路程, -o-, graph 寫, 記錄, 表〕里程表; 自動計程儀
odometer	〔od 路, 路程, -o-, meter 測量器, 儀表〕里程表, 自動計程儀

method	〔meth ← meta-表示 after（遵循，依照），od 路;「應遵循的路」→〕方法，辦法
exodus	〔ex-外，出，od 路 → 行，走，-us 名詞字尾〕（成群的）出去，退出，離去

⓬⓪⓼ 地方——(1) loc　　　　　　　　　　高

local	〔loc 地方，-al…的〕地方的，當地的，本地的
localism	〔見上，-ism 表示主義，語言〕地方主義，方言，土語
localize	〔見上，-ize 使…〕使地方化，使局限
localization	〔見上，-ization…化〕地方化，局限
✓ locomotive	〔loc 地方，-o-，mot 動，移動，-ive…的;「能由一個地方移動至另一個地方」〕移動的，運動的;〔轉為名詞,「能牽引他物，由一地方移動至另一地方的機器」→〕機車，火車頭
locate	〔loc 地方→位置，-ate 動詞字尾〕確定…的地點，使座落於
location	〔見上，-ion 名詞字尾〕定位，場所，位置
collocate	〔col-共同，並，loc 地方，位置，-ate 動詞字尾〕並置，並列
collocation	〔見上，-ion 名詞字尾〕並置，並列
co-locate	〔co-同，loc 地方，地點，-ate 動詞字尾，使…〕（使）駐紮在同一地點
dislocate	〔dis-離，loc 地方，位置，-ate 使…〕使不在原來位置，使位置錯亂，換位，脫臼

dislocation	〔見上, **-ion** 名詞字尾〕離開原位, 脫位, 脫臼
translocate	〔**trans-**轉換, 改變, **loc** 地方, 位置, **-ate** 動詞字尾〕改變位置, 易位
relocate	〔**re-**再, 重新, **locate** 定位, 安置〕重新定位, 重新安置

地方——(2) top 托

Utopia	〔**u** 來自希臘語 **ou**, 表示「無, 不」, **top** 地方, **-ia** 名詞字尾;「根本不存在的地方」→未曾有的地方→〕烏托邦, 空想的境界:理想國
Utopian	〔見上, **-ian** 形容詞兼名詞字尾〕烏托邦的, 空想的; 空想家
Utopianism	〔見上, **-ism** 主義→理論〕烏托邦理論
dystopia	〔**dys-**不良, 惡, **top** 地方, **-ia** 名詞字尾;「不好的地方」→〕非理想化的地方; 極糟的社會
toponym	〔**top** 地方, **onym** 名〕地名
toponymy	〔見上, **-y** 名詞字尾〕(一國或一地區的) 地名; 地名研究
topography	〔**top** 地方, **-o-**, **graphy** 寫→文字〕地誌; 地形; 地形學
topographer	〔見上, **-er** 者〕地誌學者
isotope	〔**iso-**相同, **top** 地方→位置〕〔化學〕同位素

13

動物

⑳ 動物──zo(o) 科

zoic	〔zo 動物，-ic 形容詞字尾，…的〕動物的；有生物的
zoo	動物園
zooid	〔zo 動物，-oid 似…的〕動物狀的；動物性的
zoolatry	〔zoo 動物，latry 崇拜〕動物崇拜
zoolite	〔zoo 動物，lite 石〕動物化石
zoology	〔zoo 動物，-logy…學〕動物學
zoologist	〔zoo 動物，-logist…學家〕動物學家
protozoology	〔proto 原始，見上〕原生動物學
protozoic	〔proto 原始，zo 動物，-ic…的〕原生動物的
paleozoology	〔paleo 古，見上〕古動物學
zoomorphic	〔zoo 動物，morph 形，-ic … 的〕動物形的；獸形的
zoophobia	〔zoo 動物，phob 怕，-ia 表病症〕動物恐怖（症）
zoophagous	〔zoo 動物，phag 吃，-ous … 的；「吃動物的」〕食肉的
zoopathology	〔zoo 動物，pathology 病理學〕動物病理學
zoophilist	〔zoo 動物，phil 愛，-ist 者〕愛護動物者

zoophilous	〔見上，-ous…的〕愛護動物的
zootomy	〔**zoo** 動物，**tomy** 切→解剖〕動物解剖學
zootomist	〔**zoo** 動物，**tom** 切→解剖，**-ist** 人〕動物解剖學家
zootoxin	〔**zoo** 動物，**tox** 毒，**-in** 素〕動物性毒素
arthrozoic	〔**arthro** 關節，**zo** 動物，**-ic**…的〕關節動物的
anthozoan	〔**anth** 花，**-o-**，**zo** 動物，**-an** 名詞兼形容詞字尾；「如花形的動物」→〕珊瑚蟲；珊瑚蟲的
haematozoic	〔**haemato** 血，**zo** 動物→蟲，**-ic**…的〕血寄生蟲的
Mesozoa	〔**meso** 中間，**zo** 動物，**-a** 名詞字尾〕中間動物（原生動物與腔腸動物中間的一種動物）
phytozoon	〔**phyto** 植物，**zo** 動物〕植物形動物，植蟲

⑩魚──(1) pisc 〔托〕

piscary	〔**pisc** 魚，**-ary** 表抽象名詞及場所地點〕捕魚權；捕魚場
piscatology	〔見上，**-logy**…學〕捕魚學
piscator	〔**pisc** 魚，**-ator** 者〕捕魚者；釣魚人
piscatorial	〔見上，**-ial**…的〕漁民的；漁業的
pisciculture	〔**pisc** 魚，**-i-**，**culture** 養〕養魚學，養魚術
piscicultural	〔見上，**-al**…的〕養魚的；養魚術的
pisciculturist	〔見上，**-ist**…者〕養魚者；養魚專家
pisciform	〔**pisc** 魚，**-i-**，**-form** 如…形的〕魚狀的
piscine	〔**pisc** 魚，**-ine** 如…的，…的〕似魚的；魚的

| piscivorous | 〔pisc 魚, -i-, vor 吃, -ous…的〕食魚的, 以魚為食的 |

魚——(2) ichthy 　　　科

ichthyoid	〔ichthy 魚, -oid 像…的〕像魚的, 魚形的
ichthyology	〔ichthy 魚, -o-, -logy 學〕魚類學
ichthyologist	〔見上, -logist…學者〕魚類學者
ichthyomorphic	〔ichthy 魚, -o-, morph 形, -ic…的〕魚形的
ichthyophagist	〔ichthy 魚, -o-, phag 吃, -ist 人〕以魚為食的人
ichthyophagous	〔見上, -ous…的〕食魚的, 以魚為食的
ichthyophagy	〔見上, -y 名詞字尾〕以魚為食
ichthyosis	〔ichthy 魚, -osis 醫學名詞字尾〕魚鱗癬, 鱗癬
ichthyotomy	〔ichthy 魚, -o-, tomy 切→解剖〕魚類解剖學
ichthyic	〔ichthy 魚, -ic…的〕魚的; 魚形的
ichthyolite	〔ichthy 魚, -o-, lite 石〕魚化石
Ichthyornis	〔ichthy 魚, ornis 鳥〕〔古生物〕魚鳥
paleichthyology	〔pale 古, ichthyology 魚類學〕古代魚類學

211 蟲——(1) entom(o) (昆蟲) 　　　科

entomic	〔entom 昆蟲, -ic…的〕昆蟲的
entomology	〔entomo 昆蟲, -logy…學〕昆蟲學
entomologist	〔entomo 昆蟲, -logist…學家〕昆蟲學家
entomological	〔見上, -logical…學的〕昆蟲學的
entomologize	〔見上, -ize 動詞字尾〕研究昆蟲學

entomoid	〔**entom** 昆蟲，**-oid** 形容詞字尾，如…的〕如昆蟲的，似昆蟲狀的
entomolite	〔**entomo** 昆蟲，**lite** 石〕昆蟲化石
entomophagous	〔**entomo** 昆蟲，**phag** 吃，**-ous** 的〕〔動物〕食蟲的
entomophilous	〔**entomo** 昆蟲，**phil** 愛，**-ous** 的；「蟲喜愛的」→〕〔植物〕蟲媒的
entomotomy	〔**entomo** 昆蟲，**tomy** 切開→解剖〕昆蟲解剖；昆蟲解剖學

蟲──(2) verm(i)（蠕蟲）　　　科

vermian	〔**vermi** 蠕蟲，**-an** 形容詞字尾〕蠕蟲的；像蠕蟲的，蛆形的
vermicide	〔**vermi** 蠕蟲，**cide** 殺〕殺蠕蟲藥
vermicidal	〔見上，**-al**…的〕殺蠕蟲（藥）的
vermicular	〔**verm** 蠕蟲，**-icular** 形容詞字尾，如…的〕蠕蟲狀的；蠕動的
vermiform	〔**vermi** 蠕蟲，**-form** 有…形狀的〕蠕蟲狀的，蚯蚓形的
vermifuge	〔**vermi** 蠕蟲，**fug** 逃散→驅散→驅逐〕驅蟲藥
vermifugal	〔見上，**-al**…的〕驅蟲（藥）的
vermin	〔**verm** 蠕蟲，**-in** 名詞字尾〕害蟲；寄生蟲
verminate	〔**vermin** 蟲，**-ate** 動詞字尾〕蠕蟲孳生；腸蟲蔓延
verminosis	〔**vermin** 蟲，**-osis** 表示疾病〕蠕蟲病；腸蟲病
verminous	〔**vermin** 蟲，**-ous**…的〕害蟲的；似害蟲的

vermivorous 〔vermi 蟲，vor 吃，-ous…的〕食蟲的

212 鳥——(1) avi 大

avian 〔avi 鳥，-an 形容詞字尾〕鳥的；鳥類的，鳥綱的

aviary 〔avi 鳥，-ary 名詞字尾，表示場所；「鳥的場所」→〕養鳥房，鳥檻，鳥舍

aviculture 〔avi 鳥，culture 培養〕養鳥，養鳥法

aviphenology 〔avi 鳥，pheno 現象，-logy 學〕鳥類氣候學

aviate 〔avi 鳥→飛行，-ate 動詞字尾〕飛行；駕駛飛機

aviation 〔avi 鳥→飛行，-ation 名詞字尾〕飛行，航空；飛行術，航空學

aviator 〔avi 鳥→飛行，-ator 名詞字尾，表示人〕飛行員，飛機駕駛員

aviatrix 〔見上，-trix 名詞字尾，表示女性〕女飛行員

鳥——(2) ornith(o) 〔歇歇呆呆是一般大等等〕 科

ornithology 〔ornitho 鳥，-logy…學〕鳥學，禽學

ornithologist 〔ornitho 鳥，-logist…學家〕鳥學家

ornitholite 〔ornitho 鳥，lite 石〕鳥化石，鳥石

ornithic 〔ornith 鳥，-ic…的〕鳥的

odontornithic 〔odont 齒，ornith 鳥，-ic…的〕〔古生物〕齒鳥類的

paleornithology 〔pale 古，ornithology 鳥學〕古鳥學，化石鳥類學

213 獸──(1) brut 高

brutal	〔brut 獸，-al…的〕獸性的，殘忍的
brutalism	〔見上，-ism 表示性質〕獸性，殘忍
brutality	〔見上，-ity 表示性質〕獸性，殘忍，暴行
brutalize	〔見上，-ize 動詞字尾，使…〕使如禽獸，使殘忍
brutify	〔見上，-fy 使…〕＝brutalize
brutish	〔見上，-ish…的〕獸的，如禽獸的，殘忍的
brute	禽獸，畜生，殘忍的人
brutehood	〔見上，-hood 表示性質〕獸性

獸──(2) best 大

bestial	〔best（＝beast）獸，-ial…的〕野獸的，獸性的
bestiality	〔見上，-ity 表示性質〕獸性，獸心，獸慾
bestialize	〔見上，-ize 使…〕使變成野獸

214 豬── porc pork 大

porcine	〔porc 豬，-ine…的〕豬的，像豬的
porcupine	〔porc 豬，-u-，pine（＝spine）刺〕箭豬，豪豬
pork	〔pork 豬〕豬肉
porker	食用豬，肥胖之小豬
porket	〔pork 豬，-et 表示小〕小豬，乳豬
porkling	〔pork 豬，-ling 表示小〕小豬
porky	〔pork 豬肉，-y…的〕豬肉的，似豬肉的

a person who thinks that all men act selfishly in the own interests, who sees little or no good in anything and who shows this by —

215 犬──(1) cyn(o) 托

cynic /ˈsɪnɪk/	〔cyn 犬，-ic…的〕犬儒學派的；犬儒學派的人
cynical	〔見上，-al…的〕犬儒學派的，玩世不恭的
cynicism	〔見上，-ism 主義〕犬儒主義，犬儒哲學，玩世不恭
cynophobia	〔cyno 犬，phobia 怕〕恐犬病
cynophilist	〔cyno 犬，phil 愛，-ist 人〕愛犬者

犬──(2) can 托

canine	〔can 犬，-ine…的〕犬的，似犬的，犬屬的
caninity	〔見上，-ity 名詞字尾，表示特性〕犬的特性
Canis	犬屬
Canis Major	大犬星座
Canis Minor	小犬星座

216 牛──vacc 大

vaccine	〔vacc 牛，-ine…的〕牛的，與牛有關的；牛的，痘苗的；牛痘苗
vaccinia	〔見上，-ia 名詞字尾〕牛痘
vaccinal	〔見上，-al…的〕牛痘的，疫苗的
vaccinate	〔見上，-ate 動詞字尾〕給…種牛痘
vaccination	〔見上，-ation 名詞字尾〕種牛痘，接種疫苗
vaccinator	〔見上，-ator 表示人〕種牛痘大夫，牛痘接種員

217 馬──(1) hipp(o) 托

making unkind and unfair remarks about people & things.

hipparch	〔hipp 馬→騎兵, arch 首腦, 首領〕騎兵司令
hippodrome	〔hippo 馬, drom 跑;「跑馬的地方」→〕跑馬場, 賽馬場; 馬戲場
hippolith	〔hippo 馬, lith 石〕馬腹內的結石, 馬寶; 馬糞石
hippology	〔hippo 馬, -logy 學〕馬學
hippopathology	〔hippo 馬, patho 病, -logy 學〕馬體病理學
hippophagist	〔hippo 馬, phag 吃, -ist 人〕食馬肉的人
hippophagous	〔hippo 馬, phag 吃, -ous…的〕食馬肉的
hippophagy	〔hippo 馬, phag 吃, -y 名詞字尾〕食馬肉的習性
hippophile	〔hippo 馬, phil 愛〕愛馬者
hippopotamus	〔hippo 馬, potam 河, -us 名詞字尾〕河馬
hippotomy	〔hippo 馬, tomy 切→解剖〕馬體解剖學
hippurate	〔hipp 馬, ur 尿, -ate 化學名詞字尾, 表示鹽類〕馬尿酸鹽
hippuric	〔hipp 馬, ur 尿, -ic…的〕馬尿（酸）的

馬──(2) caval chival 〔大〕

/ˈkævl rɪ/

cavalry	〔caval 馬→騎兵, -ry 表示總稱〕騎兵
cavalier	〔caval 馬, -ier 表示人;「騎馬的人」〕騎士
cavalcade	〔caval 馬, -cade＝-ade 表示集體〕騎馬隊伍

the qualities (such as honour, generosity, and kindness to the meek & poor) which this system aimed at developing in noble soldiers.

chivalry 〔**chival** 馬→騎士，**-ry** 表示狀態，性質〕騎士制度，騎士氣概

chivalrous 〔見上，**-ous**…的〕勇武的，有騎士氣概的

馬——(3) equ 〔大〕

equine 〔**equ** 馬，**-ine** … 的〕馬的，似馬的，馬科的；〔轉為名詞〕馬，馬科動物
/ˈikwaɪn/

equestrian 〔**equ** 馬，**-ian** … 的〕馬的，騎馬的，馬術的；〔**-ian** 表示人〕騎馬者，騎手，馬術家

equestrienne 〔見上，**-enne** 表示女性〕女騎手，女馬術師

equerry 掌馬官，馬廄總管

218 蛇——ophi(o) 〔科〕

ophiology 〔**ophio** 蛇，**-logy**…學〕蛇學，蛇類學

ophiologist 〔**ophio** 蛇，**-logist**…學者〕蛇類學者

ophiological 〔**ophio** 蛇，**-logical**…學的〕蛇類學的

ophiolatry 〔**ophio** 蛇，**latry** 崇拜〕對蛇的崇拜

ophiolater 〔**ophio** 蛇，**later** 崇拜者〕崇拜蛇者

ophiomorphous 〔**ophio** 蛇，**morph** 形，**-ous**…的〕蛇形的

ophiophagous 〔**ophio** 蛇，**phag** 吃，**-ous** … 的〕吃蛇的，以蛇為食的

ophite 〔**oph(i)** 蛇，**-ite** 名詞字尾，表示礦物〕蛇石，蛇紋大理石，纖閃輝綠岩

14

植物

⁂⁂⁂植物——(1) botan 科

botany	〔botan 植物，-y 名詞字尾〕植物學；（某地區的）植物；植物的生態
botanic	〔見上，-ic…的〕植物（學）的
botanical	〔見上，-ical…的〕植物（學）的
botanist	〔見上，-ist 人〕植物學家，專門研究植物的人
botanize	〔見上，-ize 動詞字尾〕採集和研究（野生）植物；為研究植物而勘察（某地區）
paleobotany	〔paleo- 古〕古植物學，化石植物學

植物——(2) veget 大

vegetable	〔veget 植物，-able…的〕植物的，植物性的；〔轉為名詞〕植物；蔬菜
vegetal	〔veget 植物，-al…的〕植物的，植物性的
vegetarian	〔veget 植物，-arian 表示人；「只吃植物的人」→〕吃素的人，素食主義者；〔-arian…的〕素食的，素食主義的
vegetarianism	〔見上，-ism 主義〕素食主義

| vegetate | 〔veget 植物, -ate 動詞字尾〕（植物）生長；像植物般生長和生活（過單調而不用思想的生活），飽食終日無所事事地生活 |
| vegetative | 〔veget 植物, -ative …的〕植物的，蔬菜的；植物似的，生活呆板單調的，像植物般生長的 |

植物——(3) phyt(o) /fazt/ 科

phytochemistry	〔phyto 植物, chemistry 化學〕植物化學
phytogeography	〔phyto 植物, geography 地理學〕植物地理學
phytopathology	〔phyto 植物, pathology 病理學〕植物病理學
phytopharmacy	〔phyto 植物, pharmacy 藥學〕植物藥劑學
phytotomy	〔phyto 植物, tomy 切，剖〕植物解剖學
phytotoxicity	〔phyto 植物, tox 毒, -icity 名詞字尾〕植物毒性
phytocidal	〔phyto 植物, cid 殺, -al …的〕殺害植物的
phytocide	〔phyto 植物, cid 殺〕殺莠劑，除莠劑
phytophagous	〔phyto 植物, phag 吃, -ous …的〕食植物的
cryophyte	〔cryo 寒冷, phyt 植物〕冰雪植物
entophyte	〔ento- 內, phyt 植物〕內寄生植物
hydrophyte	〔hydro 水, phyt 植物〕水生植物
lithophyte	〔litho 石, phyt 植物〕石生植物（生於石頭表面的植物）
microphyte	〔micro 微小, phyt 植物〕微植物
paleophyte	〔paleo 古, phyt 植物〕古生代植物

protophyte	〔**proto** 原始，**phyt** 植物〕原生植物；單細胞植物
xerophyte	〔**xero** 乾燥，**phyt** 植物〕旱生植物
zoophyte	〔**zoo** 動物，**phyt** 植物〕植物形動物

⑳花——(1) flor / flour　　大

florist	〔**flor** 花，**-ist** 表示人〕種花者，花商，花卉研究者
floral	〔**flor** 花，**-al**…的〕花的，如花的
florid	〔**flor** 花，**-id** 如…的〕如花的，鮮艷的，華麗的，絢麗的
floridity	〔見上，**-ity** 名詞字尾〕絢麗，華麗
floriculture	〔**flor** 花，**-i-**，**culture** 培養〕養花，種花，花卉栽培，花藝
floriculturist	〔見上，**-ist** 表示人〕養花者，花匠，花卉栽培家
defloration	〔**de-**除去，去掉，毀掉，**flor** 花，**ation** 名詞字尾〕摘花，採花，姦污處女
uniflorous	〔**uni** 單獨，一個，**flor** 花，**-ous**…的〕單花的
multiflorous	〔**multi-**多，**flor** 花，**-ous**…的〕多花的
floret	〔**flor** 花，**-et** 表示小〕小花
floriferous	〔**flor** 花，**-i-**，**fer** 帶有，**-ous**…的〕有花的，多花的
effloresce	〔**ef** 出→開出，**flor** 花，**-esce** 動詞字尾〕開花
efflorescence	〔見上，**-escence** 名詞字尾〕開花，開花期

△ flourish	〔**flour** 花，**-ish** 動詞字尾；「如開花一樣」→〕繁榮，茂盛，興旺，昌盛
flourishing	〔見上，**-ing**…的〕茂盛的，興旺的，欣欣向榮的
reflourish	〔**re-**再，見上〕再繁榮，再興旺
noctiflorous	〔**nocti** 夜，**flor** 花，**-ous**…的〕夜間開花的

花──(2) anth 裡 托科

chrysanthemum	〔**chrys** 金，**anth** 花；「金色的花」→〕菊花
Helianthus	〔**heli** 太陽，**anth** 花，**-us** 名詞字尾；「向著太陽的花」，→〕〔植物〕向日葵屬
monanthous	〔**mon-**單一，一個，**anth** 花，**-ous**…的〕單花的，一花的，單式的
polyanthous	〔**poly-**多，**anth** 花，**-ous**…的〕多花的
polyanthus	〔**poly-**多，**anth** 花，**-us** 名詞字尾；「一枝多花」→〕多花水仙；西洋櫻草
gymnanthous	〔**gymn** 裸，**anth** 花，**-ous** … 的；「裸花的」→〕無花萼的，無花冠的，裸花的
antholite	〔**anth** 花，**-o-**，**lite** 石〕花的化石，花殭石
anthomania	〔**anth** 花，**-o-**，**mania** 狂熱病，癖〕花狂，愛花癖
anthophilous	〔**anth** 花，**-o-**，**phil** 愛，**-ous**…的〕愛花的（指動物）
✓ anthology	〔**anth** 花，**-o-**，**log** ← **leg** 收集；「花集」，好詩好文比作文學之「花」，所以轉為：〕詩文集，詩集；文選，文學精華錄
anthologist	〔見上，**-ist** 表人〕編選文學精華的人，詩文集編者

exanthema	〔**ex-**出，外，**anth** 花，**-ma** 名詞字尾；皮膚上「長出如花一樣的東西」→〕疹，紅疹
exanthematic	〔見上，**-atic**…的〕發疹的，發疹性的
synanthous	〔**syn-**共同，**anth** 花，**-ous**…的〕〔植物〕花和葉同時出現的
ananthous	〔**an-**無，**anth** 花，**-ous**…的〕無花的

221 草──herb 大

herb	草本植物；香草，藥草
herbaceous	〔**herb** 草，**-aceous**…的〕草本的，草質的
herbage	〔**herb** 草，**-age** 表示總稱〕草本植物
herbal	〔**herb** 草，**-al**…的〕草本植物的
herbarium	〔**herb** 草→植物，**-arium** 表示場所、地點〕植物標本室
herbicide	〔**herb** 草，**-i-**，**cid** 殺〕除莠劑，阻礙植物生長的化學劑
herbiferous	〔**herb** 草，**-i-**，**fer** 產生，**-ous**…的〕長草的
herbivorous	〔**herb** 草，**-i-**，**vor** 吃，**-ous** … 的〕吃草的，以草為食的
herby	〔**herb** 草，**-y**…的，多…的〕多草本植物的，長滿草的，似草的

222 樹──dendr(o) 科

dendrology	〔**dendro** 樹，**-logy**…學〕樹木學
dendrological	〔**dendro** 樹，**-logical**…學的〕樹木學的
dendrologist	〔**dendro** 樹，**-logist**…學者〕樹木學者，樹木學家

dendrochronology 树木纪学

dendriform 〔dendr 樹, -i-, -form 形容詞字尾, 如…形狀的〕樹狀的, 結構上像樹的

dendrite 〔dendr 樹, -ite 名詞字尾, 表礦物〕〔地質〕樹枝石

dendritic 〔dendr 樹, -itic 形容詞字尾, …的〕樹枝狀的

dendroid 〔dendr 樹, -oid 形容詞字尾, 似…的〕似樹的, 樹狀的

dendroidal 〔dendr 樹, -oidal 似…的〕=dendroid

dendrolite 〔dendro 樹, lite 石〕樹木的化石, 植物的化石

dendrometer 〔dendro 樹, meter 測器〕(測量樹木的直徑和高度的)測樹器

223 根——(1) rhiz(o) 科

rhizogenic 〔rhizo 根, gen 生, -ic…的〕生根的

rhizoid 〔rhiz 根, -oid 似…之物;「似根之物」→〕假根(的)

rhizoidal 〔見上, -al…的〕似假根的

rhizomorphous 〔rhizo 根, morph 形, -ous…的〕根狀的, 似根的

rhizophagous 〔rhizo 根, phag 吃, -ous…的〕食根的, 以根為食的

rhizophorous 〔rhizo 根, phor 具有, -ous…的〕有根的, 根托的

mycorhiza 〔myco 菌, rhiz 根, -a 名詞字尾〕菌根

polyrhizal 〔poly- 多, rhiz 根, -al…的〕多細根的

polyrhizous 同上

根──(2) radic 大

radical	〔**radic** 根，**-al**…的〕根本的；〔轉為名詞〕根部，基礎 ~~激烈份子~~
radicle	〔**radi**(c)根，**-cle** 表示小〕小根，幼根
radicate	〔**radic** 根，**-ate** 動詞字尾，使…〕使生根，確立
eradicate	〔**e-**除去，**radic** 根，**-ate** 動詞字尾〕根除，除根
eradication	〔見上，**-ion** 名詞字尾〕根除，斬根
eradicator	〔見上，**-or** 表示人或物〕根除者，除根器
eradicative	〔見上，**-ive**…的〕根除的，消滅的
eradicable	〔見上，**-able** 可…的〕可根除的
radish	〔「一種植物的根」→〕蘿蔔
radix	〔來自 **radic**〕根，根本，根源

224葉──(1) phyll(o) 科

phylloid	〔**phyll** 葉，**-oid** 似…的〕葉狀的
phyllophagous	〔**phyllo** 葉，**phag** 吃，**-ous**…的〕食葉的，以葉為食的
phyllophorous	〔**phyllo** 葉，**phor** 帶有，**-ous**…的〕生葉的
phylloxanthin	〔**phyllo** 葉，**xanth** 黃，**-in** 素〕葉黃素
chlorophyll	〔**chloro** 綠，**phyll** 葉〕葉綠素
chlorophyllous	〔**chloro** 綠，**phyll** 葉，**-ous**…的〕葉綠素的
leucophyll	〔**leuco** 白，**phyll** 葉〕葉白素
mesophyll	〔**meso** 中間，**phyll** 葉；「葉中間的部分」〕葉肉
platyphyllous	〔**platy** 廣，闊，**phyll** 葉，**-ous**…的〕寬葉的

polyphyllous	〔poly-多, phyll 葉, -ous…的〕多葉的
protophyll	〔proto 最初, 原始, phyll 葉〕原生葉, 原始葉
heterophyllous	〔hetero 異, phyll 葉, -ous…的〕具異形葉的
diphyllous	〔di-兩, 二, phyll 葉, -ous…的〕具兩葉的
monophyllous	〔mono-單一, phyll 葉, -ous…的〕單葉的, 一葉的
triphyllous	〔tri-三, phyll 葉, -ous…的〕具三葉的
tetraphyllous	〔tetra-四, phyll 葉, -ous…的〕具四葉的
pentaphyllous	〔penta-五, phyll 葉, -ous…的〕具五葉的
aphyllous	〔a-無, phyll 葉, -ous…的〕無葉的
xanthophyll	〔xanth 黃, -o-, phyll 葉〕葉黃質

葉──(2) foli 科

foliage	〔foli 葉, -age 集合名詞字尾〕簇葉, 葉子（總稱）
foliaceous	〔foli 葉, -aceous 形容詞字尾, …的〕葉的; 葉狀的
foliar	〔foli 葉, -ar 形容詞字尾, …的〕葉的; 葉狀的
foliate	〔foli 葉, -ate 動詞及形容詞字尾〕生葉; 有葉的, 葉狀的
foliation	〔foli 葉, -ation 名詞字尾〕生葉; 葉狀飾
foliose	〔foli 葉, -ose 似…的〕葉狀的
folio	〔foli 葉, -o 名詞字尾, 表示物; 「葉形之物」→〕對折紙; 對開本

portfolio	〔**port** 拿，持，**foli** 葉，**-o** 名詞字尾，表示物；「手持的對折兩片葉形物」→〕公文夾，文件夾；公事包
acutifoliate	〔**acut** 尖，**-i-**，**foli** 葉，**-ate**…的〕有尖葉的
curvifoliate	〔**curv** 曲，**-i-**，**foli** 葉，**-ate**…的〕有曲葉的
unifoliate	〔**uni** 單一，**foli** 葉，**-ate**…的〕具有一葉的
bifoliate	〔**bi-**兩，**foli** 葉，**-ate**…的〕具有二葉的
trifoliate	〔**tri-**三，**foli** 葉，**-ate**…的〕具有三葉的
quinquefoliate	〔**quinque-**五，**foli** 葉，**-ate**…的〕具有五葉的
defoliate	〔**de-**去掉，除去，**foli** 葉，**-ate** 動詞及形容詞字尾〕（使）落葉，除葉；落葉的
defoliation	〔**de-**去掉，除去，**foli** 葉，**-ation** 名詞字尾〕脫葉，落葉；落葉期
defoliant	〔**de-**除去，**foli** 葉，**-ant** 名詞字尾，表示物〕脫葉劑，落葉劑
effoliation	〔**ef-**除去，離去，**foli** 葉，**-ation** 名詞字尾〕葉的脫落，葉落
exfoliate	〔**ex-**除去，脫落，**foli** 葉 → 葉狀物 → 片狀物，**-ate** 動詞字尾〕片狀剝落；使片狀剝落
exfoliation	〔見上，**-ation** 名詞字尾〕剝落；剝落物
latifolious	〔**lati** 寬，**foli** 葉，**-ous**…的〕寬葉的，闊葉的
perfoliate	〔**per-**貫穿，穿過，**foli** 葉，**-ate** … 的〕〔植物〕（莖）穿葉的
planifolious	〔**plani** 平，扁，**foli** 葉，**-ous** … 的〕平葉的，扁葉的

rotundifolious 〔rotund 圓，-i-，foli 葉，-ous … 的〕圓葉的

⑵⑤果──(1) fruct
frug 〔托〕

frugivorous 〔frug 果實，-i-，vor 吃，-ous…的〕吃果實的，以果實為食的

frugiferous 〔frug 果實，-i-，fer 具有，產生，-ous … 的〕結果實的，產果實的；多果實的

fructify 〔fruct 果實，-i-，-fy 動詞字尾〕（使）結果實；使多生果實

fructification 〔fruct 果實，-i-，-fication 名詞字尾〕結實；子實體

fructiferous 〔fruct 果實，-i-，fer 具有，產生，-ous … 的〕有果實的，產果實的，結果實的

fructose 〔fruct 果實，-ose 化學名詞字尾，表示「糖」〕果糖，左旋糖

fructuate 〔fruct 果實，-u-，-ate 動詞字尾〕生果，結實

fructuous 〔fruct 果實，-uous 形容詞字尾，多…的〕多果實的；多產的

果──(2) carp(o) 〔科〕

carpology 〔carpo 果實，-logy…學〕果實分類學
carpophagous 〔carpo 果實，phag 吃，-ous 形容詞字尾〕食果的，以果實為生的
carpolith 〔carpo 果實，lith 石〕果實化石

gymnocarpous	〔gymno 裸，carp 果，-ous 形容詞字尾〕裸果的
acarpous	〔a- 無，carp 果實，-ous 形容詞字尾〕無果實的，不結果實的
cystocarp	〔cysto 囊，carp 果〕囊果
sarcocarp	〔sarco 肉，carp 果〕（桃、杏等的）果肉，肉質果
mesocarp	〔meso- 中間，carp 果〕中果皮
monocarpic	〔mono- 單一，carp 果，-ic 形容詞字尾〕結一次果的
pachycarpous	〔pachy 厚，carp 果，-ous…的〕厚果皮的
pericarp	〔peri- 周圍，外層，carp 果；「果實的外層」→〕果皮；囊果皮
pseudocarp	〔pseudo- 假，carp 果〕假果
epicarp	〔epi- 外，carp 果〕外果皮
exocarp	〔exo- 外，carp 果〕外果皮
endocarp	〔endo- 內，carp 果〕內果皮
syncarp	〔syn- 共同，合，carp 果〕合心皮果
syncarpous	〔見上，-ous 形容詞字尾〕合心皮果的
oxycarpous	〔oxy 尖，carp 果，-ous 形容詞字尾〕尖刺果的
xylocarp	〔xylo 木，carp 果〕硬木質果
xylocarpous	〔xylo 木，carp 果，-ous 形容詞字尾〕硬木質果的
xanthocarpous	〔xantho 黃色，carp 果，-ous 形容詞字尾〕結黃果的

226 穀粒，穀物——gran 大

granary	〔**gran**（＝**grain**）穀糧，**-ary** 名詞字尾，表示場所、地點；「存放（或生產）穀糧的地方」→〕穀倉，糧倉；產糧區
graniferous	〔**gran** 穀粒，**-i-**，**-ferous** 產生…的〕結穀粒的；結顆粒狀果實的
granivorous	〔**gran** 穀粒，**-i-**，**vor** 吃，**-ous** …的〕食穀的；食種子的
grange	〔**gran** 穀糧；「生產糧食的地方」→〕田莊，農莊
granule	〔**gran** 穀粒，**-ule** 名詞字尾，表示小〕細粒，顆粒
granulate	〔見上，**-ate** 動詞字尾，使…〕使成顆粒，使成粒狀
granular	〔**gran** 粒，**-ular** 形容詞字尾，…的〕顆粒狀的；有細粒的
granularity	〔見上，**-ity** 名詞字尾〕顆粒狀

15
時間

227 時間——(1) tempor 　　　　　　　大

temporary	〔**tempor** 時，**-ary** … 的；**"lasting for a time only"**→〕暫時的，臨時的
contemporary	〔**con-**同，**tempor** 時→時代，**-ary** … 的〕同時代的，同齡的，當代的；〔**-ary** 表示人〕同時代的人，同年齡的人
contemporize	〔**con-**同，**tempor** 時，**-ize** 動詞字尾〕同時發生，使同時發生
contemporaneous	〔**con-**同，**tempor** 時，**-aneous** 形容詞字尾，…的〕同時期的，同時代的，同時發生的
contemporaneity	〔見上，**-aneity** 名詞字尾，表示性質〕同時代性，同時發生性，同時期性
extempore	〔**ex-**外，**tempor** 時，時間；「在規定時間之外的」→不在計劃時間之內的→〕臨時的，即席的，當場的，無準備的
extemporize	〔見上，**-ize** 動詞字尾，作…〕臨時作成，即席發言，即席演奏
extemporization	〔見上，**-ization** 名詞字尾，表示行為〕即席創作，即席發言

extemporaneous	〔見上, **-aneous** 形容詞字尾, … 的〕臨時的, 當場的, 無準備的
extemporary	〔見上, **-ary**…的〕＝extemporaneous
temporal	〔**tempor** 時間, **-al**…的〕時間的, (語法)時態的; 短暫的
temporize	〔**tempor** 時, **-ize** 動詞字尾, 做…〕順應時勢, 迎合潮流; (為爭取時間而)拖延, 應付

時間——⑵ chron(o)　　　　托

synchronal	〔**syn-**同, **chron** 時, **-al** … 的〕〕同時發生的; 同步的
synchronism	〔見上, **-ism** 表示情況、性質〕同時發生; 同步性
synchronize	〔見上, **-ize** 動詞字尾〕同時發生; 同步; 使同步; 使在時間上一致
synchronoscope	〔見上, **scope** 觀測儀器〕同步指示儀, 同步示波器
chronic	〔**chron** 時間, **-ic**…的〕長時間的, 長期的, 慢性的
chronicity	〔見上, **-icity** 抽象名詞字尾〕長期性, 慢性
chronicle	〔**chron** 時間; 「按時間順序記載的史實」→〕編年史, 年代記
chronicler	〔見上, **-er** 者〕年代史編者
chronograph	〔**chrono** 時, **graph** 寫, 記錄〕記時器, 錄時器
chronology	〔**chrono** 時間→年代, **-logy**…學〕年代學; 年表

chronologer	〔**chrono** 時間→年代，**-loger**…學者〕年代學者
chronological	〔**chrono** 時間→年代，**-logical**…學的〕年代學的
chronometer	〔**chrono** 時間，**meter** 計〕精密記時計
chronometry	〔**chrono** 時間，**metr** 測，**-y** 術，學〕測時學
chronoscope	〔**chrono** 時間，**scop** 看，觀測〕測時器，記時器
anachronism	〔**ana-**後，回，**chron** 時間→年代，**-ism** 表示情況；「將年代向後記」，「後記時間」→〕時代錯誤；弄錯年代
anachronic	〔見上，**-ic**…的〕時代錯誤的
anachronistic	〔見上，**-istic**…的〕時代錯誤的
isochronal	〔**iso** 相等，**chron** 時間，**-al**…的〕等時的
isochronism	〔見上，**-ism** 表示性質〕等時性
parachronism	〔**para-**不正，錯誤，**chron** 時間，**-ism** 表示情況〕記時錯誤（尤指比正確日期遲）
prochronism	〔**pro-**前，預先，**chron** 時間，**-ism** 表示情況〕早記日期的錯誤（將史實誤記在實際發生日期之前）
metachronism	〔**meta-**後，**chron** 時間〕後記日期的錯誤（將史實誤記在實際發生日期之後）
microchrono-meter	〔**micro** 微小，**chrono** 時間，**meter** 測器〕微時測定器，分秒表，瞬時計

⑧年── ann
　　　　 enn   大

anniversary	〔ann 年，-i- 連接字母，vers 轉，-ary 名詞字尾；時間「轉了一年」→〕周年紀念日，周年紀念
annual	〔ann 年，-ual 形容詞字尾，…的〕每年的，年度的
annals	〔ann 年，-al 名詞字尾〕編年史
annalist	〔見上，-ist 表示人〕編年史作者
annuity	〔ann 年，-u- 連接字母，-ity 名詞字尾〕年金；年金享受權
annuitant	〔annuit(y)年金，-ant 表示人〕領受年金的人
superannuate	〔super- 超過，ann 年 → 年齡，-u-，-ate 動詞兼形容詞字尾；「超過年齡」→〕因年老而令退休；太舊的，過時的
superannuation	〔見上，-ation 名詞字尾〕年老退休
perennial	〔per- 通，全，enn 年，-ial 形容詞字尾，…的〕全年的，四季不斷的
perenniality	〔見上，-ity 名詞字尾〕全年，四季不斷
semiannual	〔semi- 半，ann 年，-ual…的〕半年一次的
biannual	〔bi- 二，ann 年，-ual…的〕一年兩次的
biennial	〔bi- 二，enn 年，-ial…的〕兩年一次的，持續兩年的
triennial	〔tri- 三，enn 年，-ial…的〕三年一次的，持續三年的
centennial	〔cent 百，enn 年，-ial…的〕（每）一百年的，繼續了一百年的

⑳月——men(s) 托

mensal	〔**mens** 月，**-al**…的〕每月的，每月一次的
menology	〔**men** 月，**-o-**，**-logy**…學，…誌〕月曆，月誌
bimensal	〔**bi-**二，兩，**mens** 月，**-al**…的〕兩月一回的
✓ **menses**	〔**mens** 月；「每月一次」〕月經
menopause	〔**men** 月→月經，**-o-**，**pause** 停止〕月經終止（期）
catamenia	〔**cata-**下，**men** 月，**-ia** 名詞字尾；「每月流下」〕月經
emmenagogue	〔**em-**使，**men** 月→月經，**agog** 引導→疏通〕通經藥
amenorrhea	〔**a-**無，**men** 月→月經，**-o-**，**rrhea** 流出〕經閉，閉經
dysmenorrhea	〔**dys-**不良，**men** 月→月經，**rrhea** 流出〕月經不調，痛經
menstrual	〔**mens** 月〕每月一次的；〔**mens** 月經〕月經的
menstruate	〔見上，**-ate** 動詞字尾〕行經，來月經
menstruous	〔見上，**-ous**…的〕月經的，行經的

⑳日——di 高

diary	〔**di** 日，**-ary** 名詞字尾，表示物〕日記，日記簿
diarist	〔見上，**-ist** 表示人〕記日記者
diarize	〔見上，**-ize** 動詞字尾，做…〕記日記
diarial	〔見上，**-ial**…的〕日記體的，日記的

dial	〔**di** 日, **-al** 名詞字尾, 表示物; 表示一天時間的儀器〕日晷, 電話機撥號盤 (該物圓形似日晷); 打電話
meridian	〔**meri** 中, **di** 日, **-an** 名詞字尾〕日中, 正午, 子午線; 〔**-an**…的〕日中的, 正午的
antemeridian	〔**ante-** 前, **meridian** 日中, 正午〕日中以前的, 午前的
postmeridian	〔**post-** 後, **meridian** 日中, 正午〕日中以後的, 午後的

231 夜──noct(i) 托

noctiflorous	〔**nocti** 夜, **flor** 花, **-ous** … 的〕 (植物) 夜間開花的
noctiluca	〔**nocti** 夜, **luc** 光, **-a** 名詞字尾〕夜光蟲
noctilucent	〔**nocti** 夜, **luc** 光, **-ent**…的〕夜間發光的
noctivagant	〔**nocti** 夜, **vag** 走, **-ant** … 的〕夜間徘徊的, 夜遊的
noctambulant	〔**noct** 夜, **ambul** 行走, **-ant** … 的; 「夜夢中行走」〕夢行的, 夢遊的
noctambulation	〔見上, **-ation** 名詞字尾〕夢行 (症)
noctambulist	〔見上, **-ist** 人〕夢行者
pernoctation	〔**per-** 全, 整, **noct** 夜, **-ation** 名詞字尾〕整夜不眠, 整夜不歸
equinoctial	〔**equi** 平均, 平等, **noct** 夜, **-ial**…的〕晝與夜平均的, 晝夜平分的
equinox	〔**equi** 平均, **nox**(＝**noct**)夜〕晝夜平分時
nocturn	〔**noct** 夜〕 (天主教) 夜禮拜, 夜禱; (音樂) 夜曲

| nocturne | 〔見上〕（音樂）夜曲，夢幻曲 |
| nocturnal | 〔見上，-al…的〕夜曲的；夜的，夜間發生的 |

⎡232⎦冬——hibern　　　　　　　　　　　　托

hibernal	〔hibern 冬，-al…的〕冬天的，寒冷的
hibernant	〔hibern 冬，-ant…的〕冬眠的；〔-ant 名詞字尾〕冬眠動物
hibernate	〔hibern 冬，-ate 動詞字尾〕（動物）越冬，冬眠；（人）避寒
hibernation	〔見上，-ation 名詞字尾〕（動物的）冬眠，冬伏，蟄伏；（人的）避寒，蟄居
hibernaculum	〔hibern 冬，-aculum 名詞字尾〕冬眠處，冬伏處，越冬巢

⎡233⎦夏——estiv　　　　　　　　　　　　托

estival	〔estiv 夏，-al…的〕夏季的
aestival	＝estival
estivate	〔estiv 夏，-ate 動詞字尾〕過夏季，消夏；（動物）夏眠，夏蟄
aestivate	＝estivate
estivation	〔見上，-ation 名詞字尾〕（動物）夏眠，夏蟄
aestivation	＝estivation

16

顏色

234 顏色—— chrom(o)

chromat(o)

托

chromatic	〔chromat 色，-ic…的〕色彩的，顏色的
chromatics	〔chromat 色，-ics…學〕色彩學
chromatist	〔chromat 色，-ist 人〕色彩學家
achromatic	〔a-無，非，chromat 色，-ic…的〕非彩色的
achromatize	〔見上，-ize 動詞字尾〕使無色，使成非彩色
✓ achromatopsia	〔a-無，chromat 色，ops 視，-ia 表病名〕色盲，全色盲
monochrome	〔mono-單一，chrom 色〕單色畫，單色照片；單色的
monochromat	〔mono-單一，chromat 色；「單色」感覺，看任何顏色都是「一種顏色」，不能分辨顏色→〕全色盲者
monochromatism	〔見上，-ism 名詞字尾，表疾病〕全色盲
monochromatic	〔見上，-ic…的〕單色覺的，全色盲的；單色的
monochromist	〔mono-單一，chrom 色，-ist 人〕單色畫家
polychrome	〔poly-多，chrom 色〕多色的；彩色

polychromy	〔poly-多，chrom 色，-y 名詞字尾〕多色畫法
polychromatic	〔poly-多，chromat 色，-ic…的〕多色的
bichrome	〔bi-兩，chrom 色〕兩色的
isochromatic	〔iso 相等，chromat 色〕等色的，同色的，一色的
heliochrome	〔helio 太陽→天然，chrom 色〕天然色照片
heliochromy	〔見上，-y 名詞字尾，…術〕天然色照相術
homochromous	〔homo 相同，chrom 色，-ous…的〕同色的
photochrome	〔photo 照相，chrom 色〕彩色照片
photochromy	〔photo 照相，chrom 色，-y 名詞字尾〕彩色照相術
hemachrome	〔hema 血，chrom 色〕血色素，血色質
parachromatism	〔para-不正，錯誤，chromat 色，-ism 表疾病〕色覺倒錯
panchromatic	〔pan-全，泛，chromat 色〕〔攝影〕全色的，泛色的
chromatophore	〔chromato 色，phor 帶有〕載色體
chromatron	〔chrom 色，彩色，-tron…管〕彩色電視顯像管
chromatrope	〔chrom 色，trop 轉〕彩色旋轉幻燈片
chromatosis	〔chromat 色，-osis 表疾病〕皮膚變色，色素沉着
chromogen	〔chromo 色，gen 生〕生色體，色素原，色母
chromogenic	〔chromo 色，gen 生，-ic…的〕生色的，發色的

chromolitho-graph	〔chromo 色，litho 石，graph 寫 → 印〕彩色石印圖畫
chromolithogra-pher	〔見上，-er 人〕作彩色石印圖者
chromolithogra-phy	〔見上，-y 名詞字尾〕彩色石印術
chromophore	〔chromo 色，phore 帶有，具有〕發色團；色基
chromoplast	〔chromo 色，plast 質體〕（細胞中）有色體
chromosome	〔chromo 色，some 體〕（細胞中）染色體
chromosphere	〔chromo 色，sphere 球〕（太陽的）色球層
cytochrome	〔cyto 細胞，chrom 色〕細胞色素
trichromatic	〔tri- 三，chromat 色，-ic …的〕三（原）色的；三色版的

235 黑——(1) negr · nigr 大

Negritic	〔negr 黑，黑人，-itic 形容詞字尾，…的〕（像）黑人的
negrodom	〔negro 黑人，-dom 抽象名詞字尾〕黑人社會，黑人全體
negroite	〔見上，-ite 名詞字尾，表示人〕同情黑人的人，偏袒黑人者
negrophile	〔見上，phil 愛，喜歡〕同黑人友好的人，關心黑人利益的人
negrophobia	〔見上，phob 怕，厭惡，-ia 名詞字尾〕厭惡黑人，對黑人的畏懼
negrophobe	〔見上〕畏懼黑人的人，厭惡黑人的人

nigrescence	〔**nigr** 黑，**-escence** 名詞字尾，表示逐漸成為…狀態〕變黑；（髮、膚等）黑色
nigrescent	〔**nigr** 黑，**-escent** 形容詞字尾，表示成為…的〕發黑的，變黑的，帶黑的
nigrify	〔**nigr** 黑，**-i-**，**-fy** 動詞字尾，使…〕使變黑
nigrification	〔**nigr** 黑，**-i-**，**-fication** 名詞字尾〕使成黑色，黑色化
nigritude	〔**nigr** 黑，**-itude** 名詞字尾〕黑色；黑色物
denigrate	〔**de-** 使成…，**nigr** 黑，**-ate** 動詞字尾〕使黑，抹黑，貶低，詆毀
denigration	〔見上，**-ation** 名詞字尾〕弄黑，變黑，抹黑，貶低，詆毀
denigrator	〔見上，**-ator** 表示人或物〕塗黑者，塗黑物，貶低者，詆毀者

黑──(2) melan 　　　　科

melanin	〔**melan** 黑，**-in** 素〕黑色素
melanian	〔**melan** 黑，**-ian** 形容詞字尾，…的〕黑色人種的
melanoid	〔**melan** 黑，**-oid** 形容詞字尾，…的〕黑變病的
melanosis	〔**melan** 黑，**-osis** 表疾病名稱〕黑變病
melanotic	〔**melan** 黑，**-otic** 患…的〕患黑變病的
melanoma	〔**melan** 黑，**-oma** 瘤〕黑瘤
melanous	〔**melan** 黑，**-ous**…的〕頭髮皮膚都是黑色的
melanism	〔**melan** 黑，**-ism** 表疾病〕黑色素過多，黑變病；黑化
melanuria	〔**melan** 黑，**ur** 尿，**-ia** 表疾病〕黑尿症

Melanesia	〔melan 黑→黑人；「黑人居住的島嶼」→〕美拉尼西亞（西南太平洋的群島，該島居民皮膚黑色，故名）
Melanesian	〔見上，**-ian** 形容詞兼名詞字尾〕美拉尼西亞人，美拉尼西亞的
xanthomelanous	〔**xantho** 黃，**melan** 黑，**-ous** … 的〕（人種）頭髮黑色皮膚黃色的

黑——(3) scot 托

scoter	〔**scot** 黑，**-er** 表示物〕（動物）黑鳧
scotoma	〔**scot** 黑，黑暗，**-oma** 表示醫學名詞〕暗點，盲點
scotopia	〔**scot** 黑，黑暗，**opia** 視〕黑暗中能視物的能力，暗視力，對黑暗的適應
scotograph	〔**scot** 黑，黑暗，**-o-**，**graph** 寫〕暗中寫字器，盲人寫字器
scotophobia	〔**scot** 黑，黑暗，**phobia** 怕，恐〕黑暗恐怖
scototherapy	〔**scot** 黑，黑暗，**-o-**，**therapy** 療法〕蔽光療法（黑暗中療法）

236 白——(1) leuc(o) 科

leucocyte	〔**leuco** 白，**cyte** 細胞，血球〕白細胞，白血球
leucocytic	〔見上，**-ic**…的〕白血球的
leucocytosis	〔見上，**-osis** 表疾病名稱〕白血球增多，白細胞增多
leucocythaemia	〔**leuco** 白，**cyt** 細胞，**haem** 血，**-ia** 表病名〕白血病

leucoplast	〔leuco 白, plast 細胞〕原形質中無色細胞之一, 白色體, 白色粒
leucoma	〔leuc 白, -oma 名詞字尾, 表病名〕角膜白斑, 白翳
leucorrhea	〔leuco 白, rrhea 流出〕白帶
leucophyll	〔leuco 白, phyll 葉〕葉白素
leucite	〔leuc 白, -ite 名詞字尾, 表礦物〕白榴石
leucotomy	〔leuco 白, tomy 切除〕腦白質切除術
leucine	〔leuc 白, -ine 化學名詞字尾〕白氮酸
leucaemia	〔leuc 白, aem 血, -ia 表示疾病〕白血病
pseudoleucaemia	〔pseudo-假, leuc 白, aem 血, -ia 表病名〕假性白血病

白──(2) blanc 　　　　　　　高

blank	〔音變：c-k, blanc-blank 白〕空白; 空白的, 空著的
blankbook	空白簿
blanket	〔blank 白, -et 名詞字尾, 表小; 一塊「白色的織物」→〕毯子, 羊毛毯
blanch	〔blanc 白, 音變：c-ch〕使變白; 漂白; 發白
blanching	漂白的; 使變白的

白──(3) alb 　　　　　　　大 科

album	〔alb 白, -um 名詞字尾;「白紙本」,「白紙簿」→〕相冊, 相片簿, 集郵冊, 畫冊, 空白簿

albescent	〔alb 白，-escent 形容詞字尾，正在成為…的〕正在變白的
albinism	〔alb 白，-in-，-ism 表示疾病〕白化病（缺乏正常色素）
albino	〔見上，-o 表示人〕患白化病的人
albomycin	〔alb 白，-o-，myc 黴，-in 素〕白黴素
albumen	〔alb 白，-u-，-men 名詞字尾〕蛋白
albumin	〔見上〕蛋白質，蛋白素，白蛋白
albuminuria	〔見上，uria 表示尿病〕蛋白尿，蛋白尿症
albuminous	〔見上，-ous…的〕含蛋白質的，蛋白性的

237 紅——(1) rub 托

rubefacient	〔rub 紅，-e-，-facient 致使…的〕使（皮膚等）發紅的
rubefaction	〔見上，-faction 名詞字尾〕（皮膚）發紅
rubella	〔rub 紅，-ella 表示小；皮膚上有「小紅點」→〕風疹
rubious	〔rub 紅，-ious…的〕紅寶石色的
rubicund	〔rub 紅，-i-，-cund…的〕（臉色、膚色）紅潤的
rubric	〔rub 紅，-ric 名詞字尾〕紅字，紅標題
rubricate	〔見上，-ate 動詞字尾〕加紅字標題於，用紅字寫

紅——(2) eryth(r) 科

erythrocyte	〔erythr 紅，-o-，cyt 細胞〕紅血細胞，紅血球

erythromycin	〔erythr 紅，-o-，myc 黴，-in 素〕（藥）紅黴素
erythema	〔eryth 紅，-ema 名詞字尾〕紅斑，紅皮病
erythropia	〔erythr 紅，opia 視〕紅視症
erythrophyll	〔erythr 紅，-o-，phyll 葉〕葉紅素
erythroderma	〔erythr 紅，-o-，derm 皮膚〕紅皮病

√238 黃──(1) xanth　　　科

xanthic	〔xanth 黃，-ic…的〕黃色的；帶黃色的
xanthin	〔xanth 黃，-in 素〕葉黃素，花黃素
xanthous	〔xanth 黃，-ous…的〕黃色的；黃色人種的
xanthodontous	〔xanth 黃，odont 牙齒，-ous…的〕黃牙齒的；有黃齒的
xanthoma	〔xanth 黃，-oma 腫瘤〕黃色瘤，黃瘤
xanthocarpous	〔xanth 黃，-o-，carp 果實，-ous…的〕〔植物〕有黃色果實的；結黃果的
xanthomelanous	〔xanth 黃，-o-，melan 黑，-ous…的〕（人種）黑髮黃皮膚的
xanthopsia	〔xanth 黃，ops 看，視，-ia 表疾病〕黃視症，視物顯黃症
xanthophyll	〔xanth 黃，-o-，phyll 葉〕葉黃素
phylloxanthin	〔phyll 葉-o-，xanth 黃，-in 素〕葉黃素
xanthospermous	〔xanth 黃，-o-，sperm 種子，-ous…的〕〔植物〕有黃色種子的
xanthuria	〔xanth 黃，ur 尿，-ia 表疾病〕〔醫學〕黃嘌呤尿
xanthate	〔xanth 黃，-ate 化學名詞字尾，表鹽類〕黃原酸鹽

xanthosis	〔xanth 黃，-osis 表示疾病〕黃病，黃皮病

黃──(2) flav(o)　　科

flavescent	〔flav 黃，-escent 變成…的，…的〕變成黃色的，帶黃色的
flavin	〔flav 黃，-in 素〕黃素（尤指核黃素），櫟黃素
flavone	〔flav 黃，-one 表示化學名詞「酮」〕黃酮
flavoprotein	〔flavo 黃，protein 蛋白質〕黃素蛋白
flavonol	〔flavo 黃，-ol 表示化學名詞「醇」〕黃烷醇

黃──(3) lute　　科

lutein	〔lute 黃，-in 素〕黃體素，葉黃素
luteinize	〔見上，-ize…化〕黃素化
luteous	〔lute 黃，-ous…的〕金黃色的，橙黃色的
lutescent	〔lut(e) 黃，-escent…的〕略帶黃色的
luteoma	〔lute 黃，-oma 腫瘤〕黃體瘤

239 綠──(1) chlor(o)　　科

chlorophyll	〔chloro 綠，phyll 葉〕葉綠素
chlorophyllite	〔chloro 綠，phyll 葉，-ite 表礦物〕綠葉石
chlorosis	〔chlor 綠，-osis 表疾病〕缺綠病；萎黃病
chloroplast	〔chloro 綠，plast 質體〕葉綠體
chloroma	〔chlor 綠，-oma 腫瘤〕綠色瘤
chloropia	〔chlor 綠，op 視，-ia 表示疾病〕綠視症
chlorite	〔chlor 綠，-ite 石〕綠泥石

Ever green
長青的空

✓ 綠──(2)
verd
vir
大

✓ **verdure** 〔**verd** 綠，**-ure** 名詞字尾〕青綠，葱綠，青翠

✓ **verdurous** 〔見上，**-ous**…的〕草木青綠的

✓ **verdant** 〔**verd** 綠，**-ant**…的〕嫩綠的，青翠的

✓ **verdancy** 〔**verd** 綠，**-ancy** 名詞字尾〕嫩綠，青翠

virid 〔**vir** 綠，**-id**…的〕青綠的，翠綠的

viridity 〔見上，**-ity** 名詞字尾〕青綠，翠綠

viridescent 〔見上，**-escent**…的〕帶綠色的，淡綠色的

virescent 〔**vir** 綠，**-escent**…的〕帶綠色的，開始呈現綠色的

virescence 〔見上，**-escence** 名詞字尾〕開始呈現綠色

17

方位

240 左——(1) levo  托

levogyrate	〔levo 左, gyr 旋轉, -ate…的〕左旋的
levorotation	〔levo 左, rotation 旋轉〕左旋
levorotatory	〔levo 左, rotatory 旋轉的〕左旋的
levulose	〔lev 左, -ose 化學名詞字尾, 表示糖〕〔化學〕左旋糖

左——(2) sinistr 托

sinistral	〔sinistr 左, -al…的〕左的, 左首的, 向左方的, 左旋的
sinistrad	〔sinistr 左, -ad 副詞字尾, 向…, 朝…方向〕向左, 向左方
sinistrous	〔sinistr 左, -ous…的〕左的, 左方的
sinistrocular	〔sinistr 左, ocul 眼, -ar…的〕善用左眼的
sinistrodextral	〔sinistr 左, -o-, dextr 右, -al…的〕從左向右移動的
sinistrogyration	〔sinistr 左, -o-, gyr 旋轉, -ation 名詞字尾〕左旋
sinistrocerebral	〔sinistr 左, -o-, cerebr 腦, -al…的〕左腦的
sinister	左的, 左方的

⁲⁴¹右—— dexter dextr 托

dexter	右邊的，右側的
dexterous	〔**dexter** 右，**-ous** 形容詞字尾，…的，右手比左手靈巧敏捷→〕靈巧的，敏捷的；伶俐的
dexterity	〔見上，**-ity** 抽象名詞字尾〕靈巧，敏捷；聰明，伶俐
ambidexter	〔**ambi-** 二，兩，**dexter** 右→右手；「兩隻右手」→使用左手和使用右手同樣靈巧方便〕左右手都善用的（人）；兩面討好的（人）
ambidexterous	〔見上，**-ous**…的〕左右手都善用的；非常靈巧的；兩面討好的
ambidexterity	〔見上，**-ity** 抽象名詞字尾〕左右手都善用的能力；兩面討好
dextral	〔**dextr** 右，**-al**…的〕右邊的；用右手的
dextrorotation	〔**dextr** 右，**-o-** 連接字母，**rotation** 旋轉〕向右旋轉，順時針方向旋轉
dextrorotatory	〔見上，**rotatory** 旋轉的〕向右旋轉的
dextrose	〔**dextr** 右，**-ose** 形容詞字尾，表示糖〕右旋轉，葡萄糖

⁲⁴²中——(1) medi 高

immediate	〔**im-** 無，**medi** 中間，**-ate** 形容詞字尾，…的；「沒有中間空隙時間的」，「當中沒有間隔的」→〕立刻的，直接的
medium	〔**medi** 中間，**-um** 名詞字尾〕中間，中間物，媒介；〔轉為形容詞〕中等的

medi (mid) → mes → meri

medial	〔**medi** 中間，**-al**…的〕中間的，中央的，居中的
mediate	〔**medi** 中間，**-ate** 動詞字尾〕居中調解，調停；〔**-ate** 形容詞字尾，…的〕居間的，介於中間的
mediation	〔見上，**-ion** 名詞字尾〕居中調停，調解
mediator	〔見上，**-or** 表示人〕居中人，調解者，調停者
mediacy	〔**medi** 中間，**-acy** 名詞字尾〕中間狀態，媒介，調停
intermediate	〔**inter-**在…之間，**medi** 中間〕中間的，居間的，居中調解，起調解作用
medieval	〔**medi** 中間，**ev** 時代，**-al** …的〕中古時代的，中世紀的
mediterranean	〔**medi** 中間，**terr** 地，陸地，**-anean**＝**-an** …的；「位於陸地中間的」〕地中的，被陸地包圍的；〔**Mediterranean** 地中海〕
median	〔**medi** 中間，**-an** …的〕當中的，中央的；〔轉為名詞〕中部，當中

✓ 中──(2) mes(o)　　　科

mesial	〔**mes** 中間，**-ial** 形容詞字尾，… 的〕中間的，中央的
mesentery	〔**mes** 中間，**enter** 腸，**-y** 名詞字尾；「腸中間之物」→〕腸繫膜；隔膜
mesenteritis	〔**mes** 中間，**enter** 腸，**-itis** 炎症〕腸繫膜炎
mesoblast	〔**meso** 中間，**blast** 胚〕中胚層
mesocarp	〔**meso** 中，**carp** 果〕中果皮

mesocephalon	〔meso 中, cephal 頭→腦, -on 名詞字尾〕中腦
mesocephalic	〔見上, -ic…的〕中腦的
mesoderm	〔meso 中, derm 皮→層〕中胚層
mesogastrium	〔meso 中, gastr 腹, -ium 名詞字尾〕中腹部
mesophyll	〔meso 中, phyll 葉; 「葉的中部」→〕葉肉
mesosperm	〔meso 中, sperm 種子〕種子的內皮, 中種皮
mesosphere	〔meso 中, sphere 圈〕〔氣象〕中圈, 中層
Mesopotamia	〔meso 中間, potam 河, -ia 名詞字尾; 「兩河之間」〕美索不達米亞（西南亞的底格里斯河與幼發拉底河兩河之間地區, 兩河流域地區。）

中——(3) meri　　　　　大

meridian	〔meri 中, di 日, -an 形容詞兼名詞字尾〕日中, 正午; 子午線; 日中的, 正午的
antemeridian	〔ante-前, 見上〕日中以前的, 午前的
postmeridian	〔post-後, 見上〕日中以後的, 午後的

中——(4) mid　　　　　高

midday	〔mid 中, day 日〕日中, 正午
midnight	〔mid 中, night 夜〕半夜, 午夜
midland	〔mid 中, land 地〕內地; 內地的
midmost	〔mid 中, most 最〕最中間的
midship	〔mid 中, ship 船〕船身中部, 船中央
midstream	〔mid 中, stream 流〕中流

midsummer	〔mid 中, summer 夏〕盛夏, 仲夏
midway	〔mid 中, way 路途〕中途
middle	中部, 中間, 當中; 中部的, 中間的, 當中的
midst	中部, 中間, 當中
amid	〔a-在〕在…中, 在…當中
amidst	＝amid
middorsal	〔mid 中, dors 背, 背部, -al…的〕背部中央的

243 外──exter 〔大〕

external	〔exter 外, -n-, -al…的〕外面的, 外部的, 在外的, 外表的
externalism	〔見上, -ism 表示性質〕外在性, 外在化
externality	〔見上, -ity 表示性質〕外在性, 外在化; 外形, 外表
externalize	〔見上, -ize…化〕使外表化, 給…以外形
externalization	〔見上, -ization 名詞字尾〕外表化, 外表性

244 邊──later 边面的位封 〔托〕

lateral	〔later 邊, -al…的〕旁邊的; 側面的
laterality	〔later 邊, 側, -ality 名詞字尾〕偏重一側, 對一個側面的偏重
lateroversion	〔later 邊, 側, -o-, vers 轉, -ion 名詞字尾〕側轉
unilateral	〔uni 單獨, later 邊, -al…的〕一邊的, 單邊的; 一方的, 片面的, 單方面的
bilateral	〔bi-雙, 見上〕雙邊的; 兩邊的
trilateral	〔tri-三, 見上〕三邊的

quadrilateral	〔**quadri-**四，見上〕四邊的，四邊形的；四方面的
septilateral	〔**septi-**七，見上〕七邊的
octolateral	〔**octo-**八，見上〕八邊的
multilateral	〔**multi-**多，見上〕多邊的；涉及多方面的
equilateral	〔**equi-**等，見上〕等邊的
laterad	〔**later** 邊，側，**-ad** 副詞字尾，表示向…〕向側面地

⒆背後——dors 托

dorsal	〔**dors** 背後，**-al**…的〕背部的，背面的
dorsad	〔**dors** 背後，**-ad** 向〕向背面，向後方
dorsocephalad	〔**dors** 背後，**-o-**，**cephal** 頭，**-ad** 向〕向頭後
dorsum	〔**dors** 背後，**-um** 名詞字尾〕（動物）背，背部
endorse	〔**en-** 作…，做…事，**dors** 背後〕在（支票等）背面簽名，簽署（姓名）於…背面，背書
endorsement	〔見上，**-ment** 名詞字尾〕票據等後面的簽名，背書

⒇底—— fund found 高

| profound | 〔**pro-** 加強意義，**found** 底，底下→深處→深→〕深奧的，深遠的，深重的，意義深長的，深深的；深處 |
| profundity | 〔見上，**-ity** 名詞字尾〕深處，深度，深奧，深刻 |

fund	〔fund 底→基礎; 「創辦事業的基礎」, 「底子」→本錢→〕基金
fundament	〔fund 底→基礎, -a-, -ment 名詞字尾〕基礎; 基本原理
fundamental	〔見上, -al…的〕基礎的, 基本的, 根本的
found	〔found 底→基礎〕為 (房屋等) 打基礎; 建立, 創立
foundation	〔見上, -ation 名詞字尾〕地基; 基礎, 根本; 基金
foundational	〔見上, -al…的〕基礎的, 基本的
founder	〔見上, -er 者〕奠基者, 創立者
foundress	〔見上, -ress 表示女性〕女奠基者, 女創立者

18

溫度

247 冷——(1) frig 冷剥器，倒Gel〔首呃〕 大

frigid	〔**frig** 寒冷，**id**…的〕寒冷的
frigidity	〔**frig** 寒冷，**-idity** 名詞字尾〕寒冷；冷淡
frigidarium	〔**frigid** 寒冷的，**-arium** 名詞字尾，表示場所〕冷藏室；納涼台
refrigerate	〔**re-**加強意義，**frig** 寒冷，**-ate** 動詞字尾，使…〕使冷，冷凍
refrigeration	〔見上，**-ation** 名詞字尾〕冷凍（法，作用），冷却，致冷（作用）
refrigerative	〔見上，**-ative**…的〕使冷的；消熱的
refrigerator	〔見上，**-or** 表示物〕冰箱；冷凍機；冷藏庫
refrigeratory	〔見上，**-ory** 形容詞兼名詞字尾〕致冷的，冷却的；消熱的；冷却器；冰箱
refrigerant	〔見上，**-ant** 形容詞兼名詞字尾〕致冷的；消熱的；致冷劑；清涼劑；退熱藥

冷——(2) cryo 科

cryobiology	〔**cryo** 冷，低溫，**bio** 生物，**-logy** 學〕低溫生物學
cryogen	〔**cryo** 冷，**gen** 產生〕致冷劑，冷凍劑，生寒劑

cryogenics	〔cryo 冷, gen 產生, -ics 學；「產生低溫的方法」〕低溫學；低溫實驗法
cryogenic	〔見上, -ic…的〕低溫學的；低溫實驗法的
cryolite	〔cryo 冷, lite 石〕〔礦物〕冰晶石
cryometer	〔cryo 冷, 低溫, meter 測量器〕低溫計
cryophilic	〔cryo 冷, phil 愛, 喜好, -ic…的〕好冷性的, 喜低溫的
cryophyte	〔cryo 冷, phyt 植物〕冰雪植物
cryoprobe	〔cryo 冷, probe 探針〕冷凍探針
cryopump	〔cryo 冷, pump 泵〕低溫泵
cryoscope	〔cryo 凍→冰點, scop 觀測〕冰點測定器
cryosurgery	〔cryo 冷, surgery 外科, 手術〕冷凍手術
cryotron	〔cryo 冷, -tron…管〕〔物理〕冷子管

冷──(3) gel 〔托〕

gelid	〔gel 冷, -id…的〕極冷的, 冰冷的
gelidity	〔見上, -ity 名詞字尾〕寒冷, 冰冷
gelation	〔gel 冷, 凍, -ation 名詞字尾〕凍結, 凝結
congeal	〔con-加強意義, geal(＝gel)冷, 凍〕(使)凍結
congealable	〔見上, -able 可…的〕可凍結的
congealer	〔見上, -er 表示物〕冷却器, 冷藏箱
congelation	〔見上, -ation 名詞字尾〕凍結, 凝固
regelate	〔re-再, gel 冷, 凍, -ate 動詞字尾〕再凍, 重新凍結, 復冰
regelation	〔見上, -ation 名詞字尾〕再凍, 復冰 (現象)

248 熱──(1) therm(o)   科

thermal	〔therm 熱，-al…的〕熱的，熱量的
thermalloy	〔therm 熱，alloy 合金〕熱合金
thermic	〔therm 熱，-ic…的〕熱的；由於熱而造成的
thermos	〔therm 熱〕熱水瓶
thermometer	〔thermo 熱，溫度，meter 計，表〕溫度計，寒暑表
thermochemistry	〔thermo 熱，chemistry 化學〕熱化學
thermodynamics	〔thermo 熱，dynamics 力學〕熱力學
thermoelectron	〔thermo 熱，electron 電子〕熱電子
thermogenesis	〔thermo 熱，gen 產生，-esis 名詞字尾〕生熱，生熱作用
thermion	〔therm 熱，ion 離子〕熱離子
thermonuclear	〔thermo 熱，nuclear 核〕熱核的
thermophilic	〔thermo 熱，phil 喜愛，-ic…的〕〔生物〕喜溫的
thermotropism	〔thermo 熱，trop 轉向，-ism 表性質〕〔生物〕向熱性
thermotherapy	〔thermo 熱，therapy 療法〕溫熱療法
diathermal	〔dia-對穿，透，therm 熱，-al…的〕透熱的
diathermia	〔見上，-ia 醫學名詞字尾〕透熱療法
adiathermic	〔a-不，dia-透，therm 熱，-ic…的〕不透熱的，絕熱的
geothermic	〔geo 地，therm 溫，熱，-ic…的〕地溫的；地熱的
hydrothermal	〔hydro 水，therm 熱，-al…的〕熱液的，水熱作用的

hypothermia	〔hypo-低, **therm** 溫, **-ia** 表疾病〕〔醫學〕體溫過低
isotherm	〔**iso** 相等, **therm** 溫〕等溫線, 恒溫線
isothermal	〔**iso** 相等, **therm** 溫, **-al**…的〕等溫的; 等溫線的
isogeotherm	〔**iso** 相等, **geo** 地, **therm** 溫〕〔地質〕地下等溫線, 同地溫線
synthermal	〔**syn-**同, **therm** 溫, **-al**…的〕同溫的

熱——(2) ferv 　　　　大

fervid	〔**ferv** 熱, **-id** 形容詞字尾, …的〕熾熱的; 熱情的; 熱烈的
fervidity	〔**ferv** 熱, **-idity** 抽象名詞字尾〕熾熱; 熱情; 熱烈
perfervid	〔**per-**完全, 徹底, 十分, **ferv** 熱, **-id** 形容詞字尾, …的〕十分熱烈的; 十分熱情的; 非常熱心的
fervor	〔**ferv** 熱, **-or** 抽象名詞字尾〕熾熱; 熱情; 熱烈
fervent	〔**ferv** 熱, **-ent** 形容詞字尾, … 的〕熾熱的; 熱情的; 熱烈的
fervency	〔**ferv** 熱, **-ency** 抽象名詞字尾〕熾熱; 熱情; 熱烈
fervescent	〔**ferv** 熱, **-escent** 形容詞字尾, 表示正在進行的〕發熱的

熱——(3) calor cale 　　　　科

calory	〔**calor** 熱，**-y** 名詞字尾〕卡路里，卡（熱量單位）
calorie	＝**calory**
caloric	〔**calor** 熱，**-ic** …的〕熱量的；〔轉為名詞〕熱，熱質
caloricity	〔見上，**-ity** 名詞字尾〕食物的熱量
calorify	〔**calor** 熱，**-i-**，**-fy** 動詞字尾，做…〕加熱於
calorifier	〔見上，**-er** 表示物〕加熱裝置，加熱器
calorific	〔**calor** 熱，**-i-**，**-fic** 致使…的〕生熱的
calorification	〔見上，**-fication** 名詞字尾〕熱的發生
calorifacient	〔**calor** 熱，**-i-**，**-facient** 致使…的，造成…的〕生熱的
calorimeter	〔**calor** 熱，**-i-**，**meter** 測量器〕量熱器
calefacient	〔**cale** 熱，**-facient** 致使…的〕使暖的，發暖的
calefaction	〔**cale** 熱，**-faction** 名詞字尾，表示情況，行為〕發暖，發暖作用
calefactory	〔見上，**-ory**…的〕生熱的，溫熱的
calefy	〔**cale** 熱，**-fy** 使〕（使）變熱，（使）發暖
calescent	〔**cal(e)** 熱，**-escent** 逐漸成為…的〕逐漸增熱的，逐漸增溫的
calescence	〔見上，**-escence** 名詞字尾〕逐漸增熱

熱──(4) febr(i)   科

febrific	〔**febri** 熱，**-fic** 形容詞字尾，表示致…的〕致熱的，致生熱病的
febricity	〔**febr** 熱，**-icity** 名詞字尾〕發熱；熱性

febricule	〔**febri** 熱，**-cule** 名詞字尾，表小〕小熱，輕熱病，微熱病
febrifuge	〔**febri** 熱，**fug** 逃；「使熱逃散」→〕退熱藥，解熱劑
febrifugal	〔見上，**-al**…的〕解熱的，退熱的
febriferous	〔**febri** 熱，**fer** 帶有，具有 → 產生，**-ous**…的〕生熱病的
febrile	〔**febr** 熱，**-ile** 形容詞字尾〕熱病的
antifebrile	〔**anti-**反對，見上；「反對熱」→解熱〕退熱的；退熱藥
antifebrin(e)	〔**anti-**反對，**febr** 熱，**-ine** 名詞字尾〕〔化學〕乙醯苯胺（用作退熱劑）

19

形狀

⑵⁴⁹形──morph 托

morphology	〔morph 形, -o-, -logy…學〕形態學
morphologist	〔morph 形, -o-, -logist…學家〕形態學家
geomorphology	〔geo 地, morph 形, -o-, -logy…學〕地貌學
pseudomorph	〔pseudo-假, morph 形〕假像, 偽形
pseudomorphous	〔見上, -ous…的〕假像的, 偽形的
amorphous	〔a-無, morph 形, -ous…的〕無定形的
anthropomor-phous	〔anthropo 人, morph 形, -ous…的〕有人形的; 似人的
ophiomorphous	〔ophio 蛇, morph 形, -ous…的〕蛇形的
ichthyomorphic	〔ichthyo 魚, morph 形, -ic…的〕魚形的
dimorphic	〔di-兩, 二, morph 形, -ic…的〕〔生物〕二態的, 二形的
trimorph	〔tri-三, morph 形〕三形體; 同質三形的物質
trimorphic	〔tri-三, morph 形, -ic…的〕有三形的
polymorph	〔poly-多, morph 形〕多形體
polymorphic	〔見上, -ic…的〕多形的

pantomorph	〔panto-全，一切，morph 形〕具有各種形態的東西
pantomorphic	〔見上，-ic…的〕具有各種形態的；變化自由的
idiomorphic	〔idio 個人的，自己的，morph 形，-ic…的〕（礦物）自形的
isomorphic	〔iso 相同，morph 形，-ic…的〕同形的，同態的
homomorphic	〔homo 相同，morph 形，-ic…的〕〔生物〕同形的
heteromorphy	〔hetero 異，不同，morph 形，-y 名詞字尾〕〔生物〕異態性
heteromorphic	〔見上，-ic…的〕異形的，異態的
phyllomorph	〔phyll 葉，-o-，morph 形〕葉形裝飾
rhizomorphous	〔rhizo 根，morph 形，-ous…的〕根形的，似根的

⑳ 角──gon 〔科〕

trigon	〔tri-三，gon 角〕三角形
trigonometry	〔tri-三，gon 角，-o-，metry 測量學〕三角學，三角
trigonometric	〔見上，-ic…的〕三角學的，三角法的
tetragon	〔tetra-四，gon 角〕四角形
pentagon	〔penta-五，gon 角〕五角形；(the Pentagon)五角大樓（美國國防部的辦公大樓）
hexagon	〔hexa-六，gon 角〕六角形
heptagon	〔hepta-七，gon 角〕七角形
octagon	〔octa-八，gon 角〕八角形

enneagon	〔ennea-九，gon 角〕九角形
decagon	〔deca-十，gon 角〕十角形
polygon	〔poly-多，gon 角〕多角形
isogon	〔iso-相等，gon 角〕等角多角形
perigon	〔peri-周圍，gon 角〕周角，三百六十度角
goniometer	〔gon 角，-io-雙連接字母，meter 測量器，計〕測角計
diagonal	〔dia-對穿，gon 角，-al…的〕對角線的；〔轉為名詞〕對角線
agonic	〔a-不，gon 角，-ic…的〕不成角的
orthogonal	〔ortho 直，gon 角，-al…的〕直角的，互相垂直的

㉛十字——cruc　　　大托

crucial	〔cruc 十字，-ial 形容詞字尾，…的〕十字形的；〔處在「十字路口」的→〕緊要關頭的，決定性的，臨於最後選擇的
crusade	〔crus＝cruc 十字，-ade 名詞字尾，表示集體〕十字軍
crusader	〔見上，-er 表示人〕十字軍參加者
cruise	〔cruis＝cruc 十字→縱橫相交；在海洋上「縱橫來往而行」→〕巡游，巡航
cruiser	〔見上，-er 表示物；在海洋上「縱橫來往而行者」→巡洋艦
cruisette	〔見上，-ette 表示小〕小巡洋艦
crucifix	〔cruc 十字，-i-，fix 固定→釘〕耶穌釘在十字架上的圖象

crucifixion	〔cruc 十字，-i-，fix 固定→釘，-ion 名詞字尾〕在十字架上釘死的刑罰，酷刑
crucify	〔cruc 十字，-i-，fy 動詞字尾，做…事〕把…釘死在十字架上，折磨
crucifier	〔見上，-er 表示人〕釘罪人於十字架上者，施酷刑的人
cruciform	〔cruc 十字，-form 形容詞字尾，有…形狀的〕十字形的
✓ excruciate	〔ex-使…，做…，cruc 十字，-ate 動詞字尾；「把…釘在十字架上」→〕使受酷刑，拷打，折磨
excruciation	〔見上，-ation 名詞字尾〕慘刑，酷刑，拷問

252 圓，環──(1) circ　　　大

circus	〔circ 圓，-us 名詞字尾；「圓形的表演場地」→〕馬戲場；〔轉為→〕馬戲團
circle	〔circ 圓，-le 名詞字尾〕圓，圈，環狀物
encircle	〔en-作成…，circle 圈；「作成一圈」〕包圍，繞…行一周
semicircle	〔semi-半，circle 圓〕半圓
circular	〔circul＝circle 圓，-ar 形容詞字尾，…的〕圓形的，環形的
circularity	〔見上，-ity 名詞字尾〕圓形性，環行性，圓，迂迴
circulate	〔circul＝circle 環，-ate 動詞字尾，使…〕循環，環流，通行，流通，流傳
circulation	〔見上，-ion 名詞字尾〕循環，環流，流通，流傳

circulative	〔見上，**-ive**…的〕循環性的，流通性的
circulatory	〔見上，**-ory**…的〕循環的（指血液），循環上的
circlet	〔**circle** 圈，**-et** 表示小〕小圈，小環
circuit	〔**circ** 圓，環，**-u-**，**it** 行〕環行，周線，電路，迴路
circuitous	〔見上，**-ous**…的〕迂迴的，繞行的
circuity	〔見上，**-y** 名詞字尾〕（說話等的）轉彎抹角，繞圈子

圓，環（輪）——(2) cycl(o) 大

cycle	〔**cycl** 圓→圓周→〕周期；循環；一轉
cyclical	〔見上，**-ical** 形容詞字尾〕周期的；循環的；輪轉的
cyclometer	〔**cyclo** 圓，**meter** 測量器〕圓弧測定器；車輪轉數記錄器
cyclograph	〔**cyclo** 圓，**graph** 寫，畫〕圓弧規
cyclorama	〔**cycl** 圓，**orama** 景〕圓形畫景
cyclone	〔**cycl** 圓→旋轉，**-one** 名詞字尾〕旋風；氣旋
cyclostome	〔**cyclo** 圓，**stom** 口〕圓口類脊椎動物
tetracycline	〔**tetra-** 四，**cycl** 環，**-ine** 表藥物名稱〕〔藥〕四環素
unicycle	〔**uni** 單一，獨，**cycl** 輪〕獨輪腳踏車
bicycle	〔**bi-** 兩，二，**cycl** 輪；「兩輪車」→〕自行車
bicyclist	〔見上，**-ist** 人〕騎自行車的人
tricycle	〔**tri** 三，**cycl** 輪〕三輪腳踏車；三輪摩托車

tricyclist	〔見上，-ist 人〕騎三輪腳踏車（或三輪摩托車）的人
autocycle	〔auto-自己→自動，cycl 輪→車〕摩托車，機器腳踏車
hemicycle	〔hemi-半，cycl 圓〕半圓形；半圓形結構
recycle	〔re-再，cycl 圓，環→循環〕再循環

᠒᠕᠓ 彎曲——(1) curv　　大

curvature	〔curv 彎曲，-ature 名詞字尾〕彎曲，彎曲部分
curvaceous	〔curv 彎曲，-aceous…的〕（婦女）有曲線美的
curvilineal	〔curv 彎曲，-i-，line 線，-al…的〕曲線的
curve	曲線，彎曲，弄彎
recurve	〔re-反，向後，curve 彎曲〕（使）反彎，（使）向後彎
recurvate	〔見上，-ate 形容詞字尾，…的〕反彎的，向後彎的
incurve	〔in-使，curve 彎曲〕（使）彎曲

彎曲——(2) flect flex　　大托

reflect	〔re-回，flect 彎曲；「彎回」→ 折回，返回〕反射，反映
reflection	〔見上，-ion 名詞字尾〕反射，反映，反射光
reflector	〔見上，-or 表示物〕反射鏡
reflex	〔見上，flex＝flect〕反射，反射光，反映
reflexible	〔見上，-ible 可…的〕可反射的

flection	〔flect 彎曲, -ion 名詞字尾〕彎曲, 彎曲部分
flectional	〔見上, -al…的〕彎曲的, 可彎曲的
inflection	〔in-內, flection 彎曲〕向內彎曲
flex	彎曲, 折曲
flexible	〔見上, -ible 易…的〕易彎曲的
flexure	〔flex 彎曲, -ure 名詞字尾〕彎曲
flexuous	〔flex 彎曲, -uous…的〕彎彎曲曲的

彎曲──(3) sinu   托

sinuate	〔sinu 彎曲, -ate…的〕彎曲的, 波狀的; 〔-ate 動詞字尾〕彎曲, 成波狀, 蜿蜒, 曲折
sinuation	〔見上, -ion 名詞字尾〕彎曲, 波狀
sinuosity	〔sinu 彎曲, -osity 名詞字尾〕彎曲, 蜿蜒, 曲折
sinuous	〔sinu 彎曲, -ous…的〕彎曲的, 蜿蜒的, 曲折的

254 直──rect   大

rectilineal	〔rect 直, -i-, line 線, -al…的〕直線的, 直線運動的
rectangle	〔rect 直, angle 角;「直角的圖形」〕矩形, 長方形
erect	〔e-出→向上, rect 直〕直立的, 垂直的, 使豎直, 使豎立
erectile	〔見上, -ile 可…的〕可豎直的
erection	〔見上, -ion 名詞字尾〕直立, 豎直
erective	〔見上, -ive…的〕直立的, 豎起的

| erector | 〔見上，-or 者〕樹立者，建立者 |
| rectum | 〔rect 直，-um 名詞字尾，表示物〕直腸 |

⑳平——plan 大

planar	〔plan 平，-ar…的〕平面的，在一個平面上的
planish	〔plan 平，-ish 動詞字尾，使…；「使平」→〕打平，錘平，輾平
planisphere	〔plan 平，-i-, sphere 球〕平面球形圖
planometer	〔plan 平，-o-, meter 測量器〕測平器
complanate	〔com-加強意義，plan 平，-ate…的〕平坦的，平面的
complanation	〔見上，-ation 名詞字尾〕平面化
plan	〔plan 平→平面→〕平面圖；〔作平面圖→畫圖樣→設計→構思，計劃→〕打算，計劃
aeroplane	〔aero 空中，plan 平；「在空中作水平飛行之物」→〕飛機
plane	〔aeroplane 的縮寫〕飛機
plane	〔plan 平〕平面；平的，平坦的，平面的

20

自然界

256 風——⑴ vent 〔大〕

ventilate	〔**vent** 風, **-i-**, **lat** 拿, 帶; 「把風帶過來」→把風送進來→〕使通風
ventilation	〔見上, **-ion** 名詞字尾〕通風, 流通空氣
ventilative	〔見上, **-ive**…的〕通風的
ventilator	〔見上, **-or** 表示物〕通風裝置, 送風機
unventilated	〔**un-**不, 見上〕不通風的, 空氣不流通的
ventiduct	〔**vent** 風, **-i-**, **duct** 引導; 「引導風」的管道→〕通風管, 通風道
vent	通風孔, 通氣孔, 排氣道

風——⑵ anemo 〔科〕

anemometer	〔**anemo** 風, **meter** 測量器, 表〕風速表, 風力計
anemometry	〔見上, **metry** 測量法〕風速和風向測定法
anemometric	〔見上, **-ic**…的〕測定風速和風向的
anemograph	〔**anemo** 風, **graph** 記錄器〕記風儀, 風速計
anemoscope	〔**anemo** 風, **scope** 觀察的儀器〕風速儀, 風向儀
anemology	〔**anemo** 風, **-logy**…學〕風學

anemophilous	〔**anemo** 風，**phil** 喜愛，**-ous** … 的；「喜愛風的」→〕（植物）風媒的（依風吹送花粉的）
anemone	〔**anem(o)** 風，**-one** 名詞字尾；「風飄花」〕秋牡丹

(257) 雨——(1) pluvi 科

pluvious	〔**pluvi** 雨，**-ous**…的〕雨的，多雨的
pluvial	〔**pluvi** 雨，**-al**…的〕雨的，多雨的
pluvian	〔**pluvi** 雨，**-an**…的〕下雨的，多雨的
pluviose	〔**pluvi** 雨，**-ose** 多…的〕雨量多的
pluviosity	〔見上，**-ity** 名詞字尾〕雨量多
pluviometer	〔**pluvi** 雨，**-o-**，**meter** 測量器〕雨量器，雨量計
pluviometry	〔見上，**metry** 測量法〕量雨法，雨量測定

雨——(2) hyet(o) 科

hyetal	〔**hyet** 雨，**-al**…的〕雨的，降雨的
hyetograph	〔**hyeto** 雨，**graph** 記錄器，計，表〕雨量計
hyetography	〔**hyeto** 雨，**graphy**…法，…學〕雨量學
hyetographic	〔見上，**-ic**…的〕雨量學的
hyetology	〔**hyeto** 雨，**-logy**…學〕雨學，降水量學
hyetological	〔見上，**-ical**…的〕雨學的
hyetometer	〔**hyeto** 雨，**meter** 計，表〕雨量計，雨量表

(258) 雲——nepho 科

nephogram	〔**nepho** 雲，**gram** 圖形〕雲圖
nephology	〔**nepho** 雲，**-logy**…學〕雲學

| nephometer | 〔nepho 雲，meter 儀表，計〕雲量儀 |
| nephoscope | 〔nepho 雲，scope 觀測器〕測雲器 |

259 水──⑴ aqu   大 托

aquatic	〔aqu 水，-atic 形容詞字尾，…的〕水的，水中的，水生的
aquarium	〔aqu 水，-arium 表場所地點〕水族館；養魚池
aqueduct	〔aqu 水，-e-，duc 引導〕引水槽；水道，溝渠；導水管
aqueous	〔aqu 水，-eous 形容詞字尾，…的〕水性的；多水的；含水的；水狀的
aquiculture	〔aqu 水，-i-，cult 養育，-ure 抽象名詞字尾〕飼養水棲動物，養魚，水產養殖
aquiferous	〔aqu 水，-i-，fer 帶有，-ous…的〕帶有水的，含水的
aquiform	〔aqu 水，-i-，-form 形容詞字尾，有…形狀的〕水狀的
aquose	〔aqu 水，-ose 形容詞字尾，多…的，如…的〕多水的，如水的
aquosity	〔aqu 水，-osity 名詞字尾，多…的狀態〕多水狀態，濕潤，潮濕
subaqueous	〔sub-下，aqu 水，-eous…的〕水下的；水下形成的；用於水下的
superaqueous	〔super-上，aqu 水，-eous…的〕水上的；水面上的
terraqueous	〔terr 陸地，aqu 水，-eous…的〕水陸的，水陸形成的

水——(2) hydr(o)　　　托 科

anhydrous	〔an-無, **hydr** 水, **-ous** … 的〕〔化學〕無水的
anhydrite	〔an-無, **hydr** 水, **-ite** 名詞字尾, 表示物〕無水石膏, 硬石膏
carbohydrate	〔**carbo** 碳, **hydr** 水, **-ate** 化學名詞字尾〕碳水化合物
dehydrate	〔**de-**除去, **hydr** 水, **-ate** 動詞字尾〕脫去水分, 使脫水
dehydration	〔見上, **-ation** 名詞字尾〕脫水
hydrogen	〔**hydro** 水, **gen** 產生;「產生水」→〕氫
hydragogue	〔**hydr** 水, **agog** 引導;「引導水」→〕驅水的; 利尿的; 利尿藥
hydrate	〔**hydr** 水, **-ate** 名詞兼動詞字尾〕水合物; 使成水合物
hydroairplane	〔**hydro** 水, **airplane** 飛機〕水上飛機
hydrocephalus	〔**hydro** 水, **cephal** 頭, **-us** 名詞字尾;「頭中有水」→〕腦積水, 水腦
hydrocephalic	〔見上, **-ic**…的〕腦積水的
hydrodynamic	〔**hydro** 水, **dynam** 力, **-ic** … 的〕水力的; 流體動力學的
hydrodynamics	〔**hydro** 水, **dynam** 力, **-ics** 學〕流體動力學
hydroelectric	〔**hydro** 水, **electric** 電的〕水力發電的
hydrography	〔**hydro** 水, **graph** 寫, 論述〕水文學
hydrographer	〔見上, **-er** 者〕水文學家
hydrology	〔**hydro** 水, **-logy**…學〕水文學, 水理學

hydromechanics	〔hydro 水→流體，mechanics 力學〕流體力學
hydropathy	〔hydro 水，pathy 療法〕〔醫學〕水療法
hydropathist	〔見上，-ist 人〕水療醫生
hydropathic	〔見上，-ic…的〕水療法的
hydrophilic	〔hydro 水，phil 愛，喜愛→親近，-ic…的〕〔化學〕親水的
hydrophobia	〔hydro 水，phob 怕，恐，-ia 表疾病〕恐水病
hydrophobic	〔見上，-ic…的〕恐水病的
hydrophone	〔hydro 水，phon 聲音〕水聽器；水中地震檢波器
hydrophyte	〔hydro 水，phyt 植物〕水生植物
hydroplane	〔hydro 水，plane 飛機〕水上飛機
hydrosphere	〔hydro 水，sphere 球，球形，圈，範圍〕水圈，水界
hydrothermal	〔hydro 水，液體，therm 熱，-al…的〕熱液的
hydrothorax	〔hydro 水，thorax 胸〕胸膜積水，水胸
hydrotropism	〔hydro 水，trop 轉向，-ism 表性質〕〔植物〕向水性
hydrous	〔hydr 水，-ous…的〕含水的；水狀的；水化的；水合的

⁂260 火──(1) ign ⬚托

| ignite | 〔ign 火，-ite 動詞字尾〕點燃，點火於；使燃燒；著火 |
| igniter | 〔見上，-er 表示物〕發火器 |

ignition	〔見上，**-ion** 名詞字尾〕點火；著火
preignition	〔**pre-**前，**ignition** 點火〕（內燃機汽缸內的）提前點火
ignitable	〔見上，**-able** 可…的〕可燃的，可著火的
ignitron	〔見上，**-tron**…管〕點火管，引燃管
igneous	〔見上，**-eous**…的〕火的，似火的；火成的
ignescent	〔**ign** 火，**-escent**…的〕猝發成火焰的，（碰擊後）發出火花的

火——(2) pyr(o) はつおん？　科

pyrolarty	〔**pyro** 火，**latry** 崇拜〕崇拜火，拜火教
pyrology	〔**pyro** 火→熱，**-logy**…學〕熱工學
pyromania	〔**pyro** 火，**mania** 狂〕放火狂，放火癖
pyrometer	〔**pyro** 火→高溫，**meter** 計〕高溫計
pyrosis	〔**pyr** 火→熱，**-osis** 名詞字尾，表疾病〕胃灼熱（病）
pyrotechnics	〔**pyro** 火→煙火，**technics** 工藝學，技術〕煙火製造（或施放）技術
pyrotoxin	〔**pyro** 火→熱，**tox** 毒，**-in** 素〕〔醫學〕熱毒素
pyroxylin	〔**pyro** 火→焦，**xyl** 木，**-in** 素〕〔化學〕焦木素
pyrochemistry	〔**pyro** 火→高溫，**chemistry** 化學〕高溫化學
pyroelectric	〔**pyro** 火→熱，**electric** 電的〕熱電的
pyrogen	〔**pyro** 火→熱，**gen** 產生，致〕〔醫學〕發熱原，致熱質（引起發燒的物質）
pyrogenic	〔見上，**-ic**…的〕發熱的；火成的
pyre	〔**pyr** 火→燒〕供燃燒的大堆木料

pyretic	〔**pyr** 火→熱，**-etic** 形容詞字尾，…的〕〔醫學〕發燒的，發熱的；熱病的
apyretic	〔**a-**無，**pyr** 火→熱，**-etic**…的〕無熱的，不發燒的
antipyretic	〔**anti-**反對→解，消，**pyr** 火→熱，**-etic**…的〕解熱的，消熱的，退燒的；解熱藥，退熱劑
micropyrometer	〔**micro** 微，**pyro** 火→溫，**meter** 計〕微溫計

㉖①冰——glaci   托

glacier	〔**glaci** 冰，**-er** 表示物〕冰河，冰川
glacieret	〔見上，**-et** 表示小〕小冰川
glaciology	〔見上，**-o-**，**-logy**…學〕冰河學，冰川學
glacial	〔見上，**-al**…的〕冰的，冰狀（結晶）的；冰河的
glacialist	〔見上，**-ist** 者〕冰河學者，冰河學家
glaciate	〔見上，**-ate** 動詞字尾〕使冰凍，使凍結，使成冰狀；使受冰河作用
glaciated	〔見上，**-ed**…的〕冰凍的；冰封的；受冰河作用的
glaciation	〔見上，**-ation** 名詞字尾〕冰河作用；冰蝕
preglacial	〔**pre-**前，**glacial** 冰河的〕冰河期前的
neoglaciation	〔**neo-**新，**glaci** 冰，**-ation** 名詞字尾〕新冰河作用
neoglacial	〔見上，**-al**…的〕新冰河作用的
postglacial	〔**post-**後，**glaci** 冰，**-al**…的〕冰河期後的
subglacial	〔**sub-**下，**glaci** 冰，**-al**…的〕冰川下的

第二章

字　首

❶表示空間方位
❷表示程度
❸表示程度增強太甚
❹表示共同、相等
❺表示次要、偏房
❻表示否定
❼表示"使成爲…"、"加以…"
❽表示除去(取消、毁)
❾表示數字
❿其他

1

表示空間方位

1 前

ante- 前，先

anteroom 前室，接待室

anteport 前港，外港

antecessor 先行者，前驅者

antestomach 前胃

antenuptial 婚前的

antemeridian 午前的

antechamber 前廳

antenatal 誕生前的，產前的

antedate 比實際早的日期

antecedent 前例，先例，先行的

fore- 前，先，預先

foretell 預言

forehead 前額

forearm 前臂

foretime 已往，過去

forefather 前人，祖先

foresee 預見，先見

foreword 序言，前言

foreknow 先知，預知

foreground 前景

forerun 先驅，前驅

pre- 前，先，預先

prewar 戰前的

pre-liberation 解放前的

preschool 學齡前的

prehistory 史前期

precondition 前提

prehuman 人類以前的

preexamination 預試

prebuilt 預建的，預造的

premade 預先做的

prechoose 預先選擇

predetermine　預定，先定

preposition　前置詞，介系詞

prefix　前綴，字首

predawn　黎明前的

preteen　十三歲以前的孩子

preconference　會議前的

√ **pro-　前，向前，在前，預先**

progress　向前進，進步

project　向前投出，射出

proceed　前進

propel　推進

prolong　向前延長

prologue　前言、序言

prophecy　預言

proscenium　舞台的前部

predeparture　出發前的

prepay　預付

prejudge　預先判斷

preheat　預熱(爐灶等)

precool　預先冷却

precook　預煮

prostyle　前柱式的

promote　增進，促進，提升

prospect　向前看，展望

protrude　向前伸出，突出

propulsive　向前推進的

prognostic　先兆，預兆

prothorax　(昆蟲)前胸

prostate　前列腺

② 後

post-　後

postwar　戰後的

post-liberation　解放後的

postgraduate　大學畢業後的，研究生

posttreatment　治療期以後的

postface　刊後語

re-　向後，回

retreat　後退

postdate　填遲…的日期

postpone　推後，延期

postmeridian　午後的

postscript　編後記，跋

postoperative　手術以後的

postnatal　誕生後的，產後的

regress　倒退，退後，退步

recede　退後
recession　後退，退回
retract　後縮，縮回，取回
return　回來，返回
recall　召回，回憶

retro-　向後，回

retrogress　後退，倒退，退步
retroact　倒行，起反作用
retroject　向後拋擲
retroflex　反曲的

reflect　回想
reclaim　收回
rebound　向後跳，跳回，彈回

retrograde　後退，倒退
retrospect　回顧
retrocession　退後，後退
retroversion　後傾，翻轉

③ 上

over-　上，在上，從上，越過

overlook　俯視
overbridge　跨線橋，天橋
overwrite　寫在…上面
overlie　躺在…上面
overfilm　把薄膜蓋在…上面

overfly　飛越
overleap　跳過
oversee　俯瞰
overground　在地面上的
overcast　覆蓋，多雲的天

super-　上

superstructure　上層建築
superimpose　放在…上面
superaqueous　水上的

supervise　(由上面)監視
superstratum　上層
superterrene　地上的

sur-　上

surmount　登上
survey　俯瞰(由上往下看)

surprint　加印於…之上
surface　表面

④ 下

sub⁻ 下

subway　地下鐵道

substructure　下層建築

submarine　海面下的

subsoil　下層土，底土

submarine　水下的，潛水艇

subatmospheric　低於大氣層的

subconscious　下意識的

submontane　在山腳下的

substandard　標準以下的

subsurface　表面下的

subnormal　低於正常的

sub-zero　零度以下的

subglacial　冰川下的

subaverage　低於一般水平的

subhuman　低於人類的

subscribe　在…下方簽名

de⁻ 下，向下，降

depress　壓下，壓低

devalue　降低價值，貶值

declass　降低社會地位

depreciate　降價，貶低

degenerate　墮落，退化

defluent　向下流的

decurved　向下彎的

degrade　下降，墮落

descend　降下

demersal　沉於水底的

under⁻ 下

underground　地下的

underfoot　在腳下

undersea　在海底

underline　劃線於…之下

undercurrent　潛流，暗流

underworld　下層社會

underwrite　寫於…之下

underlay　置於…之下

underside　下側，下面

understratum　下層，下層土

✓ hypo⁻ 下，低

hypobranchial　腮下的

hypogastric　腹下部的

hypotension　低血壓

hypodermic　皮下的

hypoglassal　舌下的　　　　hypoglycemia　低血糖

√infra-　下，低

infrastructure　下部結構　　infrasound　亞音速(低於音速)

infrared　紅外線(低於紅線)

infrahuman　低於人類的

⑤ 內

im-　內，向內，入

immanent　內在的，固有的　　imprison　投入獄中，監禁

import　輸入，進口　　　　impound　(將牲畜)關入欄內

immigrate　移入，移居入境　　imbibe　吸入

in-　內，入內

inside　內部，裡面　　　　inbreak　入侵

indoor　戶內的　　　　　intake　納入，吸入

inland　內地的，國內的　　inbreathe　吸入

inject　投入，注射　　　　inrush　湧入，闖入

intra-　內，內部

intraparty　黨內的　　　　intrapersonal　個人內心的

intracity　市內的　　　　intraregional　地區內的

intraday　一天之內的　　　intracompany　公司內部的

intracollegiate　大學內的　　intra-trading　內部貿易

intracloud　雲間的　　　　intraoffice　辦公室內的

intro-　內，向內

introduce　引入，介紹　　　introflection　向內彎曲

introspect　內省，反省　　　intromit　插入

introvision　內省　　　　introvert　內向，內省

√em-　內

embay　使(船)入灣內　　　embosom　藏於胸中

embus 裝入車中

embog 使陷入泥沼中

en- 內

encave 藏於洞內

encage 關入籠中

engulf 投入深淵中

encase 裝入箱中

ensphere 把…圍入圈內

enshrine 藏於神龕內

endo- 內

endoparasite 體內寄生蟲

endolymph 內淋巴

endocardium 心臟內膜

endogamy （同族）內部通婚

endogen 內生植物

endoscope 內窺鏡

under- 內（用於衣服）

underclothing 內衣褲

undershirt 貼身內衣

undervest 貼身內衣

underwear （總稱）內衣

underthings 女子內衣褲

underskirt 襯裙

underpants 內褲, 襯褲

undershorts 短襯褲

6 外

ex- 外, 出

export 出口, 輸出

expose 展出, 揭露

exit 出口

extract 抽出, 拔出

exclude 排外, 排斥

excavate 挖出, 發掘

exhume 掘出

expel 趕出, 逐出

exo- 外

exobiology 外太空生物學

exosphere 外大氣圈

exodermis 外皮層

exogamy 外族通婚

exopathic 病源來自外部的

exoplasm 外質

exocarp 外果皮

exoskeleton 外骨骼

extra- 外, 以外

extraofficial 職權以外的,

超政治的

extracurriculum　課外的

extra-special　特別優秀的

extraprofessional　職業以外的

extrapolitical　政治外的

extralegal　法律權力以外的

extraordinary　格外的

extrareligious　宗教外的

extrasolar　太陽系以外的

ultra-　外

ultrared　紅外線的

ultramarine　海外的

ultra-violet　紫外線的

ultramontane　山外的

out-　外，出

outdoor　戶外的

out-city　市外的，農村的

outwork　戶外工作

outhouse　外屋

outport　外港

outflow　流出

out-party　在野黨

outtell　說出

outrush　衝出

outlander　外地人，外來者

⑦ 中間

inter-　在…之間，…際

international　國際的

intercontinental　洲際的

interoceanic　大洋之間的

intercity　城市之間的

interpersonal　人與人之間的

interlay　置於其間

interline　寫於行間

interplant　在…間播種

interject　插入其間

intergroup　團體之間的

meso-　中間

mesosphere　(氣象)中圈，中層

mesocephalon　中腦

mesogastrium　中腹部

mesoblast　中胚層

⑧ 周圍

circum-　周圍，環繞

circumaviate　環球飛行

circumnavigate　環球航行

circumspect　環視的，小心的

circumlunar　環繞月球的

circumsolar　環繞太陽的

circumpolar　在兩極周圍的

circumfluent　周流的

circumcise　環狀切割(如割包皮)

circumstance　環境

circumposition　周圍排列

circumplanetary　圍繞行星的

peri-　周圍

perivitelline　卵黃周圍的

pericentral　中心周圍的

perimeter　周界，周邊

pericardial　心臟周圍的

perigon　周角，360度角

periarticular　關節周圍的

⑨ 在

a-　在

aside　在一邊

atop　在頂上

abed　在床上

asleep　在熟睡中

ashore　在岸上

afield　在田裡，在野外

aground　在地面上，擱淺

ahead　在前頭，向前

afire　在燃燒中

aboard　在船上

be-　在

beside　在…旁邊

below　在…下面，在下面

beyond　在…那邊，在遠處

beneath　在…下方，在下方

behind　在…後面，在後

before　在…以前

between　在兩者之間

⑩ 離去，離開，分開

ab- 離去，離開

abaxial　離開軸心的	absorb　吸去
abduct　騙走，劫走，誘拐去	abrade　擦去，磨去，磨掉
aberrant　離正道的，迷途的	ablactation　斷奶
abdicate　退位，離開王位	

apo- 離開，分開(亦作 **ap-**)

apogee　遠地點(遠離地球之處)	apostasy　脫黨，叛教
	apograph　抄本(由正本分出)
aphelion　(天文)遠日點	

de- 離去，離開

derail　使(火車)出軌，離軌	dethrone　使離王位，廢黜
decentre　使離開中心	deport　驅逐出境，使離境
detrain　離開火車，下火車	debus　離開汽車，下汽車
deplane　離開飛機，下飛機	

se- 離開，分開，離去

seduce　引誘走，騙走，騙去	segregate　分離，分開
seclude　使退隱	select　選出
secede　脫離，退出	secern　區分，分開

dis- 分開，離，散

dissect　切開	dissolve　分離，溶解
distract　分心	dispense　分配
dispel　驅散	dissipate　驅散

⑪ 接近

sub- 接近

subcentral　接近中心的	subadult　接近成年的

subteen　將近十三歲的小孩

subequal　接近相等的

peri-　接近，靠近

perihelion　近日點

perilune　近月點

periastron　近星點

subarctic　近北極圈的

subequatorial　近赤道的

perigee　近地點(接近地球之點)

2

表示程度

⑫ 大

macro- 大, 宏

macroclimate　大氣候

macroeconomics　大經濟學

macrochange　大變動

macroplan　龐大的計劃

macroscale　大規模

macrosociology　大社會學

macrocyte　巨紅血球

macroworld　宏觀世界

macrocosm　宏觀世界

macrostructure　宏觀結構

macrophysics　宏觀物理學

macrometeorology　大氣象學

macrocephalic　畸形大頭的

mega- 大

megaphone　擴音器

megalith　巨石, 大石塊

megacity　特大都市

megapark　特大公園

megaversity　超級大學

megastructure　特級大廈

megagame　大賽

megaministry　特大的(政府)部門

mega-association　大聯合

megatanker　超級油輪

megajet　特大噴氣客機

megabusiness　巨大企業

⒀ 小

mini-　小

ministate　小國	minibus　小型公共汽車
minipark　小型公園	miniskirt　超短裙
minitrain　小型列車	minishorts　超短褲
miniwar　小規模戰爭	minicrisis　短暫危機
minielection　小型選舉	miniradio　小收音機

micro-　小，微

microscope　顯微鏡	microbiology　微生物學
microsystem　微型系統	microelement　微量元素
microworld　微觀世界	microskirt　超短裙，露股裙
microwave　微波	microbus　微型公共汽車
microprint　縮微印刷品	microcomputer　微型電腦

⒁ 多

multi-　多

multiparty　多黨的	multi-purpose　多種用途的
multinational　多國的	multidirectional　多向的
multicentric　多中心的	multistorey　多層樓的
multiracial　多種族的	multilingual　多種語言的
multiform　多種形式的	multiheaded　多彈頭的
multipolar　多極的	multicoloured　多色彩的
multilateral　多邊的	multi-industry　多種經營

poly-　多

polycentric　多中心的	polycrystal　多晶體
polysyllable　多音節的字	polyfunctional　多功能的
polyatomic　多原子的	

polygon 多角形	**polyarchy** 多頭政治
polytechnical 多工藝的	**polyclinic** 多科醫院
polydirectional 多方向的	

15 少

olig- 少

oligarchy 寡頭政治	**oligophagous** (動物)寡食
oligemia 血量減少	性的
oliguria 尿少，少尿症	

under- 少，不足

underdress 穿衣太少	的
underfed 餵得太少的	**undermanned** 人員不足的
underwork 少做工作	**underpay** 少付資，付資不
underproduction 生產不足	足
underpopulated 人口稀少	**underestimate** 估計不足

16 好

bene- 好，善

benevolent 善心的，慈善的	**beneficent** 行善的
benefaction 善行，恩惠	**benediction** 祝福
benefit 好處，恩惠	

eu- 好，優

eugenics 優生學	**euphonic** 聲音優美的
eulogize 讚美	**eupepsia** 消化良好
euphemism 婉言，婉詞	**euthenics** 優境學

⒘ 壞

mal- 壞，不良，惡（亦作 **male-**）

maltreat　虐待

malpractice　不法行為

malnutrition　營養不良

malposition　位置不正

malediction　惡言，詛咒

malodour　惡臭，惡味

malefaction　壞事，惡行

malcontent　不滿的

maldevelopment　不正常發展

malformation　畸形

maladministration　管理不善

malfunction　機能失常

mis- 壞，惡

misdoing　惡行，壞事

mistreat　虐待

misrule　對…施暴政

misbehave　行為不端

misfortune　惡運，不幸

misadministration　管理不善

mishandle　粗暴地對待，虐待

misdeed　不端行為，罪行

dys- 壞，不良，惡

dysfunction　機能失調

dyspepsia　消化不良

dysgenesis　生殖力不良

dysuria　小便困難

dysphagia　吞下困難，難嚥

dysgenics　劣生學

dysphonia　發音困難

dyspathy　反感

dysopsy　視力弱，弱視

dysentery　痢疾（**enter** 腸；腸內不良之意）

dyspnoea　呼吸困難

dyslexia　誦讀困難

⒙ 全

holo- 全

hologram　全息圖

holophone　聲音全息記錄器

holohedron　全面體　　　　holocrystalline　全結晶的

holography　全息照相術　　holophote　全射鏡

omni-　全，都，總，共

omnipresent　無所不在的　　的

omnidirectional　全向的　　omnipotent　全能的

omnibus　公共汽車　　　　omniform　式樣齊全的

omniparity　一切平等　　　omnirange　全向導航台

omnitron　全能加速器　　　omniscient　無所不知的

omnivorous　什麼食物都吃　omnicompetent　有全權的

pan-　全，泛

Pan-American　全美洲的，　pantheism　泛神論

泛美的　　　　　　　　　　pansophic　全知的

Pan-Asianism　泛亞洲主義　panchromatic　全色的

Pan-African　泛非洲的　　　panorama　全景，全景畫

pantropical　遍布於熱帶的　Pan-German　泛德意志的

pancosmism　泛宇宙論

⑲ 半

semi-　半

semi-colony　半殖民地　　semiconductor　半導體

semi-feudal　半封建的　　semimetal　半金屬

semi-official　半官方的　　semi-diameter　半徑

semifinal　半決賽(的)　　semicircle　半圓

semicommercial　半商業性　semiliquid　半液體的

的　　　　　　　　　　　semiliterate　半文盲的

semiweekly　半周刊　　　semiautomatic　半自動的

semimonthly　半月刊　　　semicivilized　半文明的，半

semiskilled　半熟練的　　開化的

hemi- 半

hemisphere　半球

hemicycle　半圓形

hemiparasite　半寄生物

hemicrania　偏頭痛

hemipyramid　半錐面

hemiopia　半盲

hemiplegia　半身不遂

hemitrope　半轉的

hemihedron　半面結晶形

hemialgia　半身痛症

demi- 半

demigod　半神半人

demi-fixed　半固定的

demilune　半月，新月

demiwolf　半似狼之犬

demidevil　半惡魔

demitint　(繪畫)半濃半淡

sub- 略微，稍

subacid　略酸的

subangular　稍有稜角的

subarid　略乾燥的

subacute　略尖的

subconical　略作圓錐形的

subcylindrical　略呈圓筒狀的

neo- 新

neorealism　新現實主義

neocolonialism　新殖民主義

neoimperialism　新帝國主義

neofascism　新法西斯主義

neonatal　新生的，初生的

neogamist　新婚者

neolithic　新石器時代的

neoimpressionism　新印象派

paleo- 古，舊

paleozoology　古動物學

paleobotany　古植物學

paleoclimate　史前氣候

paleoanthropology　古人類學

Paleolithic　舊石器時代的

paleography　古文書(學)

paleochronology　古年代學

paleophyte　古生代植物

3

表示程度增強、太甚

⟨20⟩ 超

super-　超，超級

superspeed　超高速的	supertrain　超高速火車
supersized　超大型的	superhighway　超級公路
supermarket　超級市場	superprofit　超額利潤
superpower　超級大國	supersecrecy　絕密
supercountry　超級大國	supersonic　超音速的
supercity　超級城市	supernatural　超自然的

supra-　超

supra-class　超階級的	supraconductivity　超導電性
supra-politics　超政治的	
supranational　超國家的	supramolecular　超分子的
supramundane　超越現世的	

sur-　超

surcharge　超載	surrealism　超現實主義
surtax　超額稅	surpass　超過

ultra-　超

ultrasonic　超音速的，超聲的	ultrasound　超聲
	ultra-microscope　超顯微鏡
ultrashort　超短(波)的	ultramodern　超現代化的

ultramicrometer 超測微計

meta- 超

metaphysical 超自然的，形而上學的

metamaterialist 超唯物論者

metachemistry 超級化學

metageometrical 超幾何學的

metaculture 超級文化

preter- 超

preternatural 超自然的

pretersensual 超感覺的

preterhuman 超越凡人的

21 太甚(極度，過分，過多)

hyper- 太甚，極度，過多

hypermilitant 極度好戰的

hypersensitive 過敏的

hypersexual 性慾極強的

hypercriticism 過分批評

hyperslow 極慢的

hypersuspicious 過分多疑的

hyperverbal 說話太多的

hyperactive 活動過度的

hyperacid 胃酸過多的

out- 太甚，過度

outsize 過大

outsit 坐得太久

outdream 做夢太多

outsize 特大的，太大的

outspend 花費過度

outwear 穿壞，穿破

outgrow 長得太大

over- 太甚，過度

overstudy 用功過度

overtalk 過分多言

overuse 使用過度

overproduction 生產過剩

overcrowd 過度擁擠

overweight 過重

overpraise 過獎

overpay 多付(錢款)

overdrink 飲酒過甚

overwork　過度勞累　　　　overburden　過載

overcareful　過於謹愼的

super–　太甚，過度，過多

superexcitation　過度興奮　　supercool　過度冷却

supercharge　過重負載　　supernutrition　營養過多

supersensitive　過度敏感的　　supersaturate　過度飽和

superoxide　過氧化物　　superphosphate　過磷酸鈣

superheat　過熱

ultra–　太甚，過度，極端

ultra-democracy　極端民主　　ultrapure　極純的

ultra-reactionary　極端反　　ultra-left　極左的
動的

ultra-fashionable　極其時　　ultramilitant　極端好戰的
髦的　　　　　　　　　　　ultracritical　批評過度的

ultraclean　極潔淨的　　ultra-right　極右的

ultranationalism　極端民族　　ultrathin　極薄的
主義　　　　　　　　　　　ultra-conservatism　極端保
　　　　　　　　　　　　　　守主義

㉒ 加強(或引申)意義

a–　加強或引申意義

awake　喚醒，使醒　　aright　正確地

await　等待　　aweary　疲倦的，厭倦的

arise　起來，升起　　ashamed　羞恥的

afar　遙遠地　　alike　相同的，相同地

aloud　高聲地　　aware　知道的，意識到的

across　橫過，穿過　　awash　被浪潮冲打的

ac–　加強或引申意義

accredit　信任，相信　　acclimate　(使)適應氣候

acknowledge 認知，承認   accompany 陪伴

accustom 使習慣   acculturation 文化移入

account 計算，算賬   acquit 釋放，免罪

ad- 加強或引申意義

adjust 調整   admixture 混雜

adventure 冒險   adjunction 添加，附加

admonition 告誡，勸告   adjoin 毗連，相接，貼近

af- 加強或引申意義

affright 震驚，恐懼   affix 附加，貼上

afforest 造林，綠化   affirm 肯定，確認

affamish 使飢餓   affront 對抗，冒犯

ag- 加強或引申意義

aggrandize 增大   aggravate 加重

aggrieve 使悲痛   aggrade 增高(河底)

ap- 加強或引申意義

appoint 指定，任命   appraise 評價

appease 平息，綏靖   apposition 並置，同位

approximate 近似的   apprehension 理解，領悟

as- 加強或引申意義

assimilate 同化   assort 分類

assure 使確信，擔保   associate 聯合，結合

ascertain 確定，查明   assign 指定，分派

be- 加強或引申意義

befall 降臨，發生   bemoan 悲嘆，哀泣

bethink 想起，思考   besiege 包圍，圍攻

befit 適合，適宜   bedaub 塗污，亂塗

bespatter 濺污   bepaint 著色，畫

belaud 大加讚揚

bedeck 裝飾, 修飾	**besmirch** 弄髒, 玷污
besprinkle 潑, 灑	

com- 加強或引申意義

commix 混合	**compress** 壓縮
commove 使動亂	**commemorate** 紀念
commingle 混合, 相混	

con- 加強或引申意義

conclude 結束, 終結	**confirm** 使堅定
consolidate 鞏固, 加強	**condense** 凝結, 縮短
confront 使面對	**convolution** 旋繞, 捲繞
contribute 貢獻, 捐獻	**configure** 使具形體

e- 加強或引申意義

evaluate 評價	**elongate** 拉長, 延長
estop 阻止, 禁止	**estrange** 使疏遠
evanish 消失, 消散	**elaborate** 努力製作
especially 特別, 格外	**evaporate** 蒸發

en- 加強或引申意

entrust 信託, 委託	**enkindle** 點火
enlighten 啟發, 開導	**enwind** 纏繞
endamage 損壞, 損害	**enclothe** 給…穿衣服
enlink 把…連結起來	**engird** 捲, 纏

4

表示共同、相等

23 共同（相同）

co- 共同

coeducation 男女同校

coexistence 共存，共處

co-operation 合作

coaction 共同行動

coagent 共事者

corotation 共轉

copartner 合夥人

co-worker 共同工作者

cohabitation 同居

coauthor （書的）合著者之一

comate 同伴，伙伴

co-founder 共同創立者

co-owner 共同所有人

col- 共同

collaboration 協作，勾結

collinear 在同一直線上的

colleague 同事

collingual 用同一種語言的

collocate 並置，並列

collateral 並行的，相並的

com- 共同，相同

compatriot 同國人，同胞

combine 聯合，結合

commensal 同餐的，共餐的

compassion 同情

commiserate 同情

companion 同伴

con- 共同，相同

concolorous 同色的

concentric 同一中心的

concourse 合流，滙合

contemporary 同時代的，

當代的

consanguinity 同血緣，同宗

conspire 共謀，合謀

conjoin 聯合

sym- 共同，相同

sympathy 同情

symphony 交響樂，和音

symmetallism 金銀混合本位

syn- 共同，相同

synactic 共同作用的

synonym 同義字

synthermal 同溫的

synergetic 合作的，協作的

congenial 同種的，同性的

condominate 共同管轄的

connatural 同性質的，同族的

symmetry 對稱(兩邊相同之意)

symbiosis (生物)共生，共棲

synchronous 同時發生的

syntony 共振，諧振

synthesis 合成

24 相等(相同)

iso- 相等，相同

isoelectric 等電位的

isoelectronic 等電子的

isomagnetic 等磁力的

isogon 等角多角形

isobar 等壓線

homo- 相同

homotype 同型

homosexual 同性戀的

homocentric 同中心的

homothermic 同溫的

isomorph 同晶形體

isospore 同形孢子

isotherm 等溫線

isotope 同位素

isochronic 等時的

homopolar 同極的

homophone 同音異義字

homograph 同形異義字

homogenous 同族的

5

表示次要、偏旁

25 副

vice- 副

vice-chairman　副主席

vice-president　副總統

vice-premier　副總理, 副首相

vice-minister　副部長

vice-governor　副總督

vice-principal　副校長

vice-consul　副領事

vice-manager　副經理

by- 副, 非正式

by-effect　副作用

by-product　副產品

by-business　副業

by-cause　副因

bywork　副業, 兼職, 業餘工作

by-plot　副情節

sub- 副

subworker　副手, 助手

subagent　副代理人

subeditor　副編輯

sublibrarian　圖書館副館長

subhead　副標題, 小標題

subtitle　(書的)副名

subdean　副教務長, 副系主任

subtemperate　副溫帶的

para
類似, 準, 次等, / 錯倍, / 壹陸李 / 旁順 alongside, beside
paralyze, parasite

⑳ 類似, 準, 次, 亞

para- 類似, 準

para-book 類似書籍的刊物
的

pararuminant 類反芻動物
paramilitary 準軍事性的
para-church 準教會
para-academic 準學者
para-government 仿政府

parareligious 半宗教性的
para-party 半政黨組織
parastatal 半官方的, 半政府的

quasi- 類似, 準

quasi-judicial 準司法性的
quasi-legislative 準立法性的
quasi-official 半官方的
quasi-sovereign 半獨立的
quasi-war 準戰爭
quasi-conductor 準導體

quasi-historical 似屬歷史的
quasi-shawl 類似圍巾的東西
quasi-public 私營公用事業的
quasi-cholera 擬霍亂

sub- 準, 次, 亞

subcontinent 次大陸
subsonic 亞音速的
subtropics 亞熱帶
subfamily (生物)亞科

subcollege 準大學程度的
subatomic 亞原子的
submetallic 亞金屬的
subtribe (生物)亞族

by- 旁, 偏

bystreet 旁街, 僻街
bystander 旁觀者
byway 偏僻小路
bywalk 僻徑, 小道
by-lane 小巷

bypass 旁道, 旁路
bypath 僻徑, 小道
byroad 小路, 支路
by-line 鐵路支線
by-channel 支渠

sub- 分，分支，子

subarea　分區

subregion　分區

subdepartment　分部，支局

subbranch　分支，支店

subsystem　分系統，支系統

suboffice　分辦事處，分局

subroutine　子程序

subsatellite　子衛星

subcommittee　小組委員會

6

表示否定

27 反對

anti- 反對，防止

antiwar　反戰的

anti-feudal　反封建的

anti-colonial　反殖民主義的

anti-fascist　反法西斯主義的

antimissile　反導彈的

antislavery　反奴隸制度（的）

antiracism　反種族主義

antiaircraft　防空襲的

antimissile　反飛彈的

antitank　反坦克的

anti-seismic　抗地震的

antimagnetic　（手錶）防磁的

antitoxin　抗毒素

anticontagious　防止傳染的

antifebrine　退燒藥，解熱劑

antinoise　防噪音的

antiageing　防衰老的

antifat　防止肥胖的

counter- 反對，相反

counteraction　反作用

counterattack　反攻，反擊

counterrevolution　反革命

counterespionage　反間諜活動

counterdemand　反要求

countermove　反向運動

counterdemonstration　反示威

countertrend　反潮流

counterproposal　反提案

counterplot　反計，將計就

計

counterview 反對意見

counterwork 對抗行動

contra- 反對，相反，相對

contra-missile 反飛彈導彈

contradict 反駁，相矛盾

contravene 違反，抵觸，反駁

contraclockwise 逆時針方

re- 反對，相反

reaction 反動，反應

resist 反抗，抵抗

rebel 反叛，謀反

counterclockwise 逆時針方向的

countereffect 反效果

向的

contraposition 對照，針對

contradistinction 對比的區別

reverse 反轉的，顛倒的

revolt 反叛，造反

resent 不滿，忿恨

28 否定(不，無，非，未)

in- 不，無，非

inglorious 不光彩的

incorrect 不正確的

incomplete 不完全的

inhuman 不人道的

injustice 不公正

im- 不，無，非

impossible 不可能的

imperfect 不完美的

immoral 不道德的

impure 不純潔的

imbalance 不平衡

immaterial 非物質的

incapable 無能力的

incomparable 無比的

insensible 無感覺的

inartistic 非藝術的

informal 非正式的

immemorial 無法追憶的，太古的

impolite 無禮的

impassive 無表情的

impersonal 非個人的

mis- 不

misfit 不合適，不相稱
mislike 不喜歡，厭惡
mistrust 不信任，不相信
misfire (槍等)不發火，射不出

mistime 使(話、事情等)不合時宜
misbecome 不適於…，對…不合適

dis- 不，無

dislike 不喜歡
discontinue 不繼續，中斷
disbelieve 不相信
dishonest 不誠實的
disappear 不見，消失

discomfort 不舒服
disagree 不同意
disorder 無秩序，混亂
disability 無能，無力
disloyal 不忠心的

de- 非，相反

denationalize 非國有化
dematerialize 非物質化
de-Americanize 非美(國)化
dechristianize 非基督教化
decolonize 使非殖民化

demilitarize 使非軍事化

il- 不，無

illiterate 不識字的
illoca 位置不定的
illimitable 無限的
illiberal 不大方的

ir- 不，無

irregular 不規則的
irremovable 不可移動的
irrational 不合理的
irrealizable 不能實現的

irresistible 不可抵抗的
irrelative 無關係的
irresolute 無決斷的
irreligious 無宗教信仰的

non- 不，非，無

1.不
nonsmoker 不抽菸的人
nondrinker 不喝酒的人

noncooperation 不合作
noncontinuous 不繼續的

nonaligned 不結盟的
nonexistent 不存在的
2.非
nonnatural 非天然的
nonhuman 非人類的
nonmetal 非金屬
nonconductor 非導體
3.無
noneffective 無效力的
nonparty 無黨派的
nonreader 無閱讀能力的人

un- 不，無，非，未
1.不
unreal 不真實的
unclaer 不清楚的
unhappy 不快樂的
unwelcome 不受歡迎的
2.無
unconditional 無條件的
unsystematic 無系統的
unlimited 無限的
unfathered 無父的
3.非
unjust 非正義的
unofficial 非官方的
unartificial 非人工的
unsoldierly 非軍人的
4.未

nonstop （車船等）中途不停的，直達的

nonproductive 非生產性的
nonwhite 非白種人的
nonperiodic 非周期性的

nonpayment 無力支付
nonsexual 無性別的
nonelastic 無彈性的

uncomfortable 不舒服的
unfriendly 不友好的
unequal 不平等的
unfortunate 不幸的

unmanned 無人駕駛的
unambitious 無野心的
unaccented 無重音的
unbodied 無形體的

unartistic 非藝術的
unspecialized 非專門化的
unworldly 非塵世的
undesigned 非預謀的

uncorrected　未改正的

undecided　未定的

unfinished　未完成的

uneducated　未受教育的

a-　不，無，非

atypical　不典型的

asymmetry　不對稱

asocial　不好社交的

apolitical　不關心政治的

asexual　無性別的

atheism　無神論

an-　不，無

anelectric　不起電的

anharmonic　不和諧的

anonymous　無名的，匿名的

unchanged　未改變的

unawaked　未醒的

uncivilized　未開化的

unripe　未熟的

acentric　無中心的

adynamic　無力的

ahistorical　與歷史無關的

aperiodic　非周期的

amoral　非道德性的

acellular　非細胞組成的

anechoic　無回聲的

anarchism　無政府主義

anaesthesia　無感覺，麻木，麻醉

7

表示"使成為…"，"加以…"

29 使…（使成為…，作成…，致使…）

be- 使…，使成為…

belittle 使縮小，貶低	befool 欺騙，愚弄
becalm 使鎮靜	benumb 使麻木，使失去感
bedim 使模糊	覺
bedevil 使着魔	bedazzle 使眼花繚亂
befriend 以朋友相待	

de- 使成…，作成…

denude 使裸露	delimit 劃定界限
depicture 描繪	debase 使低劣，貶低

em- 使…，使成為…

embow 使成弓形	empower 使有權力，授權
empurple 使發紫	embody 體現，使具體化
embitter 使苦	embrown 使成褐色

en- 使…，使成為…，致使…，作成…

enable 使能夠	ensphere 使成球形
encircle 作成一圈，環繞	enlarge 使擴大，放大
encourage 使有勇氣，鼓勵	enfeeble 使衰弱
endanger 使遭危險	enrich 使富足
endear 使受喜愛	enslave 使成奴隸，奴役

ennoble　使成貴族，使高貴	**encrimson**　使成深紅色

im-　使…，使成…

imperil　使處於危險中	樂園
imbrute　使墮落成禽獸一樣	**impearl**　使成珍珠
imparadise　使登天堂，使成	

in-　使

inflame　使燃燒	**inspirit**　使振作精神
infuriate　使狂怒	**invigorate**　使精力充沛

ex-　使…

expurgate　使清潔	**exasperate**　使大怒
excruciate　使受刑，使痛苦	**exalt**　使升高

③⓪ 加以…，飾以…

be-　加以…，飾以…

bepowder　在…上撒粉	**bejewel**　飾以珠寶
becloud　遮蔽，遮暗	**bedew**　沾濕
begird　用帶捲繞	**befog**　罩入霧中

em-　加以…，飾以…

embalm　塗以香料	**emblazon**　飾以紋章
embank　築堤防護	**embar**　上門閂

en-　加上…，飾以…，用…做某事

enchain　用鏈鎖住	**enlace**　用帶縛，捆紮
encloud　陰雲遮蔽	**entrap**　用陷阱誘捕
enwreathe　飾以花環	**engarland**　給…戴上花環
encrust　用外殼包之	**enrobe**　穿以長袍

8

表示除去(取消，毀)

de- 除去，取消，毀

deflower　摘花

decamp　撤營

dewater　除去…的水分

desalt　除去…的鹽分

decolour　使褪色，去色

deforest　砍伐森林

deregister　撤銷…的登記

decontrol　取消管制，解除管制

defrost　除霜，解凍

defame　毀壞…的名譽

decivilize　使喪失文明

depopulation　人口減少

deoccupy　解除對…的佔領

degas　排氣，除氣，消除毒氣

decode　解密碼

dehorn　除去(動物的)角

deface　毀…的外觀

de-ink　除去污跡

dis- 除去，取消，毀

discourage　使失去勇氣

disarm　解除武裝，裁軍

disburden　解除負擔

disforest　砍伐森林

dismask　除去面罩

disroot　拔根，根除

disrobe　脫衣

dishearten　使失去信心

discolour　(使)褪色

disfigure　毀形

disbud　摘去嫩芽

out- 除去

outroot　除根

outgas　除去…的氣

outlaw　奪去法律上的權利

un-　除去

uncap　脫帽

uncover　揭開蓋子

undress　(使)脫衣服

unchain　解開鎖鏈

9

表示數字

uni-　一，單一

unilateral　一邊的，單方面的

unicycle　單輪腳踏車

unicorn　獨角獸

univalent　一價的，單價的

unidirectional　單向性的

unipolar　單極的

unicellular　單細胞的

uniped　獨脚的

mono-　一，單一，獨（在母音前作 mon-）

monosyllable　單音節字

monodrama　單人劇

monotone　單音，單調

✓ monarch　獨裁者

monotheism　一神教

monatomic　單原子的

monocycle　獨輪腳踏車

monoplane　單翼飛機

monoxide　一氧化物

monochord　一弦琴

bi-　二，兩

bicolour　兩色的

bilingual　兩種語言的

bisexual　兩性的

biplane　雙翼飛機

bimetal　雙金屬

biform　有二形的

biweekly　雙周刊

bimonthly　雙月刊

bipolar　兩極的

bicycle　自行車（cycle 輪）

bilateral　雙邊的

bifacial　兩面一樣的

twi-　二，兩

twiformed　有二形的

twifold　兩倍，双重

twiblade　雙葉蘭
twilight　黎明，黃昏，曙暮

twiforked　有兩叉的

di-　二，兩

diatomic　二原子的

digraph　兩個字母合成的一個音

dioxide　二氧化物

digamy　再婚

dichromatic　有兩色的

ditheism　二神論，兩神教

diarchy　兩頭政治

dicotyledon　雙子葉植物

dipetalous　有兩個花瓣的

diacid　二酸

disyllable　雙音節字

amphi-　二，兩

amphicar　水陸兩用車

看的劇場，圓形劇場

amphibian　水陸兩棲的

amphichromatic　兩種顏色的

amphibiology　兩棲生物學

amphitheatre　兩邊都可觀

tri-　三

tricolour　三色的

tricar　三輪汽車

triangle　三角(形)

trisyllable　三音節字

triatomic　三原子的

trilingual　三種語言的

triunity　三位一體

triweekly　三周刊

trisection　三等分

trijet　三引擎噴氣機

trigonometry　三角學

trilateral　三邊的

trioxide　三氧化物

triplex　三倍的，三重的

quadri-　四(亦作 quadru-，在母音前作 quadr-)

quadrilingual　用四種語言的

quadruped　四足動物

quadrisyllable　四音節字

quadrangle　四角形

quadripartite　分四部分的

quadricycle　四輪車

quadrilateral　四邊的

quadrivalent　(化學)四價的

quadrennial　四年的

quadruplane 四翼飛機

tetra- 四（在母音前作 **tetr-**） 「花」→死→四

tetracycline 四環素

tetrode 四極管

tetragon 四角形

tetrapod 四足動物

tetrachord 四弦樂器

tetrasyllable 四音節字

tetroxide 四氧化物

tetragram 四個字母組成的字

penta- 五（在母音前作 **pent-**）

pentagon 五角形（the Pentagon 五角大樓，美國國防部辦公大樓）

pentangular 有五角的

pentagram 五角星形

pentatomic 有五原子的

pentode 五極管

pentachord 五弦琴

pentavalent （化學）五價的

pentameter 五韻詩

pentarchy 五頭政治

pentoxide 五氧化物

quinque- 五（在母音前作 **quinqu-**）

quinquesyllable 五音節字

quinquesection 五等分

quinqueliteral 有五字的

quinquennial 每五年的

quinquangular 五角形的

quinquevalence （化學）五價

quinquepartite 分五部分的

quinquelateral 有五邊的

sex- 六（亦作 **sexi-**） six→sex→sex

sexangle 六角形

sexisyllable 六音節字

sexivalence （化學）六價

sexcentenary 六百（年）的

sexdigitism 六指（或趾）

sexpartite 分為六部分的

sexfoil 六葉形

sexennial 每年的

sexto 六開本

hexa- 六（在母音前作 **hex-**）

hexagon 六角形

hexode 六極管

hexagram　六線形　　　　　　hexameter　六韻脚詩

hexangular　有六角的　　　　hexapod　六足蟲

hepta-　七(在母音前作 hept-)

heptagon　七角形　　　　　　heptode　七極管

heptahedron　七面體　　　　　heptarchy　七頭政治

heptachord　七弦琴　　　　　heptaglot　七種語言的

octa-　八(亦作 octo-與 oct-)

octagon　八角形　　　　　　　octosyllable　八音節字

octavalent　(化學)八價的　　　octolateral　八邊的

October　(古羅馬八月)十月　　octameter　八韻脚詩

octocentenary　八百周年紀　　octachord　八弦琴
念日

ennea-　九

enneasyllable　九音節字　　　enneagon　(數學)九角形

enneahedron　(數學)九面體

deca-　十

decasyllable　十音節字　　　　decagon　十角形

decameter　十米　　　　　　　decagram　十克

decalitre　十升　　　　　　　decapod　十脚動物

hecto-　百(亦作 hect-)

hectogram　一百克　　　　　　hectowatt　一百瓦

hectometer　一百米　　　　　　hectoampere　一百安培

hectolitre　一百升　　　　　　hectare　一百公畝，一公頃

kilo-　千

kilogram　千克，公斤　　　　　kiloampere　千安培(電流)

kilometer　千米，公里　　　　　kilowatt　千瓦(電力)

kiloton　千噸　　　　　　　　kilocycle　千周

kilolitre　千升　　　　　　　　kilovolt　千伏(電壓)

kilocalorie 千卡(熱量)　　　kilodyne 千達因(力)

myria- 萬 米粒主
　myriagram 萬克(十公斤)　　myriadyne 萬達因(力)
　myriametre 萬米(十公里)　　myrialitre 萬公升
　myriawatt 萬瓦(電力)　　　myriabit 萬位

mega- 百萬，兆(亦作 meg-)
　megacycle 兆周　　　　　megavolt 兆伏(電壓)
　megaton 百萬噸級　　　　megawatt 兆瓦(電力)
　megohm 兆歐姆(電阻)　　megaerg 兆耳格(功)

deci- 十分之一
　decigram 十分之一克，分　　米
　克　　　　　　　　　　　decilitre 十分之一升，分升
　decimeter 十分之一米，分　deciare 十分之一公畝

centi- 百分之一
　centigram 百分之一克，釐　　米
　克　　　　　　　　　　　centilitre 百分之一升，釐
　centimeter 百分之一米，釐　升

milli- 千分之一
　milligram 千分之一克，毫　　米
　克　　　　　　　　　　　millilitre 千分之一升，毫升
　millimeter 千分之一米，毫　millivolt 千分之一伏，毫伏

10

其他

auto- 自己，自動

autocriticism 自我批評

autobiography 自傳

autosuggestion 自我暗示

auto-timer 自動定時器

autorotation 自動旋轉

autoalarm 自動報警器

autoinfection 自體感染

autobike 機器腳踏車

ex- 前任的，以前的

ex-president 前任總統

ex-mayor 前任市長

ex-premier 前任總理

ex-soldier 退伍軍人

ex-Nazis 前納粹分子

ex-chancellor 前任大學校長

ex-wife 前妻

ex-husband 前夫

hetero- 異

heteropolar 異極的

heterosexual 異性的

heterochromous 異色的

heterodoxy 異教，異端

heteromorphic 異形的

heterogenous 異種的，異類的

inter- 互相

interchange 互換

interact 相互作用

interdependence 互相依靠

intercourse 交際

intermigration 互相移居

interview 會見

interweave 混紡，交織

intermix 互混，混雜

interconnect　使互相連接　　intervolve　互捲

out-　勝過，超過

outdo　勝過，戰勝　　　　outrun　跑過，追過

outlive　活得比…長　　　　outbrave　以勇勝過

outgo　走得比…遠　　　　outact　行動上勝過

outeat　吃得比…多　　　　outnumber　在數量上超過

outvote　以票數取勝　　　outbalance　以重量勝過

mis-　錯誤

misspell　拼錯　　　　　　misplace　放錯地方

misread　讀錯　　　　　　mishear　誤聞，聽錯

misunderstand　誤解　　　misremember　記錯

mistranslate　錯譯　　　　miscalculate　算錯

miscall　叫錯名字，誤稱　mislead　引導錯

misdirect　指錯方向　　　misprint　印錯，誤印

✓ para-　錯誤，偽

parachronism　記時錯誤　　paraphasia　語言錯亂

paralogism　不合邏輯的推　paramnesia　記憶錯誤
論，謬論　　　　　　　　　parachromatism　色覺錯誤

paradox　謬論，邪說　　　paraselene　幻月，假月

✓ para-　空降，空投，傘兵

paratroops　傘兵部隊　　　paradrop　空投，空降

paratrooper　傘兵　　　　parapack　空投包裹

paraoperation　傘兵戰　　pararescue　傘投人員進行的
救援
paramedic　傘兵軍醫，傘降
醫生　　　　　　　　　　　parashoot　射擊敵人傘兵

paraglider　滑翔降落傘　　paraspotter　守望傘兵者

parawing　翼狀降落傘　　parakite　飛行降落傘

parabomb　傘投炸彈　　　paradog　傘降犬，空投犬

proto- 原始

protohuman　早期原始人的	protocontinent　原始大陸
protohistory　史前時期	protozoology　原生動物學
protolanguage　原始母語	protozoan　原生動物
prototype　原型	protogenic　原生的

pseudo- 假

pseudo-democratic　假民主的	品
	pseudoclassic　偽古典的
pseudoscience　偽科學	pseudomyopia　假性近視
pseudonym　假名，筆名	pseudopregnancy　假孕
pseudology　謊話	pseudocrystal　偽晶體
pseudograph　偽書，冒名作	pseudocompound　假化合物

re- 再，重新

reprint　重印，再版	reexchange　再交換
reproduction　再生產	rearm　重新武裝
rebuild　重建，再建	reconsider　重新考慮
rebirth　再生，新生	reexamination　覆試，再考
renumber　重編號碼	remarry　再婚
restart　重新開始	rebroadcast　重播，再播

step- 後，繼，後父或後母所生的，前夫或前妻所生的

stepfather　後父，繼父	子
stepmother　後母，繼母	stepbrother　後父(或後母)之子，異父(母)兄弟
stepson　前夫(或前妻)之子	
stepdaughter　前夫(或前妻)之女	stepsister　後父(或後母)之女，異父(母)姐妹
stepchild　前夫(或前妻)的孩	

stereo- 立體

stereosonic　立體聲的	stereophony　立體音響

stereotelevision　立體電視　　　stereography　立體攝影術

stereotape　立體聲磁帶　　　stereogram　立體圖

stereograph　立體照片　　　stereoproject　立體投影

trans-

1.橫過，越過

transoceanic　橫渡大洋的　　transnational　超越國界的

transcontinental　橫貫大陸　transnormal　超出常規的
的

transpacific　橫渡太平洋的　transfrontier　在國境外的

transmarine　越海的　　　transatlantic　橫渡大西洋
的

transpersonal　超越個人的

2.轉變，轉換，轉移

transform　使變形，改造　　一船

transposition　互換位置　　transvest　換穿別人衣服

transplant　移植　　　　transmigrate　移居

transport　運輸　　　　transcode　譯密碼

transfigure　使變形　　　translocation　改變位置

transship　換船，轉載於另

un-　由…中弄出

untomb　從墓中掘出　　　unearth　由地下挖出

uncase　從盒中取出　　　unhouse　把…趕出屋外

uncage　放…出籠　　　　unbosom　吐露(心事)

第三章

字　尾

❶名詞字尾
❷形容詞字尾
❸動詞字尾
❹副詞字尾

1

名詞字尾

① 表示人（一般）

-ain

riverain　住在河邊的人

captain　船長

chieftain　酋長，頭子

villain　惡棍，壞人

chamberlain　財務管理人

chaplain　小教堂的牧師

-aire

millionaire　百萬富翁

occupationaire　軍事佔領人員

doctrinaire　教條主義者

solitaire　獨居者

commissionaire　看門人

concessionaire　特許權所有人

-al

criminal　犯罪分子

aboriginal　土人

corporal　班長，下士

survival　倖存者

rival　競爭者

rascal　惡棍，歹徒

arrival　到達者

-an

publican　旅店主人

Puritan　清教徒

castellan　城堡主，寨主

European　歐洲人

Chilean　智利人

veteran　老手，老兵

Spartan　斯巴達人

Mohammedan　回教徒，伊

斯蘭教徒

Elizabethan 伊麗莎白女王
時代的人

-ant

examinant 主考人

inhabitant 居民

occupant 佔據者

informant 提供消息者

participant 參與者

attendant 出席者

discussant 討論會參加者

-ar

scholar 學者

beggar 乞丐

registrar 管登記的人

burglar 夜盜，夜賊

liar 說謊的人

-ard

Spaniard 西班牙人

wizard 男巫，奇才

-arian

parliamentarian 國會議員

alphabetarian 學字母的人

fruitarian 主要靠吃水果過
日子的人

equalitarian 平均主義者

disciplinarian 受訓練者

doctrinarian 教條主義者

American 美洲人，美國人

African 非洲人

metropolitan 大城市人

insurant 被保險人

accountant 核算者，會計

executant 執行者

servant 僕人

assistant 助手，助理

expectant 期待者

accusant 控告者，控訴者

pedlar 商販，小販

Templar 聖殿騎士

bursar 大學的會計(來自
purse)

dynamitard 使用炸藥的人

laggard 落後者

attitudinarian 裝模作樣者

unitarian 擁護政治統一的
人

antiquarian 古物家

abecedarian 教或學 a,b,c,d
的人，初學者，啟蒙老師

humanitarian 人道主義者

utilitarian　功利主義者 **vegetarian**　素食者

-**ary**

secretary　書記，秘書 **revolutionary**　革命者

adversary　對手 **functionary**　職員，官員

plenipotentiary　全權代表 **notary**　公證人

dignitary　居高位者 **contemporary**　同時代的

reactionary　反動份子 人，同齡者

temporary　臨時工 **solitary**　隱居者

missionary　傳教士

-**ast**

gymnast　體操家 **encomiast**　讚美者

enthusiast　熱心者 **symposiast**　參加宴會的人

scholiast　注解者 **ecdysiast**　脫衣舞舞女

-**ate**

graduate　畢業生 **delegate**　代表

candidate　候補者 **curate**　副牧師

magistrate　地方行政官 **advocate**　辯護者

-**ator**

designator　指定者 **pacificator**　平定者

conservator　保護者 **valuator**　評價者

continuator　繼續者 **commetator**　評論員

-**ee**

(a)**被動者**

employee　被雇者，雇員， **examinee**　接受考試者

雇工 **payee**　被付給者

electee　被選出者 **trainee**　受訓練的人

invitee　被邀請者 **appointee**　被任命者

testee　被測驗者 **callee**　被呼喚者

| bombee 被轟炸的人 | tailee 被尾隨者 |
| expellee 被驅逐者 | interviewee 被接見者 |

(b)主動者

meetee 參加會議者	devotee 獻身者
absentee 缺席者	retiree 退休者
escapee 逃亡者, 逃犯, 逃俘	standee (劇院中)站票看客, (車、船中)站立乘客
refugee 難民, 逃難者	embarkee 上船者
returnee 歸來者	

(c)不含主動或被動意義者

| townee 城裡人, 市民 | grandee 要人, 顯貴 |

-eer 專做某種工作或從事某種職業的人

weaponeer 武器專家	mountaineer 登山者
rocketeer 火箭專家	sloganeer 使用口號者
fictioneer 小說作家	cameleer 趕駱駝的人
cannoneer 炮手	engineer 工程師
profiteer 牟取暴利者	volunteer 志願者
charioteer 駕駛馬車者	pamphleteer 小冊子作者
cabineer 卡賓槍手	marketeer 市場上賣主

-el

colonel 陸軍上校	sentinel 哨兵
scoundrel 惡漢, 壞人	yokel 莊稼漢, 村夫(來自 yoke)
minstrel 吟唱者, 詩人	
wastrel 浪費者, 流浪漢	

-en

warden 看守人	alien 外國人
citizen 公民	sloven 邋遢人
denizen 居民	vixen 刁婦, 潑婦

craven　怯懦之人，懦夫

-ent

student　學生

president　總統，大學校長

correspondent　通訊員

descendent　子孫，後代

exponent　說明者，講解者

resident　居民

patient　病人

antecedent　先行者

opponent　對手，反對者

-er

(a)行為的主動者，做某事的人

singer　歌唱家

dancer　跳舞者

teacher　教師

writer　作者，作家

reader　讀者

leader　領袖

fighter　戰士

worker　工人

farmer　農民

turner　車工

(b)與某事物有關的人

hatter　帽商，製帽工人

banker　銀行家

wagoner　駕駛運貨車的人

tinner　錫匠

miler　一英里賽跑運動員

teenager　（十三至十九歲的）青少年

six-footer　身高六英尺以上的人

weekender　度周末假者

(c)屬於某國、某地區的人

United Stateser　美國人

New Yorker　紐約人

Thailander　泰國人

New Zealander　紐西蘭人

northerner　北方人

southerner　南方人

Britisher　英國人

Londoner　倫敦人

Icelander　冰島人

islander　島民

inlander　內地人

villager　村民

-ese 某國或某地的人

Chinese	中國人	Burmese	緬甸人
Pekingese	北京人	Portugese	葡萄牙人
Cantonese	廣州人	Maltese	馬耳他人
Japanese	日本人	Viennese	維也納人
Vietnamese	越南人	Congolese	剛果人
Bhutanese	不丹人	Bengalese	孟加拉人
Nepalese	尼泊爾人	Milanese	米蘭人

-eur

amateur	業餘愛好者	restauranteur	飯店老闆
petroleur	用石油放火者	litterateur	文人，文學家
saboteur	怠工者	farceur	滑稽演員

-fier 由 -fy + -er 而成，表示做某事者

beautifier	美化者	falsifier	偽造者
glorifier	讚美者，頌揚者	certifier	證明者
pacifier	平定者	justifier	辯明者，辯解者
classifier	分類者	fortifier	築城者，設防者
typifier	典型代表者	rectifier	改正者

-ian

grammarian	語法學家	collegian	高等學校學生
historian	歷史學家	comedian	喜劇演員
guardian	守衛者	tragedian	悲劇演員
civilian	平民	lilliputian	矮子
Egyptian	埃及人	Mongolian	蒙古人
Arabian	阿拉伯人	United Statesian	美國人
Canadian	加拿大人	Parisian	巴黎人
Christian	基督教徒	Oceanian	大洋洲人

-ic

critic	批評者，評論家	rustic	鄉下人
mechanic	技工，機械師	cleric	牧師
classic	古典作家	sceptic	懷疑論者
Catholic	天主教徒	heretic	異教徒
eccentric	古怪的人	ascetic	苦行者

-ician 表示精於某種學術的人、專家、能手或從事某種職業的人

musician	音樂家	beautician	美容師
mathematician	數學家	technician	技術員
physician	內科醫生	magician	魔術師
electrician	電工	phonetician	語音學家
academician	院士	geometrician	幾何學家

-ie

roomie	住在同室的人	bookie	(賽馬等)登記賭注者
shortie	矮子	toughie	粗野的人，惡棍
oldie	老人		

-ier

cashier	出納員	bombardier	炮手，投彈手
clothier	織布工人，布商	grenadier	擲手榴彈者
financier	財政家	missilier	導彈專家
hotelier	旅館老闆	brigadier	旅長
haulier	拖曳者，運輸工	brazier	黃銅匠
courtier	朝臣	glazier	安裝玻璃工人
premier	總理，首相	collier	煤礦工人
courier	送急件者，信使	cavalier	騎士

-ior

warrior	勇士，戰士	inferior	低下的人，下級
superior	上司，上級	savior	救助者，救星

senior　年長者，前輩　　　junior　年少者，晚輩

-ist

(a)表示某種主義者或某種信仰者

communist　共產主義者　　materialist　唯物主義者

socialist　社會主義者　　naturalist　自然主義者

nationalist　民族主義者　　imperialist　帝國主義者

collectivist　集體主義者　　extremist　極端主義者

(b)表示從事某種職業的人、從事某種研究的人、與某事物有關的人

artist　藝術家　　　　tobacconist　菸草商人

violinist　小提琴家　　druggist　藥商，藥劑師

physicist　物理學家　　moralist　道德家

dentist　牙科醫生　　progressist　進步份子

scientist　科學家　　copyist　抄寫員

typist　打字員　　motorist　駕駛汽車者

novelist　小說家　　journalist　新聞工作者

-ister

palmister　看手相者　　chorister　合唱者

sophister　詭辯家　　barrister　律師

-it

bandit　匪徒　　Jesuit　耶穌會會員

hermit　隱士

-ite

suburbanite　郊區居民　　Islamite　伊斯蘭教徒

socialite　社會名流，名人　Israelite　以色列人

Tokyoite　東京市民　　Labourite　工黨黨員

Muscovite　莫斯科人　　favorite　喜愛的人

computerite　計算機人員　bedlamite　精神病人

Yemenite　葉門人　　negroite　同情黑人者

-itor

servitor	侍從，男僕	competitor	比賽者，競爭者
compositor	排字工人	expositor	講解者，說明者
progenitor	祖先	janitor	看門人

-ive

detective	偵探，密探	progressive	進步人士
native	本地人，土人	executive	執行者
relative	親戚	captive	俘虜
representative	代表	fugitive	逃亡者

-ling 與某種事物或情況有關的人、具有某種性質的人

starveling	飢餓的人	fondling	被寵愛者
weakling	體弱的人，弱者	youngling	年輕人
hireling	被雇的人	witling	假作聰明的人
underling	部下，下屬	earthling	世人，凡人，俗人
nurseling	乳嬰，乳兒	
worldling	凡人，世俗之徒	

-logist 表示「…學家」、「…研究專家」，由-log(y)＋-ist 而成，亦作-ologist

biologist	生物學家	dialectologist	方言學家
oceanologist	海洋學家	Sinologist	漢學家
volcanologist	火山學家	Pekingologist	北京通
zoologist	動物學家	musicologist	音樂研究專家
climatologist	氣候學家	technologist	工藝學家
geologist	地質學家	seismologist	地震學者
bacteriologist	細菌學家	

-nik 表示…人，…迷

| protestnik | 抗議者 | 者 |
| citynik | 城市人，迷戀城市 | peacenik | 反戰運動者 |

filmnik　電影迷　　computernik　電腦人員

cinenik　電影迷　　goodwillnik　捧場人

nudnik　無聊的人　　folknik　民歌愛好者

no-goodnik　不懷好意者　　jazznik　爵士樂迷

boatnik　船戶，水上人家

-o

politico　政客　　Latino　拉丁美洲人

typo　排字工人　　bravo　歹徒，亡命徒

desperado　亡命徒，暴徒　　magnifico　高官，貴人

mulatto　黑白混血兒　　maestro　藝術大師

fantastico　可笑的怪人　　virtuoso　藝術鑒賞家

albino　患白化病者　　buffo　滑稽男演員

-on

southron　南方人　　matron　主婦

Briton　英國人　　archon　主要官員

patron　保護人　　glutton　貪吃者

-oon

buffoon　小丑，演滑稽戲的　　血統的)混血兒

人　　maroon　被放逐到孤島的人

poltroon　膽小鬼，懦夫　　picaroon　流浪漢，盜賊

quadroon　(有四分之一黑人　　patroon　大莊園主

-or

actor　行動者，男演員　　sailor　水手，海員

translator　翻譯者，譯員　　constructor　建造者

oppressor　壓迫者　　elector　選舉者

educator　教育者　　protector　保護者

supervisor　監督人　　corrector　矯正者，校對員

inventor　發明者　　governor　總督，省長

debtor　負債人　　　　　　bettor　打賭者

-ot

patriot　愛國者　　　　　　Cypriot　塞浦路斯人

zealot　熱心者　　　　　　Italiot　意大利南部古希臘殖

pilot　領航員，飛行員　　　民地居民

compatriot　同胞　　　　　Zantiot　(希臘)贊德島的土

idiot　白痴，傻子　　　　　人

-san

partisan　黨人，黨徒，游擊　artisan　手工藝人，工匠

隊員　　　　　　　　　　　courtesan　高等妓女，名妓

-ster

songster　歌手，歌唱家　　　teenster　十幾歲的少年

youngster　年輕人，小孩　　tonguester　健談的人

oldster　老人　　　　　　　spinster　紡織女

penster　作者　　　　　　　speedster　超速駕駛者

seamster　裁縫　　　　　　maltster　製造麥芽者

tapster　酒吧間招待員　　　minister　部長，大臣

teamster　卡車司機，趕牲口　punster　愛用雙關語者

者

-y

lefty　左撇子，用左手的人　toughy　粗野的人，惡棍，

fatty　胖子　　　　　　　　流氓

darky　黑人　　　　　　　　oldy　老人

smithy　鐵匠，鍛工　　　　newsy　報童

towny　城裡人，鎮民　　　　parky　公園管理人

shorty　矮子　　　　　　　cabby　出租車駕駛人

whitey　白人

-yer

lawyer　律師，法律家

sawyer　鋸木人，鋸工

bowyer　製弓的人，弓手，射者

② 表示人(女性) *enne ess ette*

-enne

comedienne　女喜劇演員

tragedienne　女悲劇演員

equestrienne　女騎手，女馬術師

-ess

citizeness　女公民

manageress　女經理

poetess　女詩人

authoress　女作家

mayoress　女市長，市長夫人

giantess　女巨人

hostess　女主人

Jewess　猶太女人

tailoress　女裁縫

heiress　女繼承人

governess　女統治者

murderess　女凶手

astronautess　女太空人

patroness　女保護人

millionairess　女百萬富翁

-ette

sailorette　女水手

typette　女打字員

usherette　女引座員

suffragette　婦女參政運動者

majorette　軍樂隊女隊長

farmerette　農婦，種田婦女

-ine

heroine　女英雄

landgravine　伯爵夫人

concubine　姜，姘婦

margravine　侯爵夫人

-ress

actress　女演員

waitress　女服務員

interpretress　女譯員

creatress　女創造者

oratress　女演說家

aviatress　女飛行員

foundress　女創立人

electress　女選舉人

huntress　女獵人

editress　女編輯

protectress　女保護者

conductress　女指揮，女售票員

dictatress　女獨裁者

chantress　女歌唱者

-rix 亦作-trix

aviatrix　女飛行員

arbitratrix　女調解人

executrix　女執行者

testatrix　女遺囑人

administratrix　女管理員

agitatrix　女鼓動家

interlocutrix　女對話者

prosecutrix　女原告，女起訴人

③ 表示人(賤稱、卑稱、愛稱)

-ard

drunkard　醉鬼，酒徒

dullard　笨人，笨漢

dotard　年老昏憒的人

sluggard　懶漢

coward　膽怯者

bastard　私生子

stinkard　卑鄙者，討厭的人

niggard　守財奴

-aster

poetaster　劣等詩人

medicaster　江湖醫生，庸醫

criticaster　低劣的批評家

philosophaster　膚淺的哲學

-ster

gamester　賭徒，賭棍

gangster　匪徒，歹徒

mobster　暴徒，匪徒

trickster　騙子

rhymester　作打油詩的人，劣等詩人

-ie

girlie　姑娘

laddie　男孩，小伙子

auntie	對 aunt 的親熱稱呼	grannie	奶奶
dearie	親愛的，寶貝兒	sweetie	愛人，情人

-y

daddy	爸爸，爹爹		稱
granny	奶奶	missy	少女，小姐
aunty	阿姨，對 aunt 的暱		

④ 表示物

-acle

receptacle	容器，花托	obstacle	障礙
manacle	手銬	tentacle	觸角，觸鬚
spiracle	通氣孔	pentacle	五角星形
spectacle	景物		

-ade 由某種材料製成者或按某種形狀製成者

orangeade	橘子水		牆
lemonade	檸檬水	balustrade	（一行）欄杆
arcade	拱廊	stockade	柵欄，木籬
cockade	帽章	grenade	手榴彈
gabionade	用土石筐築成的		

-age

roofage	蓋屋頂的材料	cabbage	捲心菜，洋白菜
package	包裹	roughage	粗糧，粗飼料
bandage	繃帶	blindage	盲障，掩體
carriage	馬車，客車廂	wrappage	包裹物，包裝材
commonage	公地		料
altarage	祭壇的祭品	appendage	附屬物
buoyage	浮標，浮標裝置	droppage	落下物
barrage	土堤，壩	mucilage	膠水

garbage　垃圾，廢物

-ain

curtain　幕

porcelain　瓷器

terrain　地帶，地形

mountain　山

fountain　泉水

plantain　車前草

-al

mural　壁畫

manual　手冊

arsenal　武器庫

pedal　踏腳板

offal　垃圾，廢物

dial　日晷，標度盤，（電話）撥盤

urinal　尿壺，小便池

-ant

coolant　冷卻劑

excitant　興奮劑

decolourant　脫色劑

dependant　依附物

attenuant　稀釋劑

abradant　研磨料

pennant　三角旗

radiant　發光體

digestant　消化劑

stimulant　刺激物

depressant　抑制劑

disinfectant　消毒劑

pendant　下垂物，垂飾

adulterant　摻合物，摻雜物

refrigerant　致冷劑，冷凍劑

-ar

cellar　地窖

altar　祭壇

radar　雷達，無線電探測器

exemplar　模範，典型

calendar　日曆

collar　領子

-ary

dictionary　字典，辭典

glossary　字彙表

salary　薪金

luminary　發光體

formulary　公式彙編

distributary　江河的支流

-ator

comparator　比較器

condensator　凝結器

computator　計算機

trafficator　(汽車的)方向指

示器

illuminator　照明器

elevator　升降機，電梯

insulator　絕緣體

-ee

coatee　緊身上衣

vestee　背心形的衣服

goatee　山羊鬍子

settee　有靠背的椅子

bootee　輕便短統女靴

-el

roundel　圓形物

flannel　法蘭絨

costrel　有耳的罈子

cartel　交換俘虜協議書

chisel　鑿子

funnel　漏斗

-ent

detergent　洗滌劑

corrodent　腐蝕劑

solvent　溶劑

continent　大陸

effluent　流出物，廢水

component　組成部分，組

件，部件，元件

absorbent　吸收劑

abluent　洗淨劑

corrigent　矯正藥

ingredient　混合物的組成部

分，配料、成分

unguent　藥膏，油膏

-er 能做某事之物或與某事物有關之物

washer　洗衣機

lighter　打火機

heater　加熱器

cutter　切削器，刀類

boiler　煮器，鍋

bomber　轟炸機

censer　香爐

freezer　冷卻器，冷藏車

drawer　抽屜

sprayer　灑水車，噴霧器

computer　計算機，電腦

carrier　航空母艦

fiver 五元鈔票	fertilizer 肥料，化肥
tenner 十元鈔票	mixer 攪拌機
silencer 消音器	shutter 百葉窗，窗板
spinner 紡紗機	reaper 收割機
grater 磨具，銼	recorder 記錄器，錄音機

✓ -ile

missile 導彈，飛彈，發射物	automobile 汽車
projectile 拋射體，射彈	domicile 住宅，住處
textile 紡織品	campanile 鐘樓

-ine

gasoline 汽油	lustrine 有光的紡織品
butterine 人造奶油	figurine 小塑像，小雕像
figuline 陶製品，瓷器	gelatine 膠，動物膠

-ing

⒜表示製…所用的材料

flooring 鋪地板材料	bagging 製袋用的材料
felting 製氈材料	coating 上衣衣料
hatting 製帽材料	sacking 麻袋布
shirting 襯衫料	

⒝表示某種行為的產物、為某種行為而用之物、與某種行為有關之物、與某物有關之物

building 建築物，樓房	winning 贏得物，錦標
carving 雕刻物	filling 填充物，填料
holding 佔有物	legging 護腿，綁腿
giving 給予物，禮物	footing 立足處，立足點
colouring 顏料	washing 待洗的衣服
bedding 床上用品	clothing 衣服
fleshing 肉色緊身衣	ceiling 天花板，頂篷

-ive

locomotive　火車頭, 機車

explosive　炸藥, 爆炸物

directive　指令

adhesive　膠黏劑

anticorrosive　防腐蝕劑

preventive　預防藥

olive　橄欖(樹)

-le 做某種動作時所使用之物

thimble　頂針
（thimb ← thumb 拇指）

shuttle　織布袋
（shut ← shoot 拋出）

stopple　塞子

spindle　紡紗錠子
（spin 紡）

handle　柄, 把手

girdle　帶, 腰帶

-ment

embankment　堤岸

pavement　人行道

nutriment　營養品

battlement　城牆垛

attachment　附屬物

vestment　外衣, 制服

monument　紀念碑

ornament　裝飾物

instrument　工具, 器械

fragment　碎片, 碎塊

equipment　裝備, 設備

medicament　藥物, 藥劑

basement　地下室

apartment　房間

armament　兵器

pigment　顏料

-o

studio　工作室

volcano　火山

quarto　四開本

sexto　六開本

piano　鋼琴

dynamo　發電機

octavo　八開本

folio　對開本, 對折紙

piccolo　短笛

-on

automaton　自動裝置

carton　紙板(箱)

| button | 鈕扣，按鈕 | wagon | 運貨車 |
| cordon | 飾帶 | rayon | 人造纖維，人造絲 |

-oon

spittoon	痰盂	cartoon	動畫片
balloon	氣球	bassoon	低音管，巴松管
saloon	大廳	festoon	花彩，彩飾
musketoon	短槍	macaroon	小杏仁餅

-or

tractor	拖拉機	televisor	電視機
conductor	導體	compressor	壓縮器
receptor	接受器	separator	分離器
detector	探測器	resistor	電阻器
mirror	鏡子	rotator	旋轉器
incisor	門牙	flexor	曲肌
razor	剃刀	projector	幻燈機，放映機

-ory

directory	姓名地址錄	promontory	海角，岬
incensory	香爐	inventory	財產目錄
refrigeratory	冷卻器，冰箱	territory	領土，領地
		offertory	施捨金，捐款

-ot

| chariot | 戰車 | carrot | 胡蘿蔔 |
| ballot | 選票 | galliot | 平底小船 |

-ture

mixture	混合物	garniture	裝飾品
fixture	固定物	armature	盔甲
coverture	覆蓋物	fixature	定型髮膠
miniature	小型物，小畫像	furniture	家具

⑤ 表示小

-cle

particle 微粒，粒子	**tubercle** 結核，小結，小瘤
denticle 小齒	**arbuscle** 矮木，灌木
pinnacle 小尖塔	**radicle** 小根，幼根
corpuscle 血球，微粒，小體	**sphericle** 小球

-cule

monticule 小山	**molecule** 分子
homuncule 矮人，侏儒	**animalcule** 微動物，微生動物
minuscule 小字母，小寫字母	

-el

model 模型(比原物小)	**parcel** 小包裹
runnel 小河，小溪	**cupel** 灰皿
citadel 城堡(比主城小)	**gravel** 砂，礫石(小石)
morsel 少許，一口	**barbel** 觸鬚

-en

maiden 少女	**kitten** 小貓
chicken 小鷄	

-et

floweret 小花	**verset** 短詩
lionet 小獅，幼獅	**circlet** 小圓
dragonet 小龍	**medalet** 小獎章
eaglet 小鷹	**packet** 小包，小捆
crotchet 小鈎	**islet** 小島
glacieret 小冰川	**coronet** 小冠冕，小冠

-ette

roomette　小房間

kitchenette　小廚房

tankette　小坦克

millionette　小百萬富翁

novelette　中篇小說(比 novel 短)

statuette　小雕像

balconette　小陽台

essayette　短文

historiette　小史

storiette　小故事

parasolette　小陽傘

cigarette　菸卷(比 cigar 小)

pianette　小豎式鋼琴

wagonette　輕便遊覽車

-ie

birdie　小鳥

doggie　小狗

piggie　小豬

cookie　小甜餅

-kin

ladykin　小婦人

lambkin　羔羊

princekin　小君主, 幼君

pannikin　小盤, 小平鍋

manikin　矮子, 侏儒

devilkin　小魔鬼

cannikin　小罐

napkin　揩嘴布, 餐巾

-let

booklet　小冊子

houselet　小房子

starlet　小星

townlet　小鎮

piglet　小豬

springlet　小泉

dovelet　幼鴿

chainlet　小鏈子

droplet　小滴, 飛沫

playlet　小型劇

wavelet　微波

toothlet　小齒

ringlet　小環

brooklet　小溪, 澗

filmlet　短(電影)片

bomblet　小型炸彈

lakelet　小湖

leaflet　小葉

statelet　小國家

streamlet　小溪

hooklet　小鈎子
rootlet　小根，細根
cloudlet　小朵雲
kinglet　小國王，小王

budlet　小芽，幼芽
roundlet　小圓，小圓形物
pamphlet　小冊子

-ling

birdling　小鳥，幼鳥
catling　小貓
pigling　小豬
wolfing　小狼，狼崽
lordling　小貴族

duckling　小鴨
gosling　小鵝
seedling　幼苗，籽苗
princeling　小君主
lambling　小羊

-ock

hillock　小丘
hummock　小圓丘

bullock　小公牛

-ule

spherule　小球(體)
globule　小球
barbule　小倒刺
antennule　小觸鬚
gemmule　微芽
tubule　細管，小管
glandule　小腺

zonule　小帶，小區域
cellule　小細胞
nodule　小節，小瘤
granule　細粒(gran＝
grain)
pilule　小藥丸(pil＝pill)
sporule　小芽胞，小胞子

-y

doggy　小狗
piggy　小豬
maidy　小女孩

kitty　小貓
missy　小姑娘，小姐
cooky　小甜餅

6 表示場所、地點

-age

orphanage	孤兒院	village	村莊
anchorage	停泊所	cottage	村舍
hermitage	隱士住處	vicarage	牧師住所
pasturage	牧場	passage	通道
parsonage	牧師住宅	curtilage	庭院

-arium 表示場所、地點、…館、…室、…院、…所等

planetarium	天文館	herbarium	植物標本室
atomarium	原子館	vivarium	動物飼養所
insectarium	昆蟲館	serpentarium	蛇類展覽館
sanitarium	療養院	solarium	日光浴室
aquarium	水族館	columbarium	鴿棚
frigidarium	冷藏室	ovarium	卵巢
oceanarium	(海洋)水族館		

-ary

rosary	玫瑰園	dispensary	藥房
infirmary	醫院，醫務室	library	圖書館
depositary	存放處	aviary	養鳥室
granary	穀倉	apiary	養蜂所
(gran＝grain)			

-atory

observatory	天文台	laboratory	實驗室
conservatory	暖房，溫室	lavatory	盥洗室，廁所

-el

kennel	狗窩	hotel	旅館
brothel	妓院	channel	航道；海峽

charnel	屍骨存放所	chancel	聖壇
hostel	旅店；寄宿舍	tunnel	隧道，坑道

-ern

saltern	鹽場	lectern	(教堂中)讀經台
cavern	洞穴	cistern	蓄水池，水塘

-ery

printery	印刷所	smithery	鐵工廠
nursery	托兒所	rosery	玫瑰園
brewery	釀造廠	bakery	烤麵包房
piggery	豬圈	nunnery	尼姑庵
vinery	葡萄園	rookery	白嘴鴉巢
fishery	漁場，養魚場	baptistery	洗禮堂，浸禮所
refinery	精煉廠	orangery	柑桔園
drinkery	酒吧間	spinnery	紡紗廠
dancery	跳舞廳	greenery	花房，溫室
eatery	餐館，食堂	goosery	養鵝場

-ium ✓

gymnasium	體育館	emporium	商場，商業中心
xenodochium	外賓招待所，客棧	Pandemonium	魔窟，閻王殿
• hospitium	寺院裡的旅館	atmospherium	大氣館

-orium

auditorium	禮堂，講堂	sanatorium	療養院
beautorium	美容院	crematorium	火葬場
healthatorium	療養院	natatorium	(室內)游泳池

-ory ✓

factory	工廠	depository	保存處，倉庫
protectory	貧民收容所	dormitory	集體宿舍

repository　貯藏所　　　　crematory　火葬場

armory　軍械庫　　　　　oratory　祈禱室

ambulatory　迴廊　　　　consistory　宗教法庭

-ry

pigeonry　鴿舍，鴿棚　　laundry　洗衣房

foundry　鑄工車間　　　pantry　食品室

almonry　施賑所　　　　vestry　教堂的洗衣室

chantry　附屬小教堂

-um

museum　博物館　　　　asylum　避難所，收容所

mausoleum　陵墓　　　　forum　法庭，廣場，論壇

sanctum　聖所，私室　　hypogeum　地下室，窖

adytum　內殿，內院，密室　Colosseum　羅馬圓形劇場

7 表示行為、行為的過程或結果

-ade 表示行為

blockade　封鎖　　　　fusillade　一齊射擊，連發射

escapade　逃避　　　　擊

gasconade　吹牛，誇口　escalade　用梯攀登

ambuscade　伏擊，埋伏　masquerade　偽裝，掩飾

cannonade　炮擊，炮轟

-age 表示行為、行為的結果

marriage　結婚　　　　leakage　漏

brigandage　強盜行為　rootage　生根

stoppage　阻止，阻塞　breakage　破碎，破損

clearage　清除，清理　brewage　釀造

wastage　耗損　　　　tillage　耕作，耕種

shrinkage　收縮，皺縮　pilgrimage　朝聖

storage 貯存, 保管	salvage 救難, 海上救助

-al 表示行為、行為的結果

refusal 拒絕	proposal 提議
withdrawal 撤退	recital 背誦
removal 移動, 遷移	arrival 到達
renewal 更新	appraisal 評價
supposal 想像, 假定	dismissal 解雇, 開除
survival 尚存, 倖存	overthrowal 推翻, 打倒
revival 再生, 復活	revisal 修訂, 修正
reviewal 復習, 評論	deposal 廢黜, 免職, 罷官

-ation 表示行為、行為的過程、結果，或由行為而產生的事物

consideration 考慮	information 通知, 消息
reformation 改革	combination 結合, 聯合
imagination 想像	quotation 引文, 引語
explanation 說明, 解釋	declaration 宣言, 聲明
determination 決定	limitation 限制
occupation 佔領, 佔據	exclamation 感嘆詞
interpretation 翻譯, 解釋	transportation 運輸
exploitation 剝削	forestation 造林
preparation 準備	conservation 保存, 保護
invitation 邀請	

-faction 表示行為、行為的結果、狀態，與動詞字尾**-fy** 相對應

satisfaction 滿足	liquefaction 液化(作用)
rarefaction 稀少, 稀薄	stupefaction 麻木狀態
calefaction 發暖作用	vitrifaction 成玻璃狀
putrefaction 腐爛作用	tepefaction 微溫, 溫熱

-fication 表示行為、行為的過程或結果，「…化」、「做…」、「使成

…」，與-fy 相對應

beautification	美化	glorification	頌揚，讚美
uglification	醜化	intensification	加強
electrification	電氣化	amplification	擴大
simplification	簡(單)化	classification	分類
pacification	平定，綏靖 *pacific*	rectification	糾正，整頓
falsification	偽造	purification	清洗，淨化
gasification	氣化	fortification	築城，設防
certification	證明	solidification	凝固，團結
typification	典型化	Frenchification	法國化

-ing 表示行為、行為的過程或結果

learning	學問，學識	teaching	教導
feeling	感覺	ageing	老化
shopping	買東西	sleeping	睡眠
walking	步行，散步	swimming	游泳
farming	耕作	shipping	裝運
schooling	教育	broadcasting	廣播

-ion 表示行為、行為的過程或結果

discussion	討論	attraction	吸引(力)
action	活動，作用，行為	inflation	通貨膨脹
progression	前進，行進	translation	翻譯
election	選舉	correction	改正
connection	連結	possession	佔有，佔用
prediction	預言，預告	completion	完成
exhibition	展覽會	expression	表達，表示
suppression	鎮壓	association	聯繫，協會
distribution	分配，分布	dismission	解雇，開除
adoption	採用，採納	construction	建設，建築

prevention　預防，防止

-ism 表示行為

escapism　逃避現實

criticism　批評

brigandism　土匪行為，掠奪

impulsion　推動，衝動

tourism　旅遊，觀光

baptism　洗禮

me-tooism　附和，學樣，人云亦云

-ition 表示行為、行為的過程或結果、由行為而產生的事物

supposition　想像，推測

proposition　提議

opposition　反對，反抗

exposition　暴露

composition　組成(物)，作文

recognition　認出，承認

competition　比賽，競爭

addition　附加，附加物

repetition　重覆

partition　分開，分隔

-ization 複合字尾，由-iz(e)＋-ation 而成，表示行為、行為的過程或結果、「…化」

modernization　現代化

industrialization　工業化

mechanization　機械化

normalization　正常化

revolutionization　革命化

barbarization　變為野蠻

orthorization　授權，批准

realization　實現

economization　節約，節省

centralization　集中

popularization　普及，推廣

organization　組織，團體

idolization　偶像崇拜

civilization　文明

-ment 表示行為、行為的過程或結果

movement　運動，移動

management　管理，安排

development　發達，發展

establishment　建立，設立

argument　爭論，辯論

treatment　待遇

amusement　娛樂，消遣

punishment　處罰

agreement　同意，協定

advertisement　廣告，登廣

告

statement 陳述, 聲明

judgement 判斷, 判決

shipment 裝船, 裝運

enjoyment 享受

enlargement 擴大

encouragement 鼓勵

-sion 表示行為、行為的過程或結果，與-ion 同。它所構成的名詞大多由以-d, -de, -t 為結尾的動詞派生而來(如：expand → expansion, decide → decision, convert → conversion)

expansion 擴張, 擴展

decision 決定

comprehension 理解, 包含

declension 傾斜

collision (車船)碰撞

conclusion 結論, 結束

suspension 懸掛, 停止

extension 伸展, 延伸

division 分開, 分割

conversion 轉變, 變換

-tion 表示行為、行為的過程或結果，與-ion 同

intervention 干涉, 干預

convention 集會, 會議

introduction 介紹, 引進

production 生產

attention 注意

description 描寫, 描述

contention 競爭, 鬥爭

reduction 減少, 縮減

-ture 表示行為、行為的結果(亦作-ature 和-iture)

mixture 混合

fixture 固定

expenditure 花費, 支出

coverture 覆蓋

signature 簽名, 署名

divestiture 脫衣, 剝奪

-ure 表示行為、行為的結果

departure 離開, 出發

pressure 壓力, 壓

exposure 暴露, 揭露

seizure 抓住, 捕捉

closure 關閉, 結束

disclosure 洩露

sculpture 雕刻(品)

contracture 攣縮

⑧ 表示情況、狀態、性質、現象、事物

-ability 由-able＋-ity 而成，構成抽象名詞，表示性質、「可…性」、「易…性」、「可…」

knowability　可知性	changeability　可變性
readability　可讀性	lovability　可愛
useability　可用性、能用	dependability　可靠性
movability　可移動性	preventability　可防止
inflammability　易燃性	adaptability　可適應性

-acity 表示性質、狀態、情況

rapacity　掠奪，貪得無厭	vivacity　活潑，有生氣
sagacity　聰明、賢明	veracity　誠實，真實
capacity　容量	audacity　大膽
loquacity　多言，健談	edacity　貪吃

-acy 表示性質、狀態、情況

determinacy　確定性	mediacy　中間狀態
supremacy　至高，無上	privacy　隱居
literacy　識字	fallacy　謬誤
intimacy　親密	adequacy　足夠，充分
lunacy　癲狂	

-age 表示狀態、情況、事物

shortage　短缺	adventage　利益
visage　面貌	verbiage　冗詞，贅語
reportage　報告文學	dotage　老年昏憒
parentage　出身，門第	language　語言

-ality 複合字尾，由-al＋-ity 而成，構成抽象名詞，表示狀態、情況、性質、「…性」

personality　個性，人格	nationality　國籍

exceptionality　特殊性	criminality　有罪
conditionality　條件性	formality　拘泥形式
commonality　公共，普通	emotionality　富於感情
logicality　邏輯性	technicality　技術性

√ **-ance** 表示狀態、情況、性質、現象、事物，與-ancy 同。許多字具有-ance 與-ancy 兩種字尾形式

luxuriance　奢華、華麗	buoyance　浮力
ignorance　無知，愚昧	brilliance　光輝
militance　交戰，戰事	endurance　忍耐(力)，持久
elegance　優美，高雅	(性)
vigilance　警惕(性)	

√ **-ancy** 表示狀態、情況、性質、現象、事物，與-ance 同

luxuriancy　奢華，華麗	brilliancy　光輝
militancy　交戰，戰事	buoyancy　浮力
elegancy　優美，高雅	constancy　經久不變，堅定

√ **-aneity** 表示性質、狀態、情況，與-aneous 相對應

instantaneity　立刻	simultaneity　同時發生
(instantaneous 立刻的)	(simultaneous 同時發生的)
contemporaneity　同時代	spontaneity　自發
(contemporaneous 同時代的)	(spontaneous　自發的)

-asm 表示情況、狀態、現象、事物

enthusiasm　熱心，熱情	pleonasm　冗長，詞多意少
phantasm　幻景，虛景	orgasm　機能衝動，情慾亢進
sarcasm　諷刺，諷刺語	

-ation 表示情況、狀態、現象、事物

excitation　興奮，激動	relaxation　鬆弛，緩和
starvation　飢餓	colouration　色彩，特色

continuation　延續, 繼續

malformation　畸形

ruination　毀滅, 毀壞

vexation　苦惱, 惱火

lamentation　悲傷

reputation　名譽, 名聲

carnation　肉色, 淡紅色

absentation　缺席, 不在

-cy 表示情況、狀態、現象

normalcy　正常狀態

bankruptcy　破產

vacancy　空白, 空虛

infancy　幼年期

idiocy　白痴, 呆痴

secrecy　秘密, 秘密狀態

-dom 表示情況、狀態、性質、事物

freedom　自由

bachelordom　(男子)獨身

wisdom　智慧, 明智

martyrdom　殉難, 殉國,

heirdom　世襲, 繼承

苦難

-ence 表示性質、狀態、情況, 與-ency 同, 有些字具有-ence 與 -ency 兩種形式

existence　存在, 生存

consistence　堅固性

insistence　堅持

despondence　沮喪, 洩氣

dependence　依賴

innocence　無罪, 天真

confidence　信任

excellence　傑出, 優秀

diffidence　不信任

sentience　有感覺, 感覺能

difference　不同, 區別

力

-ency 表示性質、狀態、情況, 有些字具有-ence 與-ency 兩種形式

despondency　沮喪, 洩氣

力

innocency　無罪, 天真

urgency　緊急

consistency　堅固性

emergency　緊急情況, 突然

insistency　堅持

事件

coherency　黏着, 黏合性

tendency　趨向, 傾向

sentiency　有感覺, 感覺能

insolvency　無償還能力

-ety 表示性質、狀態、情況

gayety　快樂

variety　變化

anxiety　懸念

sobriety　清醒

piety　虔誠，孝敬

notoriety　臭名昭著

satiety　飽足，厭膩

propriety　適當，適合

dubiety　懷疑

-hood 表示性質、狀態、情況

childhood　童年

boyhood　少年時代

girlhood　少女時期

manhood　成年

bachelorhood　獨身生活

neighborhood　鄰居關係，
鄰近

widowhood　守寡，孀居

likelihood　可能(性)

brotherhood　兄弟之誼

motherhood　母性

falsehood　謬誤，不真實

doghood　狗性

sisterhood　姊妹關係

knighthood　武士氣質

-ia 表示性質、狀態、情況

differentia　差異，特異，特
殊性

adynamia　無力，衰弱

inertia　惰性，遲鈍

ataxia　混亂，無秩序

nostalgia　懷舊，留戀過去

insomnia　失眠

-ibility 由-ible＋-ity 而成，構成抽象名詞，表示性質、「可…性」、
「易…性」、「…性」、「可…」

sensibility　敏感性

receptibility　可接受性

resistibility　抵抗得住

corruptibility　易腐敗性

conductibility　傳導性

producibility　可生產

extensibility　可伸展性

perfectibility　可完成

-ice 表示性質、情況、狀態

justice　正義

cowardice　膽怯

malice　惡意

armistice　休戰，停戰

avarice　貪婪

caprice　反覆無常

-icity 大多數由-ic＋-ity 而成，構成抽象名詞，表示性質、情況、狀態

simplicity　簡單，簡明

periodicity　周期性

historicity　歷史性

authenticity　真實性，可靠性

causticity　腐蝕性

plasticity　可塑性

domesticity　家居生活

centricity　中心，中央

sphericity　球狀

rusticity　鄉村特點，鄉村風味

publicity　公開(性)

elasticity　彈性

basicity　鹼性

-ility 由-il(e)＋-ity 而成，表示性質、狀態、情況

servility　奴性，卑屈

fertility　肥沃

juvenility　年少

contractility　可收縮性

retractility　能縮回

senility　衰老

agility　敏捷，輕快

fragility　易碎，脆性

mobility　易動性，可動性

sectility　可切性，可分性

ductility　延展性

docility　易教，易馴服

-ism 表示狀態、現象、情況、性質

parasitism　寄生現象

volcanism　火山活動

methodism　墨守成規

gigantism　巨大畸形

barbarism　野蠻狀態

bachelorism　獨身

professionalism　職業特性

humanism　人性

brutalism　獸性

globalism　全球性

loyalism　效忠

ageism　對老年人的歧視

sexism　性別歧視

dwarfism　矮小

sexdigitism　六指(趾)

androgynism　半男半女

foreignism　外國風俗習慣

insularism　島國性質

antagonism　對抗性

-itude 表示情況、狀態、性質

correctitude　端正

exactitude　正確(性)

promptitude　敏捷，迅速

amplitude　廣闊，廣大，充足

-ity 表示性質、情況、狀態

speciality　特性，特長

humanity　人性，人類

equality　平等，均等

reality　現實，真實

futurity　將來，未來

modernity　現代性

mutuality　相互關係

frigidity　寒冷

acidity　酸性；酸度

acridity　辛辣

fluidity　流動性

floridity　鮮艷，華麗

legality　合法性

crudity　粗魯，粗野

security　安全

gaseity　氣態

falsity　虛假

familiarity　熟悉，通曉

absurdism　荒唐性

diehardism　頑固

solitude　孤獨，孤寂

servitude　奴隸狀態，奴役

similitude　相似，類似

gratitude　感激，感謝

aptitude　聰明，穎悟

popularity　通俗，平易

complexity　複雜性

generality　一般(性)

extremity　極端，極度

fixity　固定性

immensity　廣大，巨大，無限

timidity　膽小

aridity　乾燥

avidity　熱望

limpidity　透明，清澈

stupidity　愚蠢，愚笨

purity　純淨，潔淨

maturity　成熟

seniority　年長

juniority　年少

continuity　連續(性)，繼續(性)

-ivity 複合字尾，由-iv(e)＋-ity 而成，構成抽象名詞，表示情況、狀態、「…性」、「…力」

productivity　生產能力，生產率

selectivity　選擇(性)

resistivity　抵抗力，抵抗性

creativity　創造力

activity　活動性，活動

collectivity　集體(性)

conductivity　傳導性

relativity　相關性

captivity　被俘

expressivity　善於表達

-ness 表示性質、情況、狀態

greatness　偉大

goodness　善行，優良

friendliness　友好，友善

badness　惡劣，壞

kindness　仁慈，好意

weakness　懦弱，虛弱

darkness　黑暗

tiredness　疲倦，疲勞

emptiness　空虛，空洞

bitterness　苦，苦難

likeness　相似，類似

holiness　神聖

willingness　心甘情願

idleness　懶惰

softness　柔軟

blindness　盲目

-osity 表示性質、情況、狀態，與-ous 及-ose 相對應

curiosity　好奇

generosity　慷慨，大方

globosity　球形，球狀

jocosity　滑稽

grandiosity　宏大，雄偉

verbosity　囉嗦，冗長

fabulosity　寓言性質

flexuosity　彎曲狀態

-ry 表示性質、情況、狀態

artistry　藝術性

bigotry　頑固，偏執

devilry　邪惡

rivalry　敵對

pedantry　迂腐

outlawry　逍遙法外

-ship 表示情況、狀態、性質、關係

friendship　友誼，友好

hardship　苦難，受苦

dictatorship　專政
fellowship　交情, 伙伴關係
relationship　親屬關係, 聯
繫
partnership　合作關係, 合
夥

-th 表示情況、狀態、性質

warmth　溫暖、熱情
coolth　涼爽, 涼
health　健康
faith　信念、信仰、虔誠
length　長度(leng＝long)
width　寬度(wid＝wide)
depth　深度(dep＝deep)
breadth　廣度(bread＝
broad)

-ty 表示性質、情況、狀態

specialty　特性, 專長
safety　安全
entirety　整體, 全部
surety　確實
subtlety　精巧, 微妙
certainty　肯定, 確實
cruelty　殘忍, 殘酷
loyalty　忠誠, 忠心
novelty　新奇, 新穎
frailty　脆弱, 虛弱

-ure 表示情況、狀態

pleasure　愉快
flexure　彎曲
failure　失敗
moisture　潮濕
rapture　著迷, 消魂
rupture　裂開, 破裂

-y 表示性質、情況、狀態

difficulty　困難
modesty　謙虛, 虛心
beggary　乞丐生涯
bastardy　私生, 庶出
honesty　誠實, 正直
euphony　(音調)悅耳
jeopardy　危險, 危難
jealousy　妒忌, 猜忌
monotony　單調
harmony　和諧, 協調
orthodoxy　正統性, 正統觀
念
infinity　無限, 大量, 無窮
大
infamy　臭名昭著
mastery　精通

9 表示職權、身分、地位

-age 表示身分

pupilage　學生身分

alienage　外國人身分

parentage　父母的身分和地位

orphanage　孤兒身分

-ate 表示職權、身分、地位

professoriate　教授職位

patriarchate　主教職權

marquisate　侯爵地位

tribunate　護民官的職位

doctorate　博士銜, 博士學位

directorate　指導者(董事、處長等)的職位

apostolate　使徒的職位或身分

consulate　領事職位

-cy 表示職權、身分

generalcy　將軍職權

captaincy　船長職位

surgeoncy　外科醫生職務

colonelcy　上校銜

ensigncy　海軍少尉銜

-dom 表示身分、地位

chiefdom　首領身分、地位

serfdom　農奴身分

beggardom　乞丐身分

monkdom　和尚身分

queendom　女王(或王后)的身分、地位

earldom　伯爵爵位

sheriffdom　郡長的職權

-hood 表示身分、職位

fatherhood　父親身分

motherhood　母親身分

knighthood　武士身分

priesthood　教士職位或身分

-ship 表示身分、職位、資格、權限

citizenship　公民權或身分

kingship　王位, 王權

membership　成員資格

ladyship　貴婦人身分

instructorship	講師職位	studentship	(大)學生身分
lordship	貴族身分	managership	經理職位
heirship	繼承權	interpretership	譯員職務
doctorship	博士學位	colonelship	上校銜
professorship	教授職位	rulership	統治者職權及地位
sonship	兒子身分		

-ty 表示權限、職位

royalty	王位，王權	sovereignty	主權，統治權

⑩ 表示集合數、總稱、集體、領域、…界

-ade 表示集體、集合數

brigade	旅，隊	decade	十年
crusade	十字軍	cavalcade	騎兵隊

-age 表示集合名詞、總稱、集合數

wordage	文字，詞彙量	percentage	百分比
tonnage	噸數，噸位	wattage	電的瓦數
mileage	英里數	herbage	草本植物
acreage	英畝數	leafage	葉子(總稱)
assemblage	集合的人群	peerage	貴族(總稱)
plumage	鳥的全身羽毛	pondage	池塘的蓄水量

-dom 表示領域、「…界」、集體、總稱

kingdom	王國，領域	Christendom	基督教世界，基督教徒總稱
sportsdom	體育界		
filmdom	電影界	negrodom	黑人社會
stardom	明星界	missiledom	導彈世界
newspaperdom	報界	devildom	魔界
officialdom	官場，政界	scoundreldom	無賴漢總稱
monkdom	僧侶社會	heathendom	異教徒總稱

-ia 表示總稱

intelligentsia 知識分子(總稱)

suburbia 郊區居民(總稱)

militia 民兵(總稱)

-ry 表示總稱

peasantry 農民(總稱)

citizenry 公民(總稱)

Englishry 英國人(總稱)

poetry 詩(總稱)

poultry 家禽(總稱)

cavalry 騎兵(總稱)

tenantry 承租人(總稱)

weaponry 武器(總稱)

yeomanry 自由民(總稱)

gentry 紳士們，貴族們

infantry 步兵(總稱)，步兵團

jewelry 珠寶(總稱)

⑪ 表示…學、…術、…法、主義、行業

-ery 表示…法、…術、行業

cookery 烹調法

fishery 捕魚術，漁業

drapery 布匹服裝行業

surgery 外科醫術

missilery 導彈技術，飛彈技術

housewifery 家務，家政

archery 射箭術

-ic 表示…學、…術

rhetoric 修辭學

arithmetic 算術

logic 倫理學，邏輯

magic 魔術

-ics 表示…學、…術

informatics 信息學

electronics 電子學

mechanics 機械學

politics 政治學

economics 經濟學

nucleonics 核子學

hygienics 衛生學

oceanics 海洋學

atomics 原子工藝學

dramatics 演劇技術

acrobatics 雜技

magnetics 磁學

astronautics 太空學

pedagogics 教育學

-ing 表示…行業、…學、…術、…法

tailoring	裁縫業	hairdressing	理髮業
shoemaking	製鞋業	bonesetting	正骨法
banking	銀行業，銀行學	printing	印刷術，印刷業
accounting	會計學，會計	sailing	航海術，航法
boxing	拳術		

-ism

(a)表示…主義

materialism	唯物主義	realism	現實主義
idealism	唯心主義	tailism	尾巴主義
economism	經濟主義	commandism	命令主義
adventurism	冒險主義	opportunism	機會主義
extremism	極端主義	expansionism	擴張主義
pessimism	悲觀主義	optimism	樂觀主義
imperialism	帝國主義	capitalism	資本主義

(b)表示…學、…術、…論、…法

magnetism	磁學	fatalism	宿命論
spiritism	招魂術	phoneticism	音標表音法
historicism	歷史循環論	pedagogism	教授法
know-nothingism	不可知論	stimulism	興奮療法
exceptionalism	例外論	atomism	原子論

-logy 表示…學、…法、…研究、…論

biology	生物學	Sovietology	蘇聯問題研究
zoology	動物學	musicology	音樂研究
oceanology	海洋學	methodology	方法論
climatology	氣候學	escapology	逃避法
dialectology	方言學	volcanology	火山學

-ry 表示…學、…術、行業

forestry	林學，林業	masonry	石工業
chemistry	化學	husbandry	耕作
weaponry	武器設計製造學	palmistry	相手術
dentistry	牙科學，牙醫術	merchantry	商業，商務
rocketry	火箭技術	falconry	獵鷹訓練術
carpentry	木工業		

-ship 表示技術、技能、…法、…術

airmanship	飛行技術	huntsmanship	打獵術
salesmanship	售貨術	workmanship	手藝，工藝
penmanship	書法	horsemanship	騎馬術
marksmanship	射擊術	watermanship	划船技術

⑫ 表示疾病

esia   ia

-esia 表示疾病名稱及醫學名詞

esis

覺   iasis

amnesia	健忘症		
agennesia	無生殖力	anaesthesia	麻醉，麻木
dysaesthesia	感覺遲鈍	hyperalgesia	痛覺過敏
analgesia	痛覺消失，無痛	hypalgesia	痛覺遲鈍

-esis 表示疾病名稱及醫學名詞

tyremesis	吐乳症	paracentesis	腔液穿放術
diaphoresis	發汗	synteresis	預防法
emesis	嘔吐	agenesis	不育；生殖力缺
hyperalgesis	痛覺過敏症		乏，無生育力
diuresis	利尿		

-ia 表示疾病名稱

anaemia	貧血病	cephalalgia	頭痛症
glucosuria	糖尿病	aphasia	失語症

diphtheria 咽喉炎	hysteria 歇斯底里；癔病
pneumonia 肺炎	gastralgia 胃痛
dysphagia 嚥下困難	dementia 精神錯亂
achromatopsia 色盲	insomnia 失眠症
dyspepsia 消化不良症	alopecia 毛髮脱落症，脱髮

-iasis 表示疾病名稱

elephantiasis 象皮病	siriasis 中暑
lithiasis 結石病	tyriasis 毛髮脱落
trichiniasis 旋毛蟲病	ankylostomiasis 鈎蟲病
trichiasis 睫毛倒生病	hypochondriasis 疑病
acariasis 疥癬病	satyriasis （男子的）性慾亢
helminthiasis 腸蟲病	進
psoriasis 鱗屑癬	

-igo 表示疾病名稱

serpigo 匐行疹，癬	vertigo 眩暈
prurigo 癢疹	impetigo 膿疱病
rentigo 雀斑	porrigo 頭癬

-ism 表示疾病名稱

deaf-mutism 聾啞症	morphinism 嗎啡中毒症
rheumatism 風濕症	iodism 碘中毒症
alcoholism 酒精中毒症	albinism 白化病
nicotinism 尼古丁中毒症	mutism 啞症，不言症
cretinism 矮呆症	ergotism 麥角中毒，麥角病
tarantism 舞蹈病	aneurism 動脈瘤

-oma 用於疾病名稱，表示「腫」、「瘤」、「炎」等

glaucoma 青光眼，綠內障	sarcoma 肉瘤
trachoma 沙眼症	angioma 血管瘤
carcinoma 癌	leucoma 角膜白斑

tyroma 乾酪狀瘤	dacryoma 淚管瘤，淚管閉塞
neuroma 神經瘤	
scheroma 眼乾燥病	fibroma 纖維瘤
dermatoma 皮膚瘤	staphyloma 葡萄腫
steatoma 脂肪瘤，皮脂瘤	chondroma 軟骨瘤
melanoma 黑瘤，黑色瘤	atheroma 粉瘤
xanthoma 黃色瘤	lymphoma 淋巴(腺)瘤
xeroma 結膜乾燥，乾眼病	myxoma 黏液瘤
adenoma 腺瘤	osteoma 骨瘤
hygroma 水瘤，水囊瘤	

-osis 表示疾病名稱

tuberculosis 結核病	varicosis 靜脈曲張
neurosis 神經(機能)病	amaurosis 黑矇
kyphosis 脊柱後凸，駝背	mycosis 真菌病
silicosis 矽肺病，石末沉著病	pyreticosis 熱病
ichthyosis (魚)鱗癬	siderosis 鐵質(末)沉著病
sycosis 鬚瘡	zoonosis 寄生物病
ecchymosis 瘀斑，瘀血	acidosis 酸中毒，酸毒症
thrombosis 血塞，血栓形成	anchylosis 關節僵硬
necrosis 壞死	narcosis 麻醉(狀態)
	metamorphosis 變形，變態
	sclerosis 硬化；硬結

⑬ 表示語言、語風、文體

-ese 表示語言、某派(或某種)的文體、文風

Chinese 中文，漢語	translationese 翻譯文體
Japanese 日文，日本語	officialese 公文體
Vietnamese 越南語	academese 學院派文體

journalese　新聞文體

Americanese　美國英語

telegraphese　電報文體

Cantonese　廣州語

Burmese　緬甸語

Portugese　葡萄牙語

childrenese　兒童語言

computerese　計算機語言

educationese　教育界術語

televisionese　電視術語

bureaucratese　官腔

legalese　法律術語

-i 表示某國或某地區的語言

Iraqi　伊拉克語

Bengali　孟加拉語

Hindustani　印度斯坦語

Punjabi　旁遮普語

Nepali　尼泊爾語

-ish 表示某國的語言

English　英語

Spanish　西班牙語

Polish　波蘭語

Irish　愛爾蘭語

Swedish　瑞典語

Finnish　芬蘭語

Turkish　土耳其語

Danish　丹麥語

-ism 表示語言、語風

commercialism　商業用語

provincialism　方言，土語

colloquialism　口語

archaism　古語，古風

Scotticism　蘇格蘭方言

Americanism　美國用語

Londonism　倫敦語調

Latinism　拉丁語風、語法

Turkism　土耳其語風

euphemism　婉言，婉詞

2

形容詞字尾

1 表示可…的、能…的、易於…的

-able 表示可…的、能…的、易於…的

knowable 可知的	**changeable** 可變的
readable 可讀的	**lovable** 可愛的
useable 能用的	**dependable** 可靠的
movable 可移動的	**preventable** 可防止的
inflammable 易燃的	**adaptable** 可適應的

-ible 表示可…的、能…的、易於…的

receptible 可接受的	**producible** 可生產的
resistible 可抵抗的	**extensible** 可伸展的
corruptible 易腐敗的	**perfectible** 可完成的
sensible 可感覺的	**conductible** 能(被)傳導的
flexible 易彎曲的	**digestible** 可消化的
convertible 可變換的	**accessible** 易接近的

-ile 表示可…的、能…的、易於…的

expansile 可擴張的	**extensile** 可伸展的
contractile 可收縮的	**protractile** 可伸出的
retractile 能縮回的	**flexile** 易彎曲的
sectile 可切開的	**fragile** 易碎的
mobile 可移動的	**docile** 易管教的

② 表示如…的、似…的、…形狀的

-aceous 表示如…的、似…的、…形狀的

orchidaceous	似蘭花的	olivaceous	似橄欖的
rosaceous	玫瑰色的	foliaceous	葉狀的
saponaceous	肥皂似的	farinaceous	粉狀的

-esque 表示如…的、…式的

picturesque	如畫的	Japanesque	日本式的
lionesque	如獅的, 兇猛的	arabesque	阿拉伯式的
gigantesque	如巨人的	Disneyesque	迪斯尼式的
gardenesque	如花園的	Romanesque	羅馬式的
statuesque	如雕像的	robotesque	機器人似的

-form 表示有…形狀的, 似…形狀的

gasiform	氣態的	cruciform	十字形的
lentiform	透鏡形的	cubiform	立方體形的
asbestiform	石棉狀的	fibriform	纖維狀的
vermiform	蠕蟲狀的	dentiform	牙齒形的

-ine 表示如…的、似…的、…形狀的

elephantine	如象的		狀的
serpantine	蜿蜒如蛇的	asbestine	如石棉的
adamantine	似金剛石的	zebrine	似斑馬的
crystalline	水晶般的, 結晶		

-ish 表示如…的、似…的

childish	如小孩的	girlish	如少女的
wolfish	狼似的	devilish	魔鬼似的
piggish	豬一樣的	slavish	奴隸般的
boyish	如男孩的	moonish	似月亮的
hellish	地獄似的	monkish	似僧的

-like 表示如…的、像…的、…般的

dreamlike　如夢的

steelike　鋼鐵般的

childlike　孩子般天真的

godlike　上帝般的

springlike　像春天一樣的

homelike　如家裡一樣的

manlike　男子似的

womanlike　女人似的

fatherlike　父親般的

montherlike　母親般的

starlike　像星一樣的

princelike　王子般的

-oid 表示如…的、…形狀的

spheroid　球狀的, 球形的

sphenoid　楔形的

ovoid　卵形的

acidoid　似酸的

crystalloid　結晶狀的

asteroid　星狀的

lithoid　如石的

petaloid　花瓣狀的

cuboid　立方形的

Mongoloid　似蒙古人種的

-ular 表示似…的、…形狀的

globular　球狀的

zonular　小帶狀的

nodular　節狀的

granular　顆粒狀的(gran
← grain)

specular　如鏡的

lunular　新月形的

spherular　小球狀的

pilular　藥丸狀的(pil＝pill)

stellular　小星形的

-y 表示如…的、似…的、…形狀的

silvery　似銀的

icy　似冰的

watery　如水的

wooly　羊毛狀的

silky　絲一樣的

wintery　冬天似的

earthy　泥土似的

homey　像家一樣的

③ 表示有…的、多…的

-ed 表示有…的

coloured　有色的

gifted　有天才的

haired 有毛髮的	**talented** 有才能的
bearded 有鬍鬚的	**winged** 有翅的
balconied 有陽台的	**conditioned** 有條件的
limited 有限的	**horned** 有角的
moneyed 有錢的	**experienced** 有經驗的

-ferous 表示有…的、多…的、含有…的、產…的   ~~fer(苯末)tous~~

odoriferous 有香氣的	**stelliferous** 有星的，多星
floriferous 有花的，多花的	的
carboniferous 含碳的	**cruciferous** 飾有十字形的
metalliferous 含金屬的	**magnetiferous** 產生磁性的
mammiferous 有乳房的	**oleiferous** 產油的
stanniferous 含錫的	**saliferous** 含鹽的，產鹽的
oviferous 有卵的，產卵的	

-ful 表示有…的、多…的

powerful 有能力的	**harmful** 有害的
fruitful 有結果的	**helpful** 有幫助的，有益的
hopeful 富有希望的	**dreamful** 多夢的
successful 有成就的	**changeful** 多變化的
wishful 抱有希望的	**eventful** 多事的
forceful 有力的	**useful** 有用的

-ous 表示有…的、多…的

poisonous 有毒的	**adventageous** 有利的
mischievous 有害的	**vigorous** 富有精力的
mountainous 多山的	**porous** 多孔的，有氣孔的

-y 表示有…的、多…的

windy 有風的	**snowy** 多雪的
cloudy 有雲的，多雲的	**worthy** 有價值的
rainy 多雨的	**inky** 有墨跡的

guilty	有罪的	glossy	有光澤的
faulty	有過失的	grassy	多草的

④ 表示屬於…的

-al 表示屬於…的

personal	個人的	prepositional	介系詞的
autumnal	秋天的	national	國家的, 民族的
governmental	政府的	natural	自然(界)的
regional	地區的, 局部的	continental	大陸的
educational	教育的	exceptional	例外的
global	全球的	parental	父母的
coastal	海岸的	emotional	感情上的

-an 表示屬於…的

amphibian	水陸兩棲的	human	人類的
urban	城市的	silvan	森林的
suburban	郊區的	metropolitan	大都市的
republican	共和國的		

-ar 表示屬於…的

polar	南(北)極的	molecular	分子的
linear	線的	consular	領事的
solar	太陽的	lunar	月的, 月球的
insular	海島的	stellar	星的

-atic 表示屬於…的

idiomatic	慣用語的	thematic	題目的, 主題的
axiomatic	公理的	lymphatic	淋巴的
diagramatic	圖表的	chromatic	顏色的

-ial 表示屬於…的

presidential	總統的	managerial	經理的

editorial　編輯的

adverbial　副詞的

monitorial　班長的

provincial　省的, 地方的

spacial　空間的

facial　面部的

partial　部分的

agential　代理人的

racial　種族的

commercial　商業的

-ic 表示屬於…的

atomic　原子的

electronic　電子的

organic　器官的

nucleonic　核子的

Germanic　德國的

Icelandic　冰島的

Byronic　拜倫詩風的

angelic　天使的

-tic 表示屬於…的

Asiatic　亞洲的, 屬於亞洲的

operatic　歌劇的

cinematic　電影的

biotic　生命的, 生物的

pharmaceutic　藥物的

viatic　道路的

-ual 表示屬於…的

habitual　習慣(上)的

contractual　契約的

intellectual　智力的

spiritual　精神(上)的

textual　原文的, 本文的

accentual　重音的

sexual　性的, 性別的

conceptual　概念的

⑤ 表示…性質的, 具有…性質的

-acious 表示…性質的

rapacious　掠奪的

sagacious　聰明的

capacious　容量大的

loquacious　多言的

edacious　貪吃的

sequacious　盲從的

pugnacious　好鬥的

vivacious　活潑的, 有生氣的

fallacious　謬誤的

veracious　真實的　　　　　　tenacious　固執的

audacious　膽大的

-aneous 表示…性質的 anetous

instantaneous　立刻的　　　spontaneous　自發的

contemporaneous　同時代　consentaneous　同意的，一
的　　　　　　　　　　　　致的

subterraneous　地下的　　　miscellaneous　雜項的，各

extemporaneous　臨時的，　種的
即席的　　　　　　　　　　extraneous　外來的

simultaneous　同時發生的

-ant 表示…性質的

expectant　期待的　　　　　ignorant　無知的，愚昧的

luxuriant　奢華的　　　　　vigilant　警惕的

resistant　抵抗的　　　　　determinant　決定性的

assistant　輔助的　　　　　repentant　後悔的

buoyant　有浮力的　　　　　accordant　和諧的

reliant　依賴的　　　　　　abundant　豐富的

-ar 表示…性質的

similar　同樣的，相似的　　peculiar　特有的

singular　單獨的　　　　　　familiar　熟知的

popular　大眾的，通俗的　　regular　有規律的

-ary 表示…性質的

expansionary　擴張性的　　momentary　片刻的

customary　習慣的　　　　　secondary　第二的，次要的

elementary　基本的　　　　limitary　限制的

imaginary　想像中的　　　　exemplary　模範的

honorary　榮譽的　　　　　revolutionary　革命

-astic 表示…性質的

enthusiastic　熱心的

phantastic　空想的

orgiastic　狂飲的, 放蕩的

sarcastic　諷刺的, 嘲弄的

encomiastic　讚頌的

-ate 表示…性質的

considerate　考慮周到的

determinate　確定的

fortunate　幸運的

private　私人的

passionate　熱情的

proportionate　成比例的

-ative 表示…性質的

talkative　好說話的

limitative　限制(性)的

argumentative　爭論的

preparative　準備的

conservative　保存的, 保守的

preservative　防腐的

adversative　相反的

determinative　有決定作用

的

preventative　預防的

continuative　繼續的

calmative　鎮靜的

fixative　固定的

comparative　比較的

affirmative　肯定的

imaginative　富於想像力的

maturative　促進成熟的

-atory 表示…性質的

excitatory　顯示興奮的

condemnatory　譴責的

consolatory　安慰的

vibratory　震動(性)的

defamatory　誹謗的

pacificatory　和解的

inflammatory　煽動性的

preparatory　預備的, 初步

的

-ed 表示…性質的

aged　年老的

skilled　熟練的

advanced　先進的, 高深的

ashamed　羞恥的, 慚愧的

accustomed　習慣的, 通常

的

repeated 反覆的，再三的

dark-haired 黑髮的

kind-hearted 好心的

strong-minded 意志堅強的

undreamed 夢想不到的，意外的

concerned 有關的

pointed 尖的，尖銳的

-eous 表示…性質的

righteous 正直的

beauteous 美麗的

duteous 忠實的，盡職的

erroneous 錯誤的

-fic 表示…性質的(亦作-ific)

honorific 尊敬的

scientific 科學的

pacific 和平的，太平的

specific 特殊的，專門的

malefic 邪惡的，有害的

horrific 可怕的

-ful 表示…性質的、具有…性質的

sorrowful 悲哀的

doubtful 可疑的

careful 小心的

forgetful 易忘的

fearful 可怕的

cheerful 快樂的

peaceful 和平的

shameful 可恥的

truthful 真實的

skillful 熟練的

-ical 表示…性質的

typical 典型的

economical 節約的

radical 根本的

cyclical 循環的，周期的

periodical 周期的，定時的

symbolical 象徵(性)的

comical 滑稽的

epidemical 流行性的

logical 合乎邏輯的

-id 表示…性質的

fervid 熱烈的

vivid 活潑的

splendid 輝煌的，華麗的

horrid 可怕的，恐怖的

candid 正直的，公正的

timid 膽小的

stupid 笨的

placid 恬靜的

acrid 辛辣的，尖刻的

rapid 快速的，急的

-ious 表示…性質的、具有…性質的

contradictious 相矛盾的

curious 好奇的

laborious 勤勞的

anxious 焦急的

rebellious 反叛的

contagious 傳染的

dubious 可疑的

malicious 惡意的

insomnious 失眠的

precious 珍貴的

suspicious 可疑的

avaricious 貪婪的

capricious 反覆無常的

vicious 邪惡的

gracious 優雅的，仁慈的

vicarious 代理的

-istic 表示…性質的、具有…性質的

humoristic 幽默的

characteristic 表示特性的

futuristic 未來的

simplistic 過分簡單化的

antagonistic 敵對的

-iste 表示…性質的、具有…性質的

partite 分成若干部分的

definite 明確的，一定的

composite 合成的

polite 文雅的

opposite 對立的，對面的

erudite 博學的

exquisite 精美的，精緻的

-itious 表示…性質的、具有…性質的

suppositious 想像的，假定
的

的

fictitious 虛構的

factitious 人為的

adventitious 外來的，偶然

expeditious 急速的

nutritious 有營養的

-itive 表示…性質的、具有…性質的

compositive 合成的，組成
的

additive 添加的

sensitive 敏感的

suppositive 想像的，假定的

punitive 懲罰性的

competitive　比賽的，競爭的

partitive　區分的，分隔的

-ive 表示…性質的、具有…性質的

educative　有教育作用的

protective　保護的，防護的

impressive　印象深刻的

preventive　預防的

resistive　抵抗的

creative　創造性的

purposive　有目的的

active　活動的

conductive　傳導性的

-ly 加在名詞之後，表示…性質的

friendly　友好的

homely　家常的，親切的

heavenly　天上的

lovely　可愛的，好看的

-ory 表示…性質的

compulsory　強迫的

contradictory　矛盾，對立的

-ous 表示…性質的、具有…性質的

dangerous　危險的

courageous　勇敢的

glorious　光榮的

prosperous　繁榮的

riotous　暴亂的

definitive　決定的，確定的

primitive　原始的，簡單的

fugitive　逃亡的，流浪的

progressive　進步的

amusive　娛樂的

productive　生產(性)的

constructive　建設(性)的

expensive　花錢多的

attractive　有吸引力的

exclusive　排外的

intensive　深入的，加強的

extensive　廣泛的

godly　神聖的

costly　昂貴的

worldly　世間的

orderly　有條理的

illusory　虛幻的

rotatory　旋轉的

dictatory　獨裁的，專政的

continuous　繼續不斷的

victorious　勝利的

zealous　熱心的，熱情的

famous　著名的

disastrous　災難性的

-some 表示…性質的

fearsome　可怕的

burdensome　沉重的

lonesome　孤獨的

laboursome　費力的

bothersome　麻煩的

awesome　可畏的

⑥ 表示與…有關的、關於…的

-arian 表示與…有關的

equalitarian　平均主義的

establishmentarian　擁護既

成權力機構的

disciplinarian　受訓練的

humanitarian　人道主義的

lunarian　月球的

vegetarian　素食的

utilitarian　功利主義的

doctrinarian　教條主義的

antiquarian　好古的

-ary 表示與…有關的

planetary　行星的

questionary　詢問的

revisionary　修訂的

unitary　單元的

parliamentary　議會的

disciplinary　紀律的

-etic 表示關於…的

dietetic　飲食的，營養的

theoretic　理論上的

zoetic　生命的

phonetic　語音的

tonetic　聲調的

uretic　尿的，利尿的

⑦ 表示某國的、某地的

-an 表示某國的、某地的

American　美國的，美洲的

Roman　羅馬的

Chilean　智利的

Cuban　古巴的

Venezuelan　委內瑞拉的

Nicaraguan　尼加拉瓜的

African　非洲的

Korean　韓國的

Mexican　墨西哥的

European　歐洲的

Costa Rican　哥斯大黎加的　　　Puerto Rican　波多黎各的

-ese 表示某國的、某地的

Chinese　中國的　　　　　　　Cantonese　廣州的
Japanese　日本的　　　　　　Viennese　維也納的
Vietnamese　越南的　　　　　Congolese　剛果的
Burmese　緬甸的　　　　　　Milanese　米蘭的
Maltese　馬耳他的　　　　　Portugese　葡萄牙的

-i 表示某國的、某地的

Israeli　以色列的　　　　　　Hindustani　印度斯坦的
Iraqi　伊拉克的　　　　　　　Pakistani　巴基斯坦的
Yemeni　葉門的　　　　　　　Punjabi　旁遮普的
Bengali　孟加拉的

-ian 表示某國的、某地的

Egyptian　埃及的　　　　　　Canadian　加拿大的
Mongolian　蒙古的　　　　　United Statesian　美國的
Arabian　阿拉伯的　　　　　Parisian　巴黎的
Oceanian　大洋洲的　　　　　Athenian　雅典的

-ish 表示某國的

English　英國的　　　　　　　Swedish　瑞典的
British　不列顛的, 英國的　　　Finish　芬蘭的
Spanish　西班牙的　　　　　　Turkish　土耳其的
Polish　波蘭的　　　　　　　Danish　丹麥的
Irish　愛爾蘭的

⑧ 表示致使…的、產生…的

-facient 表示致使…的、產生…的　　fact cient

calorifacient　生熱的　　　　putrefacient　致腐爛的
somnifacient　催眠的　　　　stupefacient　致麻醉的

absorbefacient　致吸收的

abortifacient　引起流產的

rubefacient　使皮膚發紅的

tumefacient　引起腫脹的

-fic 表示致使…的、產生…的

colorific　產生顏色的

terrific　使人害怕的

morbific　致病的

calorific　生熱的

soporific　催眠的, 致睡的

acidific　產生酸的

-ing 表示使…的、引起…的

exciting　使人興奮的

surprising　使人驚訝的

interesting　引起興趣的

discouraging　令人泄氣的

encouraging　使人振奮的,

鼓舞人心的

disgusting　使人作嘔的

disappointing　令人失望的

disheartening　使人沮喪的

⑨ 其他

-ed 加在動詞之後, 表示「已…的」、「被…的」、「…了的」

failed　已失敗的

liberated　解放了的

retired　已退休的

condensed　縮短了的

educated　受過教育的

married　已婚的

restricted　受限制的

closed　關閉了的

finished　完成了的

fixed　被固定的

determined　已決定了的

extended　擴展了的

confirmed　證實了的

returned　已歸來的

condemned　定了罪的

considered　考慮過的

oiled　上了油的

wounded　受了傷的

-en 表示由…製成的、含有…質的

wooden　木製的

leaden　鉛製的

woolen　羊毛製的

golden　金質的

silken　絲製的

wheaten　小麥製的

earthen　泥質的, 泥製的　　　　oaken　橡樹製的
waxen　蠟製的

-ing 表示正在…的、…的

changing　正在變化的　　　　fighting　戰鬥的
burning　燃燒的　　　　　　　growing　正在成長的
developing　發展中的　　　　rising　上升的
dying　垂死的　　　　　　　　falling　下降的

-ish 加在形容詞之後，表示略…的、稍…的

coldish　略寒的, 稍冷的　　　greenish　略帶綠色的
warmish　稍暖的　　　　　　　yellowish　微黃的
oldish　略老的, 稍舊的　　　reddish　略紅的
tallish　略高的　　　　　　　longish　略長的, 稍長的
sweetish　略甜的　　　　　　fattish　稍胖的

-less 表示無…的、不…的

homeless　無家可歸的　　　　sleepless　不眠的
useless　無用的　　　　　　　tireless　不倦的
colourless　無色的　　　　　ceaseless　不停的
hopeless　無希望的　　　　　countless　數不清的
waterless　無水的, 乾的　　　fruitless　不結果實的
rootless　無根的　　　　　　　regardless　不注意的
jobless　無職業的　　　　　　restless　不休息的
shameless　無恥的　　　　　　changeless　不變的

-proof 表示防…的, 不透…的

fireproof　防火的　　　　　　airproof　不透氣的
waterproof　防水的　　　　　lightproof　不透光的
rainproof　防雨的　　　　　　soundproof　隔音的
coldproof　抗寒的　　　　　　bombproof　防炸彈的
smokeproof　防菸的　　　　　gasproof　防毒氣的

3

動詞字尾

1 表示做、造成、使成為…

-ate 表示做、造成、使之成…，做…事等意義

hyphenate	加連字符	orientate	使向東，定方向
differentiate	區別	triangulate	使成三角形
maturate	使成熟	luxuriate	享受，沉溺
oxygenate	氧化，充氧於	liquidate	清洗，清除
originate	發源，發起	assassinate	行刺，暗殺
activate	使活動	concentrate	集中

-en 表示做、使，成為…，使變成…

shorten	使縮短	darken	使黑，變黑
deepen	加深，使深	broaden	加寬
sharpen	削尖	sweeten	使變甜
richen	使富	thicken	使變厚
quicken	加快	soften	弄軟，使軟化
gladden	使快活	youthen	變年輕
harden	使變硬	heighten	加高，提高
flatten	使變平	fatten	使肥
strengthen	加強	lengthen	使延長，伸長
moisten	弄濕，使濕	straighten	弄直，使直

-fy 表示…化、使成為…、變成…、做…(亦作-ify)

simplify　使簡化	citify　使都市化
beautify　美化	ladify　使成為貴婦人
uglify　醜化	intensify　加強，強化
satisfy　(使)滿足	glorify　頌揚，誇讚
classify　把…分類	electrify　電氣化
falsify　偽造	gasify　(使)氣化
rarefy　使稀少	purify　使潔淨，淨化

-ish 表示做…、致使…、造成…、成為…

nourish　滋養，養育	diminish　使縮小，變小
establish　設立，建造	vanish　消逝
flourish　繁榮，興旺	publish　公布
impoverish　使窮困	finish　結束
famish　使挨餓	admonish　勸告
punish　懲罰	abolish　廢除
accomplish　完成	embellish　裝飾，修飾

-ize 表示…化、使…、做…、照…樣子做

modernize　(使)現代化	realize　實現
industrialize　(使)工業化	economize　節約，節省
mechanize　(使)機械化	centralize　(使)集中
normalize　(使)正常化	popularize　使普及，推廣
revolutionize　(使)革命化	organize　組織

② 表示反覆動作、連續動作、擬聲動作

-er 表示反覆動作、連續動作及擬聲動作

waver　來回擺動	batter　連打
chatter　喋喋不休	wander　徘徊
stutter　結舌，口吃	sputter　噴濺唾沫，急語

flutter	拍翅	whisper	低語，作沙沙聲
mutter	喃喃自語	quiver	顫動，抖動
clatter	作卡嗒聲	glitter	閃閃發光
patter	發嗒嗒聲	stammer	口吃地說

-le 表示反覆動作、連續動作及擬聲動作

twinkle	閃爍，閃耀	nibble	啃，一點一點地咬
joggle	輕搖	tinkle	發叮噹聲
waddle	搖搖擺擺地走	sizzle	發嘶嘶聲
wriggle	蠕動，扭動	babble	喋喋不休
winkle	閃爍，閃耀	jingle	作叮噹聲
frizzle	發吱吱聲	gurgle	發咯咯聲

-sh 表示擬聲動作

clash	碰撞作聲	swash	發激蕩聲，作濺潑聲
splash	發濺水聲，飛濺	swish	嗖嗖作聲
gnash	咬牙切齒 /næʃ/	bash	猛擊，猛撞
crash	發撞擊聲，撞擊	crush	壓碎，壓壞
plash	作濺潑聲，濺，潑	thrash	打穀，打，擊，鞭打

4

副詞字尾

① 表示方式、方法、狀態、「…地」

-ably 由-able 轉成，表示方式、狀態、可…地、…地

peaceably	和平地	suitably	合適地
laughably	可笑地	dependably	可靠地
comfortably	舒適地	changeably	可變地
movably	可移動地	lovably	可愛地

-ibly 由-ible 轉成，表示方式、狀態、可…地、…地

sensibly	可感覺地	conductibly	能(被)傳導地
receptibly	可接受地	producibly	可生產地
resistibly	可抵抗地	extensibly	可伸展地
corruptibly	易腐敗地	perfectibly	可完成地

-ly 表示方式、狀態、程度、「…地」

truly	真正地, 確實地	hourly	每小時地
greatly	大大地	monthly	每月地
fearfully	可怕地	badly	惡劣地
newly	新近, 最近	quickly	迅速地
clearly	清楚地	quietly	安靜地
coldly	冰冷地	gloriously	光榮地
really	真正地	similarly	相似地
bravely	勇敢地	usefully	有用地

recently　最近	daily　每日地
partly　部分地	yearly　每年地

-s 表示方式、狀態、「…地」

afternoons　每天下午	nowadays　現今，當今
nights　每夜，在夜間	outdoors　在戶外
weekends　在每個週末	indoors　在屋內
sometimes　有時	upstairs　在樓上，往樓上
besides　此外，而且	downstairs　在樓下，往樓下
unawares　不知不覺地	

-ways 表示方式、狀態、「…地」，常與 -wise 通用

crossways　交叉地	coastways　沿海岸
cornerways　對角地，斜	lengthways　縱長地
endways　末端朝前地	sideways　斜向一邊地

-wise 表示「…地」、方式、狀態、情況及其他等

1. 與 -ways 通用者

crosswise　交叉地	sunwise　順日轉方向
cornerwise　對角地，斜	moneywise　在金錢方面
endwise　末端朝前地	dropwise　一滴一滴地
coastwise　沿海岸	contrariwise　相反地
lengthwise　縱長地	likewise　同樣地
sidewise　斜向一邊地	otherwise　要不然，否則
	crabwise　似蟹橫行地

2. 不與 -ways 通用者

clockwise　順時針方向	pairwise　成雙成對地

② 表示方向

-ad 表示向…、朝…方向

sinistrad　向左方	laterad　向側面
dextrad　向右方	mediad　朝著中線

dorsad　向背後　　　　　　　caudad　向尾部，向後
ventrad　向腹部
-ther 表示向…、到…
hither　向這裡，到這裡　　　whither　往何處，向何處
thither　向那裡，到那裡
-wards 表示向…、朝…
downwards　向下，朝下　　　sunwards　向太陽
upwards　向上，朝上　　　　backwards　向後
northwards　向北，朝北　　　outwards　向外
southwards　向南，朝南　　　inwards　向內

英語學習優良叢書

學好英語的祕訣「介系詞」　　江學濤／譯　定價 160 元

想學好英語太簡單了！本書以 18 個介系詞、副詞，使你的英語水平遽然提升，加上重點式輕鬆地學習，讓你確實抓住學習英語的祕訣。

用初級英語學好英語會話　　江學濤／譯　定價 180 元

大家都知道學英語不只靠背誦，你想知道如何以初級程度的英語做交談，就暫且認真地跟著本書學習，必會有想像不到的爆炸性效果。

15 分鐘有趣英文單字記憶法　　楊文慧／譯　定價 140 元

本書以靈活的方法，幫助你將枯燥的英文單字生動、有趣的記在腦中。一天只花 15 分鐘，數月後，你的英文字彙能力，將令人難以相信。

15 分鐘有趣英文片語記憶法　　楊文慧／譯　定價 140 元

熟讀 12 個重要基本動詞，並附圖教你介系詞用法，可使你學習英文時更簡單、更有趣。讀完本書，你的程度將更上一層樓。

初學者英語習字帖　　本社編輯／譯　定價 120 元

本書內容有印刷字體、書寫字體、一般字體和單字等，印刷精美、清楚，是最適合國小、國中初學英文者的習字範本。

英語字根、字首、字尾分類字典　　　　定價420元

中華民國88年7月25日初版第3刷

著　　者：蔣爭

發 行 所：笛藤出版圖書有限公司

發 行 人：鍾東明

編　　輯：鄒翠華、鄭雅綺

新聞局登記字號：局版台業字第2792號

地　　址：臺北市民生東路2段147巷5弄13號

電　　話：25037628・25057457

郵撥帳戶：笛藤出版圖書有限公司

郵撥帳號：0576089-8

總 經 銷：農學股份有限公司

地　　址：新店市寶橋路235巷6弄6號2樓

製版印刷：造極彩色印刷製版股份有限公司

電　　話：22483904・22400333

ISBN 957-710-251-4